MIRAL

Rula Jebreal

MIRAL

Traduit de l'anglais
par Christine Auché

ISBN : 978-2-915056-99-0

À Julian
Et à tous les Israéliens et tous les Palestiniens
qui croient encore que la paix est possible.

PREMIÈRE PARTIE

HIND

1.

Le 13 septembre 1994, à l'aube, un frémissement parcourut les quartiers arabes de Jérusalem. Avant même sa diffusion à la radio, la nouvelle de la mort de Hind Husseini s'était répandue comme une traînée de poudre. Le tintamarre qui accompagnait d'habitude les préparatifs des marchands des souks s'étendit des ruelles de la vieille ville jusqu'aux abords de la rue Saladin, où le cortège funèbre devait défiler. Beaucoup de commerçants laissèrent leurs rideaux de fer baissés et attendirent son passage les bras croisés devant leurs boutiques. Les marchandages s'arrêtèrent net dès que l'on apprit que le cercueil quittait l'orphelinat Dar El-Tifel, niché au pied du mont des Oliviers, face à la vieille ville. Hind avait consacré son existence à ce lieu, qui était devenu, depuis sa fondation en 1948, synonyme d'espoir pour la Palestine, au présent comme au futur.

Dans les quartiers arabes, on avait suspendu des drapeaux palestiniens aux fenêtres. Ceux qui n'étaient pas descendus dans la rue s'étaient postés sur leurs balcons pour jeter des poignées de sel, de riz et de fleurs. Tout le monde applaudissait pour rendre hommage à cette femme d'honneur courageuse et humble. Même les hommes avaient les larmes aux yeux. Jérusalem était envahie par un profond désarroi, un deuil immense, comme si l'une de ses portes s'était soudain refermée à jamais.

*
* *

Née en 1916 dans la Ville sainte alors encore gouvernée par l'Empire ottoman, Hind Husseini passa les deux premières années de son existence à Istanbul, où son père était juge. Elle perdit celui-ci quelques mois avant la chute de l'Empire, qui avait suivi sa défaite lors de la Première Guerre mondiale. Sa famille retourna ensuite à Jérusalem. À l'époque, la Palestine vivait une période de transition entre la domination turque et son nouveau statut sous mandat britannique, qui allait durer jusqu'à la naissance de l'État d'Israël, en 1948.

Hind, sa mère et ses cinq frères s'installèrent dans une maison du quartier arménien que possédait le clan Husseini depuis des siècles. Les parents de la fillette avaient habité cette spacieuse demeure de cinq chambres après leur mariage. Son salon était encore égayé par les tapis et les coussins colorés que la mère de Hind avait brodés dans son village natal voisin, réputé pour l'habileté de ses femmes aux travaux d'aiguille. Au centre de la pièce trônait un narguilé, posé sur une table arabe traditionnelle, un large plateau d'argent monté sur des pieds en bois sombre.

Dès leur retour, la mère de Hind entreprit de s'occuper des terres cultivables, situées dans le quartier excentré de Cheikh Jarrah, et du bétail, qu'elle avait hérités de son mari et de sa famille. Tous les matins, très tôt, elle se rendait là-bas pour superviser le travail des fermiers. Son fils aîné Kemal l'accompagnait dans ces excursions pour s'initier aux entreprises familiales, afin de les reprendre un jour. En début d'après-midi, mère et fils retournaient à Jérusalem et s'arrêtaient au passage dans la résidence principale de la famille, la maison du grand-père de Hind, située un peu à l'extérieur des murs d'enceinte de la ville. C'est là que Hind jouait avec ses frères et ses cousins, et tous y restaient jusqu'à l'heure du crépuscule, où chacun rentrait chez soi. Quand ses proches interrogeaient la mère de Hind sur la raison de ces allers et retours quotidiens, elle répondait sans hésiter : « Mon mari savait que si quoi que ce soit lui arrivait, nous reviendrions dans notre maison de Jérusalem, où son esprit pourrait nous trouver quand il voudrait pour nous rendre visite, la nuit. »

La mère de Hind avait aimé cet homme pendant la plus grande partie de son existence : selon les souhaits de leurs parents, elle l'avait épousé à l'âge de quatorze ans. Comme elle était d'extraction noble et que son futur époux appartenait à un clan dont les membres occupaient les postes les plus en vue de Jérusalem, allant du gouverneur au maire et au mufti, la cérémonie fut un spectacle hors du commun. La mariée arriva sur un pur-sang arabe blanc, suivie de toute sa famille. Sa dot comprenait trois parcelles de terre et deux maisons. Dans le plus pur respect de la tradition, le marié lui offrit un coffre en cuivre tapissé de velours rouge et rempli à ras bord de bijoux en or créés spécialement pour l'occasion : des bracelets, des colliers, des boucles d'oreille et des bagues. Malgré leur beauté, la mère de Hind portait rarement ces parures, tant elle trouvait vulgaire d'étaler sa fortune. La cérémonie eut lieu dans la maison de la famille du marié, où les femmes avaient préparé un festin composé d'agneau rôti à la cardamome et à la cannelle, de riz basmati accompagné de pignons de pin et de raisins secs, de courges, de carottes et de poireaux sautés avec des oignons et de la noix muscade, suivis de yaourt et de plateaux chargés d'un assortiment de fruits. On se mit à danser en début de soirée, jusque bien après minuit, quand les parents des mariés conduisirent le couple dans sa nouvelle demeure du quartier arménien. Leurs familles attendirent devant la maison jusqu'à ce que les premières lueurs de l'aube fassent rosir les collines de Jérusalem et que le marié réapparaisse en exhibant la preuve de la consommation du mariage.

Une certaine tranquillité régnait encore dans la Jérusalem où Hind fit ses premiers pas. Bien que de confession musulmane, enfant, elle passait toujours la veille de Noël à l'hôtel *American Colony*, l'ancien palais d'un pacha turc. Bertha Spafford, une riche et excentrique Américaine, y donnait tous les ans une fête destinée aux enfants du quartier, qu'elle régalait de dinde farcie aux raisins secs et de nombreux desserts avant de leur distribuer des cadeaux. Dans un coin du hall d'entrée se dressait un sapin offert par la mère de Hind, qui l'avait choisi dans son jardin avec ses fils. À la fin des réjouissances, les enfants suivaient Bertha dehors pour observer la replantation de l'arbre dans le parc de l'hôtel. L'Américaine avait en effet coutume de dire à ses jeunes invités que si on laissait un arbre mourir, la fête n'aurait servi à rien. Après le dîner, on chantait toujours des chants de Noël en arabe, puis les chrétiens assistaient à la messe de minuit à l'église du Saint-Sépulcre.

Bertha et la mère de Hind avaient fini par monter une petite infirmerie pour leurs métayers. Un jour, un bébé fut abandonné devant la porte de l'établissement. Aidées d'un médecin bénévole, les deux femmes recueillirent immédiatement l'enfant et s'en occupèrent pendant quelques jours, jusqu'à ce qu'elles trouvent une famille de paysans prête à l'adopter.

Hind et ses frères reçurent une excellente éducation. Leur mère attendait d'eux qu'ils passent au moins deux heures par jour à lire, surtout des romans en anglais, que Bertha les aidait à choisir. La mère de Hind avait particulièrement insisté sur l'instruction de sa fille, parce que, disait-elle, l'éducation permet à une femme de s'élever socialement. Hind fréquenta donc l'université féminine de Jérusalem, tandis que ses frères, comme tous les jeunes mâles issus des plus influentes familles palestiniennes – les Husseini, les Nashashibi et les Dijani –, furent envoyés poursuivre leurs études dans les prestigieuses universités de Damas ou du Caire.

Hind eut la chance de passer son adolescence dans une des villes les plus fascinantes au monde. Bien que certains signes des catastrophes à venir y soient déjà perceptibles, Jérusalem était encore un endroit où les enfants pouvaient grandir en paix. La mère de Hind aurait aimé marier sa fille à l'un de ses cousins en grande pompe, mais cette dernière avait insisté pour continuer ses études à Damas. En 1936, la révolte arabe contre le mandat britannique mit un terme aux projets de la mère comme aux rêves de la fille.

*
* *

Pour les deux femmes chargées de laver le corps de Hind avant de l'envelopper dans un linceul – afin que la défunte se présente parfaitement pure devant Dieu, comme le prescrit le Coran –, son visage était aussi serein que de son vivant, et ne portait aucune trace du supplice de ses dernières heures.

Le matin précédent, Hind s'était réveillée baignée de sueur. Elle avait bien essayé de cacher les douleurs que sa maladie lui infligeait, mais Miriam, une de ses filleules devenue directrice adjointe de l'école, avait décidé de la faire admettre à l'hôpital Hadassah, où elle était suivie. Hind avait fini par se laisser convaincre, à une condition : passer d'abord revoir une dernière fois Dar El-Tifel.

À cette époque de l'année, le jardin n'était plus paré de ces merveilleuses fleurs dont la senteur si pénétrante envahissait les ruelles et les cours avoisinantes en début d'été. Associé aux souvenirs les plus chers de Hind, ce parfum lui évoquait la saison de la floraison, pendant laquelle le soleil inonde les collines de Jérusalem d'une lumière si vive que les maisons semblent se confondre avec le ciel.

Hind se rappelait à quel point le terrain était nu avant l'installation de l'école. À l'époque, il n'y avait rien : pas de roseraie, d'oliviers, de citronniers, de palmiers, de jasmin, de grenadiers, de pamplemoussiers, de magnolias, de figuiers, de petits pieds de vigne, de canneliers ni d'arbres de henné, pas de menthe, de sauge ni de romarin sauvage. La petite fontaine qu'elle avait fait construire au milieu de la cour, réplique exacte de celle que sa famille possédait dans le quartier arménien, n'existait pas non plus... Ses pensées s'attardèrent sur le souvenir de cet endroit tel qu'il était avant d'être envahi par tous ces arômes, toutes ces couleurs vives, et par le rire des petites filles courant après leur ballon sur l'aire de jeux, à l'abri des tragédies qui se déroulaient hors de ses murs.

Miriam aida Hind à s'asseoir à l'arrière de la voiture. Consumé par la maladie, le corps de la vieille dame était devenu très fluet, et sa voix était faible.

— Quand tu es arrivée à Dar El-Tifel, c'est moi qui t'ai prise dans mes bras, commenta Hind, le regard souriant, comme toujours.

À l'âge d'un an et demi, Miriam avait perdu ses deux parents. Son père, un *fedayin*[1], était mort au combat, et sa

1. Ce mot, qui signifie « celui qui se sacrifie pour quelque chose ou quelqu'un », désigne des francs-tireurs membres de commandos palestiniens luttant contre Israël. (Toutes les notes sont du traducteur.)

mère avait été tuée dans une embuscade. L'imam de la mosquée du village où habitait l'enfant l'avait amenée à l'école. Mal nourrie, elle présentait également les symptômes d'une pneumonie. Hind l'avait accueillie et confiée au médecin scolaire, son cousin Amir. Miriam avait grandi entre les murs de Dar El-Tifel et décidé d'y rester après son bac. Elle était devenue une femme robuste et imposante d'un mètre quatre-vingts aux épaules carrées, qui vouait à Hind une véritable affection filiale, et s'était occupée d'elle avec amour pendant les longs mois de sa maladie, poussant son fauteuil roulant dans toute l'école plusieurs heures par jour si nécessaire et la portant elle-même dans ses bras.

Au moment où la voiture franchit les grilles de l'école, Miriam regarda Hind se retourner pour contempler une dernière fois le mont des Oliviers, que faisaient scintiller les reflets argentés des arbres se balançant sous la première brise d'automne.

Hind voyait sa Jérusalem avec d'autres yeux à présent, comme une ville arrimée à une terre souillée du sang des innocents et fragilisée par les tunnels creusés sous ses synagogues, par les cryptes et les passages secrets, mais aussi comme une cité tournée vers le ciel, en direction duquel ses minarets et ses clochers se dressaient fièrement. Pour elle, cette contradiction reflétait sans doute l'histoire de ce pays agité et de son destin tragique, qui l'avait conduit à représenter à la fois le royaume des cieux et celui de l'enfer. Alors que la voiture s'éloignait de la vieille ville, Hind fut brièvement éblouie par le soleil qui se réverbérait sur les maisons de pierre, dont la blancheur semblait symboliser l'espoir et la paix.

Elle se remémora les instants les plus difficiles de son existence, étroitement liés aux événements tragiques vécus par son peuple : le massacre de Deir Yacine, Septembre noir en Jordanie, puis la déclaration de la guerre du Liban, ainsi que les massacres de Sabra et Chatila[1], perpétrés dans

1. Deir Yacine : massacre de Palestiniens au village de Deir Yacine par des combattants israéliens le 9 avril 1948 ; Septembre noir : début de la guerre entre les Palestiniens et les Jordaniens en 1970 ; guerre du Liban : commence par l'opération « Paix en Galilée » en juin 1982, offensive d'Israël qui envahit le Liban jusqu'à Beyrouth pour repousser l'Organisation de Libération de la Palestine (OLP) ; Sabra et Chatila : massacre perpétré en 1982 sur les civils palestiniens dans des camps de réfugiés au Liban.

les camps de réfugiés par les phalangistes maronites avec la collaboration et la protection de l'armée israélienne. Chacun d'entre eux avait représenté une défaite supplémentaire, la répétition d'un scénario immuable dans lequel les Palestiniens finissaient toujours par perdre.

En regardant à travers la vitre, Hind réfléchissait à nouveau à un constat qui ne la quittait jamais vraiment : les Palestiniens de Jérusalem étaient obligés de se battre sur deux fronts, à l'intérieur et à l'extérieur. D'abord contre eux-mêmes, afin d'éviter de tomber dans une absurde spirale de violence qui les conduirait sûrement à la défaite, mais aussi contre une frange de politiciens peu scrupuleux prêts à offrir leur pays sur un plateau d'argent comme une vulgaire monnaie d'échange.

Elle songea à la première intifada[1], à tous les efforts qu'elle avait déployés pour empêcher les jeunes filles de Dar El-Tifel de participer aux manifestations, et aux quelques vies qu'elle avait réussi à sauver. Beaucoup de Palestiniens aisés avaient fui le pays dans l'espoir de recommencer leur vie ailleurs, mais Hind, elle, avait choisi de rester pour aider son peuple. Elle avait pris cette décision presque inconsciemment, comme si c'était son destin, qu'elle avait accompli sans broncher. Dans sa bouche, le mot « privilège » avait une seule signification : être à même d'aider son prochain. Bien que ne s'étant jamais mariée, elle se targuait, comme elle le disait souvent à ses élèves en plaisantant, d'être « la femme ayant le plus de filles de tout Jérusalem ». En 1948, quand Hind n'était encore qu'une trentenaire élégante et ouverte d'esprit, un poète l'avait aussi comparée à Jérusalem : « la fiancée du monde ».

Au moment où la voiture se garait devant l'hôpital, elle se demanda ce qui allait bien pouvoir se passer à présent.

Ses études terminées, Hind avait enseigné à l'école musulmane pour filles de la Ville sainte, avant de fonder avec quelques collègues une association dédiée au combat contre l'illettrisme, dont elle fut un des membres les plus

1. En 1987, les Palestiniens déclenchèrent la première intifada, ou « guerre des pierres », en réponse à l'occupation israélienne en Cisjordanie et dans la bande de Gaza.

actifs. Elle sillonnait toute la Palestine pour promouvoir l'ouverture de nouvelles écoles, même dans les villages les plus reculés, se rendant dans les camps de réfugiés au volant d'un gros bus scolaire. Elle en revenait avec de nombreux enfants que leurs mères, de pauvres femmes incapables d'assurer leur éducation, étaient plus qu'heureuses de lui confier. À l'époque, Hind était convaincue que la rédemption du peuple palestinien dépendrait de la libération culturelle de sa jeunesse. Son association publiait un magazine visant à sensibiliser le public à son action en faveur des enfants défavorisés.

Après la fin de la Seconde Guerre mondiale, juste au moment où le monde semblait avoir retrouvé la paix, la Palestine avait commencé sa descente aux enfers. C'était comme si des questions restées sans réponse dans d'autres régions du globe avaient soudain explosé au beau milieu du pays en un incendie dévastateur. Cette fois, les murs de la vieille ville, jadis synonymes de sécurité, n'avaient pas pu protéger ses habitants, car l'agresseur se trouvait déjà à l'intérieur.

Toute sa vie, Hind avait nourri la conviction que la religion n'était pas la seule ni même la principale cause du conflit israélo-palestinien, qu'elle estimait essentiellement fondé sur des questions politiques. Mais sa voix n'était qu'un murmure comparé au vacarme incessant des armes répandant la mort et la douleur, au nom d'une religion en théorie opposée à la violence.

La bourgeoisie arabe quitta la ville en masse. De nombreuses familles prévoyaient de revenir après la fin des combats, et les collègues de Hind lui promirent qu'ils retravailleraient tous ensemble très vite. Mais la plupart d'entre eux ne retournèrent jamais à Jérusalem, et poursuivirent leur vie à Amman, à Damas ou au Caire. Pendant ce temps, au fur et à mesure que l'armée israélienne continuait sa conquête du pays, la vieille ville se remplissait de villageois évacués contraints de fuir vers Jérusalem dans l'espoir d'y survivre tant bien que mal.

Hind fut l'unique membre de l'association à décider de rester sur place. La seule précaution qu'elle prit fut d'abandonner pendant quelques mois sa maison du quartier arménien, au sud-ouest de la vieille ville, trop exposée aux tirs israéliens.

Entre-temps, tous les hommes partirent se battre, et les femmes se mirent au travail. Sans écoles pour les accueillir ni adultes pour les surveiller, les enfants traînaient dans les rues. Hind décida alors d'ouvrir en plein centre un petit jardin d'enfants comprenant deux pièces meublées simplement, l'une d'une dizaine de lits et l'autre de quelques petites tables et chaises. Peu de temps après, quand les combats eurent gagné le centre de Jérusalem, empêchant les enfants de venir, Hind fut finalement contrainte de fermer l'école.

2.

Le 9 avril 1948, profitant d'une accalmie dans les combats, Hind Husseini retourna dans la vieille ville, où le gouverneur l'avait conviée à une réunion consacrée au problème urgent des réfugiés. La jeune femme y pénétra par la porte d'Hérode et parcourut les rues étroites en remarquant au passage les quelques maigres stands dispersés qui avaient remplacé l'habituelle confusion pleine de vie des souks regorgeant de légumes, où d'intenses effluves de menthe, de cumin et de cardamome se mélangeaient autrefois à ceux des extravagants étals de fruits.

Un mois avant la création de l'État d'Israël, Jérusalem était plongée dans la morosité. Dans les quartiers juifs, on se saluait tout bas et les passants marchaient les yeux baissés. Le malaise était encore plus perceptible dans les quartiers arabes, et l'appel du muezzin y sonnait davantage comme une lamentation sans fin que comme l'habituelle joyeuse invitation à la prière.

En s'approchant de l'église du Saint-Sépulcre, Hind tomba sur un groupe d'enfants déguenillés. Ils devaient être cinquante : certains étaient assis au bord des trottoirs, appuyés contre leurs voisins, d'autres restaient debout sans bouger le long de la rue, comme s'ils attendaient quelqu'un. En s'approchant, Hind remarqua que les plus petits étaient pieds nus. Beaucoup d'entre eux pleuraient, et ils avaient presque tous les joues constellées de boue et les cheveux emmêlés et pleins de poussière. Elle demanda immédiatement des explications à la plus âgée d'entre eux, qui paraissait avoir à peine douze ans et portait un pantalon déchiré et une chemise aux manches déchiquetées.

— Où sont vos parents ? Et que faites-vous au milieu de la rue ?

— C'est là qu'ils nous ont laissés, répondit la petite fille en ravalant ses larmes.

— Comment t'appelles-tu ?

— Zeina, balbutia l'enfant entre deux sanglots.

Zeina raconta à Hind qu'elle avait entendu des coups de feu toute la nuit dans son village, Deir Yacine, et vu des maisons, dont la sienne, prendre feu. Elle avait cherché ses parents en les appelant à grands cris, mais comme le bruit des coups de fusil noyait tout le reste, elle s'était cachée. Le matin venu, des hommes armés l'avaient arrachée à sa cachette pour l'amener sur la place du village. Elle y avait retrouvé d'autres enfants, mais aucun n'était dans sa classe. Les hommes les avaient tous entassés dans un camion, avant de les abandonner sans un mot près de la porte de la vieille ville.

— Attends-moi ici, Zeina, dit Hind à la petite d'un ton rassurant en caressant ses cheveux poisseux. Je vais parler à quelqu'un et je reviens.

3.

Si le gouverneur de Jérusalem, Anwar al-Khatib, n'avait jamais rencontré Hind, il connaissait bien son engagement envers les enfants défavorisés du pays. Dès qu'il la vit entrer dans la salle de réunion, il reconnut la détermination qui caractérisait les Husseini.

Hind demanda la parole.

— Excusez-moi, mais, avant que vous ne déclariez la séance ouverte, je voudrais vous parler d'un groupe d'enfants, une cinquantaine environ, que je viens de rencontrer à quelques mètres d'ici. Ce sont les survivants d'un massacre.

— À Deir Yacine, répondit le *mutasarrif*[1], à qui on avait rapporté l'événement à peine une heure plus tôt.

— Ils sont sales, ils ont faim et ils ont peur. Il n'y a pas de temps à perdre. Nous devons immédiatement les aider.

Elle répéta alors l'histoire que lui avait racontée Zeina.

Assis derrière un massif bureau de bois surchargé de papiers jaunissants, le gouverneur se caressait la barbe en écoutant la jeune femme. Il ne quittait pas des yeux une gravure représentant Jérusalem à la fin du XIXe siècle, comme pour essayer de comprendre exactement où et quand avait commencé ce conflit qui faisait resurgir la fange tapie dans les entrailles de la ville.

Quand Hind eut terminé son récit, il lui expliqua qu'il devait considérer le problème dans son ensemble et que,

1. Nom arabe du gouverneur du district de l'Empire ottoman.

pour le moment, il ne pourrait pas donner à ces enfants ce dont ils avaient besoin.

— Nous avons tellement de réfugiés que nous ne savons pas comment tous les aider.

Hind se leva et se dirigea vers la porte. Après s'être retournée vers le gouverneur, elle planta son regard dans le sien et annonça d'une voix calme mais ferme :

— Je comprends. Continuez votre réunion. Moi, je vais voir ce que je peux faire pour eux.

Anwar al-Khatib ne put s'empêcher d'être impressionné par l'intransigeance de son interlocutrice, déterminée à aider ces orphelins à n'importe quel prix.

4.

Hind retrouva les enfants dans la rue, exactement là où elle les avait laissés, alors que, dans l'intervalle, le crépi d'une maison voisine avait été criblé de balles. Toujours debout, ils semblaient pétrifiés. Prenant la main du plus petit d'entre eux, Hind leur annonça :

— Venez avec moi, je vous emmène loin d'ici.

Pour atteindre la maison de Hind, l'étrange cortège dut parcourir la vieille ville de bout en bout. Tous ceux qui les virent passer ne purent qu'être frappés par le contraste entre la petite armée de gosses pieds nus, à moitié dévêtus, et l'élégance de la jeune femme qui les conduisait. Pendant ce temps, la nouvelle du massacre de Deir Yacine – perpétré par la milice Irgoun avec le consentement silencieux de la Haganah, l'armée israélienne officielle – avait fait le tour de la ville, allant de boutique en boutique, d'un étal de souk à l'autre, avant même que les journaux n'aient eu le temps de l'imprimer.

Les gens ne mirent pas bien longtemps à faire le lien entre la nouvelle du massacre et ces cinquante-trois enfants traumatisés, dont les plus grands tenaient les plus jeunes par la main, qui traversaient les rues de Jérusalem derrière Hind Husseini. Cette bizarre procession était l'une des preuves les plus déchirantes du massacre.

*
* *

La maison de Hind était une grande villa de pierre blanche, ombragée par un jardin luxuriant. Sa mère et deux femmes de chambre observèrent tristement l'arrivée du petit groupe, et restèrent un moment sans voix quand Hind leur demanda de l'aider à laver et à nourrir ses nouveaux protégés.

Quand elles commencèrent à poser des questions, Hind, qui n'avait pour l'instant que les enfants en tête, rétorqua sèchement qu'il s'agissait des survivants du massacre de Deir Yacine.

– Je vais les installer dans le jardin d'enfants jusqu'à nouvel ordre, ajouta-t-elle avant d'accompagner les plus petits à la salle de bains.

Les situations dramatiques ont tendance à déclencher des émotions contradictoires. On ressent un élan de solidarité et de soutien mutuel, qui s'accompagne souvent instinctivement d'un sentiment d'envie insidieux envers ceux qui semblent plus favorisés par le sort. Les jours suivants, certaines langues de vipère accusèrent Hind d'avarice, lui reprochant de ne pas dépenser suffisamment son propre argent pour les autres. Elle répondait à ces ragots en disant qu'il ne lui restait plus en tout et pour tout que cent vingt-huit dinars palestiniens de liquide, qu'elle avait bien l'intention d'utiliser intégralement pour aider les petits survivants de Deir Yacine.

D'autres comprirent en revanche immédiatement l'importance de l'entreprise de Hind, à commencer par Basima Faris, la directrice d'une école voisine, qui vint d'elle-même lui proposer de l'aider à s'occuper des enfants. Basima était une femme directe et intègre qui n'avait pas peur de regarder les hommes dans les yeux ni de leur réclamer ce dont les petits orphelins avaient besoin. Avec cette alliée à ses côtés, Hind alla tous les jours chez les marchands et les épiciers de la ville, qui donnaient la plupart du temps sans rechigner de la nourriture, des vêtements et des couvertures. Hind savait néanmoins que l'argent qu'elle mettait de côté ne garantirait bientôt plus à ses protégés ne serait-ce qu'un repas par jour. Elle décida donc de rendre une nouvelle visite au gouverneur, cette fois en compagnie de Basima.

Anwar al-Khatib s'entretenait avec des marchands des environs dans la salle de réunion. Hind et Basima restèrent debout près de l'entrée en attendant la fin de la discussion. N'ayant pas remarqué leur présence, le gouverneur continuait à parler à ses invités.

— Si vous voulez que je vous accorde une patente, vous devez tous me promettre d'envoyer un sac de pommes de terre, un sac de riz et un sac de sucre à l'école de Hind Husseini.

Le plus âgé des marchands répondit sans hésitation :

— J'ai entendu parler de cette courageuse personne et je vais envoyer ces denrées à son école dès aujourd'hui. Je rajouterai même des fruits et des légumes.

Les autres acquiescèrent.

Sur ce, le gouverneur se leva et aperçut les deux femmes. Le visage de Hind reflétait clairement la surprise. Jusqu'alors, elle avait en effet considéré le dignitaire comme un obstacle. L'intensité de son émotion se lisait dans ses yeux. Al-Khatib s'approcha avec un sourire affable et s'enquit de l'objet de leur visite.

— Je n'ai plus rien à demander, répondit Hind en lui rendant son sourire. Nous avons déjà obtenu ce que nous voulions. Vous avez exaucé notre requête avant même de l'entendre. Nous vous remercions du fond du cœur, vous et tous les marchands.

*

* *

Les semaines suivantes, les combats s'intensifièrent à Jérusalem. Les Israéliens redoublèrent d'efforts pour pénétrer dans le quartier arabe de la vieille ville, mais ses murs imposants, datant du XVIe siècle et renforcés par d'énormes grilles, le protégèrent pendant un temps. La ville était destinée à être coupée en deux : Jérusalem-Est serait contrôlée par les Arabes, Jérusalem-Ouest par les Israéliens.

Un matin, en arrivant au jardin d'enfants, Hind trouva tous les orphelins dans la cour, serrés les uns contre les autres, en cercle. Les plus petits pleuraient toutes les larmes de leur corps.

— Que se passe-t-il ? s'inquiéta Hind. Pourquoi pleurez-vous ?

Zeina s'avança pour expliquer que la nuit précédente, ils avaient été réveillés par des coups de feu, qui avaient continué pendant des heures. Les enfants en avaient déduit que les soldats allaient tout détruire comme dans leur village et qu'ils n'avaient plus qu'à se rassembler dans la cour et à se préparer à être ramassés par les militaires.

À compter de ce jour-là, Hind décida qu'elle dormirait sous le même toit que les enfants. Elle comprit aussi que la petite école était devenue trop dangereuse. Ainsi, quand le cessez-le-feu fut finalement annoncé, elle entreprit de transférer l'orphelinat dans la maison de son grand-père, à Cheikh Jarrah. L'endroit avait été endommagé par des explosions et elle devrait réparer les dégâts de toute façon. Elle prévoyait également de construire un second bâtiment pour abriter les salles de classe à côté de la résidence principale, où serait installé le dortoir.

Une fois encore, Hind fit appel à la générosité du gouverneur de Jérusalem, au cours d'une réunion où étaient invités quelques-uns des membres les plus en vue de la bourgeoisie locale. Ne perdant pas de temps en politesses, la jeune femme déclara à l'assistance :

— Je sais que beaucoup d'entre vous financent la résistance.

Le gouverneur leva les yeux au ciel et s'apprêta à répondre, mais Hind l'arrêta d'un geste.

— Je vous demande simplement de financer aussi mon projet de création d'un établissement destiné à élever les orphelins. C'est une autre manière de résister : la meilleure qui soit, en fait. Comme vous le savez parfaitement, ces enfants représentent la génération future, mais, pour l'instant, ils ont besoin de nous. Nous ne pouvons pas les abandonner. Quand ils seront adultes, nous aurons besoin d'eux à notre tour, mais ils ne nous serviront à rien s'ils sont faibles et mal nourris. Il nous faudra des gens solides, tenaces et instruits, pour construire la Palestine de demain.

Al-Khatib accepta de nouveau. Les fonds qu'il alloua se révélèrent insuffisants, mais Hind découvrit qu'elle pouvait compter sur le soutien financier de nombreux Palestiniens, y compris les moins aisés.

5.

C'est en septembre 1948 que Dar El-Tifel, la « Maison de l'Enfant », vit le jour. Durant les mois mouvementés qui suivirent sa création, cette institution – à la fois orphelinat et école – devint indispensable, et beaucoup de citoyens, y compris le gouverneur, le remarquèrent. Lui qui avait d'abord considéré le projet de Hind avec un brin de scepticisme recevait désormais jour après jour un nombre croissant de demandes d'aide venues des quatre coins du pays concernant des orphelins ou des enfants abandonnés accidentellement par leurs parents alors qu'ils fuyaient leurs villages.

Un après-midi, Hind reçut la visite d'al-Khatib. Autour d'une tasse de thé à la menthe servie dans le patio de l'école, le gouverneur lui confia que la situation dans le reste du pays était beaucoup plus sérieuse qu'on ne l'imaginait à Jérusalem. En le regardant passer une main lasse dans sa chevelure blanche, Hind comprit que le vieil homme, qui avait été au cours de son existence témoin d'une longue série de tragédies, ployait sous le fardeau des événements terribles des derniers mois.

— J'ai bien peur que le pire ne soit à venir, lui confia-t-il.

Au cours d'une promenade dans le jardin broussailleux qui deviendrait plus tard le parc luxuriant de l'école, le gouverneur fit part à Hind en toute franchise des informations confidentielles qu'il avait reçues le matin même sur Deir Yacine. Avec une détresse évidente, il lui relata le contenu du rapport de l'envoyé du Comité international de la Croix-

Rouge. Le récit des enfants lui avait déjà donné une idée de la brutalité de l'attaque, mais rien ne l'avait préparé à ce qu'il avait lu dans ce dossier. D'une voix brisée, sans regarder Hind dans les yeux, al-Khatib lui raconta comment son choc s'était mué en un mélange étouffant de colère et de tristesse en découvrant avec quelle cruauté méthodique le massacre avait été mené.

– Le rapport, dit-il d'une voix étranglée par l'émotion, parle de deux cent cinquante-quatre personnes assassinées de sang-froid. Pas seulement des hommes jeunes, mais aussi des personnes âgées, des femmes et des enfants, à qui on a tiré dans le dos alors qu'ils tentaient de s'enfuir. Des maisons ont été brûlées, des femmes, violées. Quarante hommes ont été isolés, déshabillés, et amenés à Jérusalem-Ouest, avant d'être obligés de défiler à travers les rues, puis exécutés sous les yeux de la foule. Comment ces cinquante-trois enfants vont-il réussir à oublier un spectacle pareil ?

Hind se souvint de leur regard, le jour où elle les avait trouvés près du souk. Elle revit leurs expressions terrifiées, leurs mains sales, leurs jambes flageolantes. Revenant à la réalité, elle observa certains d'entre eux jouer devant les tentes qui serviraient d'abris de fortune jusqu'à la fin des travaux de construction du dortoir. Plusieurs orphelins restaient assis dans leur coin, ici et là, et, à leur vue, Hind eut soudain la certitude qu'elle devait faire tout son possible pour leur donner une chance. Ils n'oublieraient jamais, elle en était sûre, mais elle pouvait au moins contribuer à leur faire croire en un avenir meilleur.

Dans l'intervalle, le gouverneur s'était remis à parler en marchant à pas lents et en jetant de temps à autre un coup d'œil à la vieille ville.

– Ce qui m'inquiète le plus est que la Haganah n'a pas participé directement au massacre. Elle a laissé ce soin à des groupes extrémistes comme l'Irgoun et le gang Stern. J'ai peur qu'ils n'utilisent Deir Yacine comme une menace pour inciter les Arabes à abandonner leurs villages. Des secteurs entiers de Galilée sont dépeuplés. De très anciennes communautés se disloquent sous la pression de la propagande de la Haganah, qui a tout intérêt à attirer l'attention du public sur la brutalité des récents événements.

Marquant une pause, al-Khatib regarda Hind dans les yeux avant de poursuivre :

– Notre peuple est en train de se disperser. Nous risquons une diaspora. Je crains que des actes de vengeance cruels ne marquent le début d'un engrenage infernal, à l'image des attaques du mont Scopus.

Il prononça ces derniers mots presque à voix basse, comme s'il répugnait lui-même à les entendre.

Ces attaques du convoi du mont Scopus avaient constitué les représailles palestiniennes à Deir Yacine, le 13 avril 1948, quatre jours après le massacre. Un convoi de deux bus remplis de médecins et d'infirmières et de plusieurs véhicules militaires israéliens tomba dans une embuscade sur la route de Jérusalem. Les bus bourrés de civils furent incendiés. Quand les Britanniques finirent par arriver sur les lieux, après six heures de fusillade, plus de soixante-dix Juifs avaient trouvé la mort.

Hind, qui avait gardé le silence pendant le récit du gouverneur, se laissa tomber sur un vieux banc en bois, épuisée.

*

* *

Les années suivantes, les déclarations d'al-Khatib se révélèrent prophétiques. La nouvelle du massacre de Deir Yacine se répandit en effet de village en village, engendrant un exode massif de Palestiniens vers les États arabes voisins, notamment le Liban et la Jordanie. Quand la partie orientale de Jérusalem passa sous contrôle jordanien, Hind estima que c'était une erreur, trouvant la solution d'un régime d'auto-administration palestinienne bien préférable. Elle résolut d'ailleurs de s'occuper le moins possible de politique.

*

* *

Une fois la réfection de la vieille villa de pierre blanche terminée, Hind accompagna sa mère au *Hajj*, le pèlerinage sacré à La Mecque.

Quand elle eut atteint le but de son voyage, elle s'agenouilla devant la Pierre noire, le lieu le plus sacré de La Mecque, toucha le sol avec son front, et remercia Dieu pour tous les progrès qu'elle avait accomplis dans son travail et pour tout le soutien qu'elle avait reçu.

— Aide-moi, aide-moi, aide-moi, implora-t-elle en répétant sa prière trois fois, selon la coutume. Aide-moi à construire une maison pour ces enfants.

Ce fut à ce moment-là qu'elle décida de ne jamais se marier.

6.

Quelques jours après son retour, Hind était assise à son bureau quand elle reçut une visite inattendue, celle d'un officier de l'armée américaine, un homme d'une quarantaine d'années aux cheveux blond cendré et dont les yeux intensément bleus lui rappelèrent la mer.

– Bonjour, je suis le colonel Edward Smith, lui annonça-t-il avec un sourire qu'elle trouva un peu trop amical.

– Ravie de vous rencontrer, colonel, répondit Hind en lui tendant la main.

Il la souleva doucement pour la porter à ses lèvres. Tentant de surmonter sa gêne, Hind retira prestement sa main.

– Asseyez-vous, s'il vous plaît, colonel, et dites-moi ce qui vous amène.

Une fois installé dans le fauteuil en face du bureau de Hind, l'homme en vint directement au fait.

– Mademoiselle Husseini, il y a quelques années, j'étais président de l'université américaine du Caire. J'ai eu votre oncle et votre frère aîné comme étudiants. Il se trouve que vous et moi sommes de vieilles connaissances. Nous nous sommes rencontrés quand nous étions enfants, à l'époque où tout le monde m'appelait Eddie. Mais quelques années de différence paraissent bien plus importantes à cet âge-là, ce qui explique sans doute que vous ne vous souveniez pas de moi.

Un peu désarçonnée par le ton familier de son interlocuteur, Hind pensa que c'était probablement justifié s'il était vraiment un ami d'enfance. Cependant, son visage ne lui disait rien. Remarquant sa perplexité, le colonel ajouta :

– Nous avons passé plusieurs réveillons de Noël ensemble à l'hôtel *American Colony*.

Hind fouilla dans ses souvenirs et finit par avoir la vision fugitive d'un grand garçon mince qui avait le chic pour réparer les jouets que les plus jeunes cassaient invariablement sitôt après les avoir reçus. Elle se souvint de ses yeux bleus qui lui avaient souri lors d'un réveillon où elle était restée assise sur un tapis devant la cheminée en sanglotant sous prétexte que la robe de sa poupée neuve était déchirée. Il ne savait pas coudre, lui avait-il dit, mais il s'arrangerait pour la faire réparer. Et, quelques jours plus tard, il lui avait en effet rendu la robe, quasiment en parfait état.

– Eddie, bien sûr, s'exclama-t-elle tout à coup en essayant de cacher son émotion. Je me souviens, maintenant. (C'était la première fois depuis des années qu'elle revoyait un ami d'enfance.) Je peux t'offrir un thé à la menthe ?

Tout en savourant son breuvage, servi dans un verre à bordure dorée, Eddie lui fit part de ses projets.

– Je vais rester quelques mois à Jérusalem avant de rentrer aux États-Unis. J'ai pris une chambre à l'*American Colony*. Ce matin, en regardant par ma fenêtre, j'ai vu tous ces enfants jouer au milieu des ruines et des murs branlants. Quand j'ai demandé ce qu'il y avait de l'autre côté de la grille et qu'on m'a expliqué ton projet en me disant que tu en étais la fondatrice, j'ai eu envie de te rencontrer et... je voudrais simplement savoir si je pouvais t'être utile en quoi que ce soit.

Hind se sentit presque embarrassée par cette proposition d'aide inattendue.

– Je suis touchée, répondit-elle sincèrement à son invité. Tu n'as pas changé, on dirait.

– Bien sûr que si, malheureusement... J'ai beaucoup changé. La vie ne vous laisse pas le choix. Mais je n'ai pas oublié comment donner un coup de main à quelqu'un de méritant. Et les gens de ta trempe, c'est vraiment rare, crois-moi.

Ayant épuisé ses fonds personnels au point d'être obligée de vendre les bijoux de sa mère, Hind demanda à Eddie s'il pouvait l'aider à trouver des financements pour terminer les travaux de l'école. Il lui assura qu'il userait de toute son influence pour y arriver.

Eddie tint parole. En l'espace de quelques semaines, il dénicha une compagnie pétrolière saoudienne, Aramco, qui acceptait de financer la construction de l'école, mais aussi la réfection des murs d'enceinte. Presque tous les après-midi, après le thé, Hind et lui se promenaient dans la propriété pour surveiller les progrès du chantier. Ils parlaient de leur vie, de leurs rêves, de leurs déceptions et de leurs succès, et échangeaient des nouvelles récentes d'amis d'enfance communs. Leur relation n'avait rien de romantique, mais, durant ces quelques mois, ils bâtirent une solide amitié qui continuerait par correspondance pendant de nombreuses années.

Quand Eddie quitta Jérusalem pour rentrer aux États-Unis, par une froide journée de décembre que les tièdes rayons du soleil parvenaient tout juste à réchauffer, Hind et lui se dirent au revoir en se promettant de rester en contact.

Ils n'allaient jamais se revoir.

*
* *

Hind ne resta pas les bras croisés à attendre les dons. En lui proposant de l'aider, Eddie lui avait montré le chemin qu'elle devait suivre pour obtenir des soutiens financiers.

Afin de garantir au maximum l'autonomie de son école en matière de choix éducatifs, elle décida de privilégier les agences et les organisations internationales par rapport aux autorités gouvernementales locales. Elle écrivit à un cheikh koweitien, Mohammed Ben Jassim Sabah, qui avait déclaré en public quelques jours auparavant désirer améliorer la qualité de l'éducation des enfants dans les pays arabes, et notamment le sien. Hind lui décrivit les activités de son pensionnat et le programme qu'elle avait l'intention de mettre en place, et le cheikh ne tarda pas à répondre en lui envoyant une considérable somme d'argent.

Peu de temps après, elle tomba par hasard sur un article dans un magazine mentionnant les directeurs d'une entreprise anglo-koweitienne – dont Mohammed Ben Jassim

Sabah faisait partie – qui séjournaient à Jérusalem. S'ils étaient aussi venus visiter la mosquée Al-Aqsa, le but principal de leur visite restait de recruter des professeurs, des ingénieurs, des architectes et des médecins palestiniens prêts à s'expatrier au Koweit. Hind se changea rapidement, enfilant sa plus belle robe, qu'elle agrémenta d'un collier d'argent ouvragé. Sans y réfléchir à deux fois, elle se rendit à l'Hôtel Jérusalem où elle avait lu que les visiteurs étrangers étaient descendus.

Hind arriva peu après le déjeuner, au moment où les directeurs s'apprêtaient à se retirer dans leurs chambres pour la sieste. Faisant appel à tous ses talents oratoires, elle les persuada d'oublier leur pause pour la suivre jusqu'à Dar El-Tifel, où ils pourraient visiter l'école et observer les résultats qu'elle se proposait de leur offrir en échange de leur soutien financier.

L'effet de surprise passé, ces messieurs acceptèrent de l'accompagner. Hind s'efforça de les intéresser en abordant très ouvertement ses projets et en rappelant que son but principal était d'assurer aux enfants les plus défavorisés une éducation digne de ce nom. Le cheikh regarda attentivement les orphelins et constata l'ampleur de la tâche qui restait à accomplir en écoutant Hind dans un silence religieux. Ensuite, il la prit à part pour lui promettre que partout où il irait, il parlerait de son école, et qu'il ferait l'impossible pour l'aider à en terminer la construction.

— Tous les deux mois, écrivez-moi une lettre détaillant l'avancement de votre chantier et précisant de quelle somme vous avez besoin. Et que Dieu soit mon témoin, je vous soutiendrai toujours.

Au moment de partir, il prit la main droite de Hind dans la sienne et la complimenta :

— Mademoiselle Husseini, vous ne faites pas seulement honneur à votre peuple, mais à l'ensemble du monde arabe.

Le cheikh tint sa promesse. En plus de sa participation, des contributions émanant de nombreux inconnus affluèrent sans tarder des coins les plus improbables de la péninsule. Hind utilisa ces nouvelles ressources pour terminer la construction de l'école et en profita pour recruter des professeurs qualifiés.

Peu de temps après, Mohammed Ben Jassim Sabah invita Hind à lui rendre visite. Elle fut stupéfaite de la richesse du Koweit et de la vitesse à laquelle le pays se modernisait. Les deux mots qui le caractérisaient le mieux étaient d'ailleurs l'opulence et la rapidité. Elle sentait confusément qu'il y manquait quelque chose, sans être capable de l'identifier.

Ce n'est qu'une fois rentrée à Jérusalem que Hind mit le doigt dessus. Le Koweit, malgré ses écoles parfaites, ses hôpitaux fonctionnels, ses autoroutes neuves et ses oasis artificielles dans le désert, n'offrirait jamais le même éventail culturel que Jérusalem, dont l'histoire s'étalait sur des millénaires, et dont les pierres blanches continuaient à briller même après avoir été régulièrement éclaboussées de sang à travers les siècles. Peut-être était-ce le secret de la Ville sainte : sa faculté à paraître toujours pure en dépit des épouvantables crimes commis entre ses murs.

Dans cette cité aux multiples visages, chaque affirmation semblait destinée à être contredite de manière radicale. Peut-être ses citoyens semblaient-ils si catégoriques, si peu enclins au compromis parce qu'ils avaient l'impression de vivre au bord d'un précipice. Pendant des milliers d'années, d'innombrables civilisations, tribus, religions et armées s'étaient affrontées pour contrôler cette ville, l'assiégeant, la conquérant, la perdant, et elles en avaient fait un creuset où se mêlaient irrémédiablement la joie et la souffrance. Ses habitants se trouvaient souvent forcés malgré eux de choisir leur camp : du jour au lendemain, des voisins qui s'étaient toujours salués quotidiennement pouvaient être prêts à s'entretuer. De tels comportements irrationnels s'étaient si fréquemment manifestés au cours des siècles qu'ils avaient fini par acquérir leur propre logique malsaine.

*
* *

Au fil des ans, Hind et Eddie continuèrent à correspondre. Dans l'intervalle, l'Américain s'était marié et avait eu deux enfants, ce qui ne l'empêchait pas de manifester régulièrement son désir de rendre visite à Hind à Jérusalem pour voir comment son école avait évolué.

En dépit de quelques passes difficiles pendant lesquelles les provisions arrivaient à peine à garantir aux enfants un frugal repas par jour, Hind ne se découragea jamais et continua avec son habituelle détermination à prendre fait et cause pour son école. Avec le temps, le nombre d'orphelins et de réfugiés pensionnaires comme le nombre d'externes augmentèrent considérablement. Consciente qu'elle allait devoir agrandir Dar El-Tifel, Hind écrivit à Amine, un de ses frères aînés qui possédait avec les quatre autres frères des bâtiments et des parcelles de terrain autour de l'école.

Cher Amine,

Après la mort précoce de notre père, nous aussi avons été orphelins. Mais nous étions des enfants heureux, parce que nous avions la chance de vivre dans de belles demeures et de pouvoir jouer dans un magnifique terrain surplombant la ville. Pourquoi ne rendrions-nous pas ces orphelins heureux à leur tour ?

Hind

La prenant au mot, Amine lui répondit en annonçant au nom des autres qu'ils seraient tous ravis de lui céder les titres de propriété des bâtiments et des terres pour un prix symbolique.

Chère sœur,

Tu as tout à fait raison de dire qu'enfants, nous étions en partie orphelins après la mort de notre père. Et c'est vrai, nous étions heureux car nous vivions dans de belles maisons et nous avions la chance de pouvoir jouer dans les champs devant la vieille ville. Nous te cédons donc avec joie nos propriétés situées derrière les tiennes afin d'aider ton établissement à se développer et de te permettre de continuer à rendre ces orphelins aussi heureux que nous l'avons jadis été. Nous espérons que la vie à Jérusalem est plus facile depuis que la ville a été placée sous l'autorité jordanienne. Embrasse notre mère pour nous.

Amine

7.

En 1967, la guerre des Six Jours[1] gonfla énormément le nombre d'enfants réfugiés, notamment celui des filles abandonnées. Suite à un accord passé avec les autorités de la ville, Dar El-Tifel, mixte depuis plus de vingt ans, devint un orphelinat et une école pour filles. Des institutions analogues destinées exclusivement aux enfants de sexe masculin existaient déjà à Jérusalem. Dar El-Tifel continuerait toutefois à accepter les petits garçons en dessous de six ans. Sachant que les filles étaient toujours les plus vulnérables quand on les abandonnait et que, faute d'une éducation décente, elles seraient marginalisées, Hind était convaincue d'avoir pris la bonne décision. Un peu plus tard, la même année, le quartier où était situé l'établissement, jusqu'à présent supervisé par les Jordaniens, passa sous contrôle israélien. Hind était habituée à négocier avec les Jordaniens les permis et autorisations divers, et surtout à résoudre le problème des papiers d'identité, dont la plupart de ses filleules étaient dépourvues. Elle devrait désormais traiter avec les autorités militaires israéliennes.

– Je n'aime pas les soldats, dit-elle à sa mère. Ils ont du sang plein les mains. À chaque fois que j'en croise un, je ne peux pas m'empêcher de me demander combien de personnes il a tuées.

Avec le temps, Dar El-Tifel devint non seulement une école réputée, mais aussi un symbole pour tous les Arabes

1. Offensive-éclair préventive lancée contre l'Égypte par Israël, qui se solda par la victoire d'Israël sur la coalition arabe et sa conquête de la Cisjordanie, de la bande de Gaza, du Golan, de la péninsule du Sinaï et de Jérusalem-Est.

de Jérusalem. Sa simple existence les rassurait, car ils savaient que chaque petite Palestinienne qui avait survécu à la guerre y trouverait un peu de sérénité et une éducation solide, qu'elle ait été abandonnée devant une mosquée ou qu'elle ait perdu l'un de ses parents, voire les deux.

Alors que Dar El-Tifel s'agrandissait encore avec la construction de deux nouveaux bâtiments, Hind développa également le projet pédagogique de l'école. Au bout de quelques années, ses essais intuitifs se muèrent en une méthode structurée permettant aux élèves de jouer un rôle actif dans la classe. Les plus grandes aidaient les professeurs à instruire les plus petites, et les plus douées pourraient, si elles le désiraient, devenir enseignantes en temps voulu.

Les journées étaient régies par une discipline très stricte, notamment en matière d'horaires : les fillettes se levaient à six heures et l'extinction des feux avait lieu à neuf heures précises. L'éducation physique faisait partie intégrante du programme. Quand des pensionnaires se plaignaient à Hind de la longueur des cours de gymnastique, elle se plaisait à leur répéter la maxime latine : *Mens sana in corpore sano*, « Un esprit sain dans un corps sain »...

Hind souhaitait que ses filles soient cultivées et polyglottes et qu'elles se tiennent à l'écart de la politique. Elle craignait en effet que les autorités ne ferment l'école au moindre soupçon de propagande anti-israélienne dans son enceinte.

Pour le bien de son institution, Hind continuait à collecter sans relâche des fonds là où ses talents oratoires étaient susceptibles de faire mouche : en Arabie Saoudite, au Liban, en Jordanie, au Koweit et en Égypte. Non seulement ces pays effectuaient de généreux dons annuels, mais encore ils s'engageaient à adopter un nombre croissant d'élèves : les plus âgées à distance, et les plus jeunes par contact direct avec des familles qui venaient les chercher.

Les anciennes, dont certaines partaient vivre dans des pays occidentaux, n'oubliaient jamais Dar El-Tifel. Quelques-unes en avaient de si bons souvenirs qu'elles faisaient par la suite des gestes concrets pour manifester leur reconnaissance. Nual Saïd, par exemple, était arrivée à l'école à la fin des années 1950 après avoir perdu ses parents. Elle avait trouvé une nouvelle famille à Dar El-Tifel, puis obtenu après son bac des bourses pour étudier la psychologie, d'abord en Jordanie, ensuite aux États-Unis, à Chicago. Nual y avait épousé un pédiatre d'origine mexicaine, dont elle avait eu deux petites filles. Si elle n'était jamais retournée à Jérusalem, elle avait un jour décidé de faire une surprise aux pensionnaires. Un matin, un gros camion avait remonté l'allée bordée d'arbres qui conduisait à l'orphelinat. Croyant d'abord à une erreur du chauffeur, le gardien avait dû se rendre à l'évidence en lisant la lettre très officielle dont il était porteur, déclarant que Nual Saïd, ancienne de Dar El-Tifel, donnait à toutes les élèves de l'année en cours le contenu d'un camion entier de chaussures, de robes et de cahiers. Outre ces gestes spectaculaires, qui n'étaient d'ailleurs pas si rares, les dons effectués par les anciennes en signe de gratitude permettaient à l'administration d'apporter chaque année des améliorations à l'école.

Hind consacrait toute son énergie à la gestion de l'établissement : ses activités allaient de la collecte de fonds au perfectionnement des programmes, et elle aidait même parfois les pensionnaires à résoudre leurs petits problèmes quotidiens. Année après année, elle avait souvent dû recourir à son charisme et à son influence personnelle pour protéger l'école et gardait un calme olympien même dans les situations les plus dramatiques.

Pendant ses rares moments de liberté, Hind s'occupait du jardin. Elle recherchait dans l'harmonie des plantes le calme qu'elle n'arrivait pas à trouver hors de l'enceinte de son école, et soignait ses fleurs avec la même attention exquise pour le détail qu'elle mettait à s'occuper de ses filleules. Étant convaincue qu'un beau fruit était avant tout le résultat de soins vigilants, elle ne laissait rien au hasard. En mars, au moment de la floraison de la roseraie, Hind passait des heures à inhaler le parfum des boutons à peine éclos, grisée par leur multitude de formes et de couleurs. Quand les filles la voyaient s'affairer à tailler ses plantes ou à arracher les mauvaises herbes, certaines se joignaient à elle pour l'aider. De telles démonstrations spontanées d'affection étaient monnaie courante, car les enfants de Dar El-Tifel la respectaient et suivaient son exemple. Elles l'appelaient d'ailleurs toutes « Maman Hind ».

8.

Pendant le dernier automne de sa vie, Hind avait vécu une seconde jeunesse intellectuelle. Au fur et à mesure que sa leucémie progressait, son corps était ravagé par la maladie, mais la nouvelle de la naissance de l'État palestinien la comblait de joie. Elle était particulièrement impressionnée par les célébrations qui s'étaient multipliées après les accords d'Oslo[1] dans tous les quartiers arabes.

De la terrasse de Dar El-Tifel, debout près du grand magnolia qui l'avait accompagnée dans les moments les plus dramatiques de l'histoire palestinienne, Hind apercevait la rue Saladin, l'artère commerciale principale de Jérusalem-Est, fourmillant de gens hilares qui dansaient et se dirigeaient vers la porte d'Hérode pour rejoindre la vieille ville. Hind aurait bien aimé descendre dans la rue avec ses concitoyens, et cette vision surréaliste de Jérusalem-Est en liesse l'encouragea à abandonner sa prudence habituelle en déployant le drapeau palestinien sur la balustrade, alors que c'était formellement interdit.

Elle ne comprendrait que plus tard la signification profonde de ce geste libérateur. À Dar El-Tifel, elle avait éduqué des générations de jeunes Palestiniennes, et voilà maintenant que ces petites filles, ces femmes jeunes et moins jeunes allaient aider à gérer l'État qui venait de naître. Son travail était terminé, et son voyage touchait à sa fin.

1. Accords signés à Washington le 13 septembre 1993 entre Yitzhak Rabin et Yasser Arafat, prévoyant la reconnaissance mutuelle d'Israël et de l'OLP et posant les bases d'un régime d'autonomie palestinienne en Cisjordanie et à Gaza.

Maintenant, ce serait à d'autres de retrousser leurs manches pour construire la Palestine.

Sa fille adoptive Hidaya interrompit sa réflexion en apportant une théière en argent et trois verres teintés à bordure dorée.

Hidaya avait été amenée à l'orphelinat de nombreuses années auparavant, alors qu'elle n'était qu'un bébé de trois mois, sans parents ni pièce d'identité. Hind lui avait raconté que la première fois qu'elle l'avait prise dans ses bras, elle avait ressenti un attachement profond pour elle, un sentiment très spécial qui constituerait les années suivantes le fondement d'une authentique relation mère-fille doublée d'une profonde connivence professionnelle. Dès que Hind lui avait tendu son petit doigt, le bébé l'avait serré très fort avec sa menotte. Ce signe d'affection les lierait à jamais. Hind adopta sans tarder l'enfant, à qui elle donna son propre nom de famille. Plus tard, elle lui enseignerait aussi les arcanes de la direction de l'école, afin qu'Hidaya puisse un jour prendre sa place.

En grandissant, Hidaya Husseini se distingua par la précision scrupuleuse avec laquelle elle effectuait la moindre tâche, et par sa profonde passion pour l'enseignement. En voyant sa fille approcher avec le plateau du thé, Hind ressentit à nouveau la force du lien qui les unissait, aussi puissant que l'élan qu'elle avait ressenti pour Hidaya quand celle-ci n'était qu'un bébé. Arrivée au dernier chapitre de son existence, elle était certaine d'avoir, comme tout dirigeant qui se respecte, bien préparé sa succession.

Le thé était chaud et très sucré, exactement comme Hind l'aimait, et, en pénétrant dans ses narines, l'arôme de la menthe l'emplit d'un profond sentiment de paix.

Quelques minutes plus tard, son cousin Fayçal Husseini apparut dans l'embrasure de la porte. C'était un homme robuste à l'air bienveillant, et dont les fiers yeux verts rappelaient ses ancêtres guerriers. En tant qu'autorité civile la plus haut placée de Jérusalem, il avait dirigé la délégation palestinienne pendant les négociations préliminaires des accords d'Oslo.

Fayçal décrivit à sa cousine l'atmosphère dans la vieille ville : des groupes se formaient à chaque croisement, les voitures klaxonnaient, la musique résonnait harmonieusement dans les rues étroites. Bref, la joie des habitants éclatait dans toute la Jérusalem arabe.

Debout près de la fenêtre, il regarda en direction des quartiers juifs et parut soudain tendu. Son trouble n'échappa pas à Hind, qui lui demanda ce qui le tracassait. Son cousin reprit du thé avant de lui avouer que ces célébrations lui rappelaient une histoire que son père lui avait racontée, à propos d'un autre jour, où l'euphorie avait envahi la seconde partie de la ville. C'était le 29 novembre 1947, date à laquelle l'Assemblée générale de l'ONU avait émis la résolution 181 approuvant la division de la Palestine en deux États. Le jour de la *nakba,* la « catastrophe », le commencement de la diaspora palestinienne.

— En l'occurrence, on est passés directement des feux d'artifice aux bombes, commenta-t-il.

Fayçal s'approcha de sa cousine et s'assit à ses côtés en prenant sa main dans la sienne.

— Les membres de la classe dirigeante palestinienne sont en exil depuis de nombreuses années, Hind, et ils ignorent à quel point les choses ont changé ces derniers temps. Ils n'ont jamais cohabité avec les Israéliens. Franchement, je n'ai pas confiance en cet optimisme. Je le trouve factice et superficiel.

Hind essaya de le rassurer – et de s'en persuader par la même occasion – en lui affirmant que le pire était sûrement derrière eux, mais il ne se laissait pas convaincre.

— Crois-moi, continua-t-il, je ne dis pas ça par défaitisme. C'est juste une analyse objective de la situation. Ces gens-là n'ont pas vécu ici toutes ces années, et maintenant ils reviennent cueillir les fruits du travail des autres. Je n'accuse personne, j'énonce juste les faits. Ils ne savent pas ce que c'était pour nous de vivre sous contrôle israélien, de coexister avec un peuple qui a souffert dans le passé et fini par faire souffrir un autre peuple exactement de la même façon. Le nouvel État palestinien n'existe que sur le papier, Hind. Nous devons le construire, maintenant, et pour y parvenir il ne faut pas oublier les erreurs que l'OLP a commises autrefois en Jordanie et au Liban.

Fayçal, qui s'était interrompu pour reprendre du thé, but une longue gorgée.

– Excuse-moi, Hind, par un grand jour pareil, je ne devrais penser qu'à me réjouir de notre succès.

– Fayçal, mon cher Fayçal, je comprends. Tu t'es toujours battu pour que l'État palestinien soit établi sur des bases solides, en prenant dûment en compte la tradition et l'histoire. Mais peut-être que la situation n'est pas si négative que tu le crois… Peut-être que des gens ayant vécu à l'étranger, qui n'ont pas connu les souffrances dont nous avons été témoins, trouveront plus facile de créer un pays capable de fonctionner en respectant Arabes et Juifs… Peut-être que la nouvelle classe palestinienne nous surprendra !

Mais la tirade de Hind était destinée à réconforter son cousin plus qu'elle ne reflétait vraiment son opinion.

Hind demanda à Fayçal de l'accompagner dans le jardin, où elle voulait lui parler de son testament.

– Souviens-toi, dit-elle après avoir lu le texte à haute voix, que l'école doit rester aux mains des élèves. Elles sont les mieux placées pour la gérer. Hidaya supervisera tout, elle est prudente et consciencieuse, mais tu vas devoir les surveiller.

Peu après, Hind fit ses adieux à son cousin. Elle savait que c'était un homme raisonnable. Maintenant que les armes avaient été déposées, on aurait besoin de gens comme lui.

Elle retourna sur la terrasse au moment où le soleil se couchait sur les collines de Judée.

Vais-je mourir en Palestine ? se demanda-t-elle en observant quelques-unes des filles les plus âgées qui rentraient de la ville. Reconnaissant Miral, une de ses élèves favorites, au milieu du groupe, elle lui fit signe.

Miral, qui avait passé son bac récemment, continuait à vivre à Dar El-Tifel comme toutes les autres orphelines, en attendant de partir faire ses études supérieures. Hind retrouvait en sa filleule beaucoup d'elle-même à l'adolescence. Elle admirait son courage. Depuis qu'elle était au courant de ses activités politiques, Hind lui rappelait souvent que l'État palestinien naissant n'avait pas besoin de martyrs désireux de sacrifier leur vie en son nom, mais d'individus intelligents prêts à œuvrer pour son bien, car elle était intimement convaincue qu'en politique, la prudence était la mère de toutes les vertus. Hind voyait en Miral un véritable espoir pour la future Palestine. Elle savait en effet à quel point la jeune fille était attachée à sa terre natale, et combien elle désirait la paix, tout en restant très éloignée du fanatisme ambiant. Hind voulait que Miral ait sa chance.

Debout en face d'elle, Miral avait les yeux brillants et le visage rose d'excitation. Les mots se bousculaient dans sa bouche tant elle était émue. La directrice lui enjoignit de se calmer, de s'asseoir à côté d'elle et de commencer par le commencement. Miral lui avoua qu'elle avait souvent désobéi à ses instructions quant à l'intifada, et lui décrivit les manifestations auxquelles elle avait participé et les réunions qu'elle avait organisées afin de prévenir les filles des méthodes employées par les services secrets israéliens pour recruter des informatrices. Avec une pointe de fierté, elle lui raconta aussi comment elle avait aidé de nombreuses camarades à prendre part au soulèvement palestinien. Malgré cette confession, Hind sentait cependant que Miral ne lui avait pas révélé l'ampleur de son implication dans le mouvement.

Elle avait toutes les raisons de s'inquiéter au sujet de l'activisme de la jeune fille. Miral s'était déjà fait prendre peu de temps auparavant, ce qui signifiait que Hind avait réitéré ses interdictions en vain. La vieille dame se sentait comme une mère angoissée sur le point de voir partir sa fille en solo pour la première fois, mais elle était touchée par sa franchise. Maintenant que ses jours à l'école étaient comptés, la préférée de Hind avait mis de côté leurs rapports de maître à élève et montré à son aînée qu'elle lui faisait confiance, même si elle ne se livrait pas complètement.

Cette nuit-là, Hind n'arriva pas à trouver le sommeil. Elle écouta les bruits de la rue, les cris des voisins euphoriques qui rentraient chez eux après avoir fêté l'événement. Le lendemain matin, comme tous les jours, Jérusalem se réveillerait baignée dans une atmosphère d'instabilité. Peut-être était-ce sa situation géographique, entre l'Europe et l'Afrique, entre l'Ouest et l'Est, entre le désert et la mer, qui la rendait en même temps si séduisante et si fragile…

*

* *

Aux funérailles de Hind, Miral faisait partie du cortège, ainsi que sa sœur Rania, qui marchait à ses côtés. Deux jours plus tôt, Miral était revenue à Dar El-Tifel pour la première fois depuis son départ, l'année précédente. Elle avait regardé Hind quitter pour toujours cet endroit et remonter en voiture l'avenue qui menait à la ville, en repensant au matin de sa propre arrivée, où elle avait parcouru à pied ce même chemin en sens inverse avec sa sœur et son père.

Non seulement les principaux dignitaires civils et palestiniens s'étaient rendus à ces obsèques, mais celles-ci fourniraient aussi l'occasion de faire avancer une cause à laquelle Hind avait dédié sa vie : la libération des femmes. Ces dernières allaient en effet être autorisées à participer pour une fois à un rituel dont les rôles principaux étaient d'habitude exclusivement réservés aux hommes.

Hind avait élevé ses filleules en leur apprenant à continuer son propre travail, afin que son école ne disparaisse pas avec elle. Elle aurait été heureuse de voir que son enseignement portait ses fruits en ce jour de deuil.

Alors qu'on amenait le cercueil jusqu'à la mosquée, les femmes, la tête couverte de voiles blancs en signe de pureté, s'avancèrent, chargées des cadeaux d'usage – du riz, de la farine, du sel, de la viande, des fruits, des vêtements, et de l'argent – destinés à la famille de la défunte, qui incluait les élèves de l'école. Quand le cortège funèbre atteignit le cimetière, un groupe de femmes défia les préceptes du Coran et l'autorité du mufti, qui leur enjoignait de partir sur-le-champ, en refusant de quitter l'endroit où allait être enterrée Hind.

Une explication véhémente s'ensuivit entre le mufti et l'une d'entre elles, une enseignante de Dar El-Tifel d'un certain âge qu'il connaissait bien parce qu'elle avait étudié à l'école et passé presque toute sa vie aux côtés de Hind.

– Zeina, raisonna le mufti. Ne m'oblige pas à utiliser la force. Il faut partir, maintenant.

Mais Zeina tint bon, avec le même regard fier qu'elle avait lancé à Hind quand celle-ci lui avait parlé pour la première fois, le jour où elle et les cinquante-deux autres enfants de Deir Yacine avaient été abandonnés devant les murailles de la vieille ville. Au bout d'un moment, le mufti essaya d'accélérer le mouvement en lui donnant un petit coup de coude, et la foule eut le souffle coupé de voir Zeina riposter en giflant la plus haute autorité musulmane de Jérusalem.

Au bout du compte, Zeina et les autres finirent par obtenir de rester avec Hind jusqu'à la fin et démontrèrent ainsi que grâce à son exemple, cette femme extraordinaire leur avait appris la patience, mais aussi le courage.

La communauté arabe de Jérusalem fut tellement peinée par le décès de Hind que le deuil dura dix jours au lieu des trois habituels. Tous les soirs, le muezzin se rendait devant sa sépulture pour prier. Pendant plusieurs semaines, des articles et des poèmes dédiés à cette grande dame parurent dans les quotidiens, et de nombreux citoyens ordinaires allèrent lui rendre hommage sur sa tombe, qui était toujours couverte de fleurs. Ses visiteurs lui apportaient les plantes qu'elle avait le plus aimées : des roses, des œillets et des branches d'olivier.

Hind mourut exactement un an après la signature des accords d'Oslo. Parmi les derniers mots qu'elle murmura à ses filles – ils resteraient gravés dans leur mémoire bien après l'échec du texte –, elle prononça ceux-ci : « La paix n'est pas seulement possible, elle est vitale. Pour tout le monde. »

Deuxième partie

NADIA

1.

Après avoir aidé sa petite sœur Tamam à finir ses devoirs et sa mère à réparer les filets de pêche, Nadia passa le reste de l'après-midi assise sur les marches qui descendaient le long de la petite colline en face de chez elle, dans le quartier reculé de Hallissa. De ce promontoire, elle voyait Haïfa tout entière et apercevait la mer au milieu des maisons blanches et des immeubles neufs qui poussaient comme des champignons autour du port. Le père de Nadia, un pêcheur, s'était noyé quelques mois plus tôt pendant une tempête. Le jour des funérailles, debout à côté du cercueil, Salwa, sa femme, avait annoncé qu'elle attendait un bébé. Peu de temps après, Nadia, sa mère enceinte et sa petite sœur de huit ans avaient déménagé dans une maison plus modeste. Grâce à l'aide de son aînée, Salwa avait continué à repriser les filets après la naissance du bébé, et Nadia faisait le ménage dans des bureaux deux après-midi par semaine, mais leur vie devenait de plus en plus difficile. Le week-end, elles ramassaient des figues de Barbarie qu'elles allaient vendre sur la plage aux Israéliens et aux touristes. On ne comptait pas les jours où elles ne faisaient qu'un seul repas, composé de pain fait maison arrosé d'huile d'olive et saupoudré de *zatar*, un mélange d'origan et de graines de sésame.

Un bruit tira soudain Nadia de sa rêverie. En se retournant, elle découvrit un homme de petite taille à la peau très pâle et à la barbe négligée, dont la bedaine naissante débordait de sa ceinture en cuir noir. L'homme la fixa silencieusement, sans bouger. Il avait de petits yeux, et Nadia n'aima pas le regard qu'il lui lança. Elle était sur le point de faire volte-face pour reprendre sa contemplation de la mer quand il l'appela par son prénom.

Après s'être approché, il lui demanda si elle le reconnaissait et l'étreignit en lui posant sur la joue un baiser mouillé qui la fit frissonner de dégoût. Comme Nadia l'apprit par la suite, il s'appelait Nimer et travaillait sur le port. Il lui raconta qu'il avait assisté à l'enterrement de son père, mais elle ne se souvenait pas de l'avoir jamais rencontré.

*

* *

Selon la tradition, il n'était pas bon pour une femme d'habiter seule avec ses filles, car les gens estimaient qu'un mari garantissait à une femme la protection de son statut social. C'est pourquoi, huit mois après les funérailles de son premier mari, Salwa se remaria avec Nimer, l'homme qui avait approché Nadia sur la colline. Il s'installa avec eux à Hallissa.

Homme d'affaires averti, Nimer aimait beaucoup l'argent et entretenait de bonnes relations avec les pêcheurs locaux. Il se mit à gérer la petite affaire de réparation de filets, non sans garder tous les gains pour lui, alors que Nadia et sa mère continuaient à trimer seules. Il était même tellement convaincu que sa femme et sa belle-fille n'étaient pas assez productives qu'il força Nadia à quitter l'école à tout juste douze ans.

— Le travail renforce l'âme et le corps, aimait-il à pontifier en la regardant s'affairer sur les filets de l'aube au crépuscule.

La petite sœur de Nadia, Tamam, n'avait que huit ans, mais Nimer décida que le moment était également venu pour elle d'arrêter l'école, arguant qu'elle était déjà très douée pour nouer les filets, et qu'il n'y avait aucune raison pour qu'elle n'en fasse pas plus…

Sa femme essaya de l'en dissuader, mais en vain.

— On a toujours besoin d'une autre paire de mains, se justifia-t-il en expliquant qu'il avait désormais quatre bouches supplémentaires à nourrir.

Il passait son temps à seriner aux filles qu'il remplissait sa part du contrat et qu'elles devaient lui manifester leur gratitude en retour.

Nadia se demandait de quoi elle pouvait lui être reconnaissante, étant donné que sa mère, sa sœur et elle gagnaient l'argent à la place de Nimer, qui ne fichait rien et passait son temps à jouer, tout en leur interdisant d'acheter autre chose que de la nourriture de base et quelques pauvres vêtements d'occasion. Voyant que Salwa ne formulait aucune objection et parfaitement consciente que son beau-père, quand il avait décidé d'être particulièrement convaincant, le faisait à coups de ceinture, Nadia finit par se soumettre.

Dans ces moments-là, quand leur dos brûlait sous la lanière de cuir, les filles regardaient leur mère avec incrédulité en se demandant pourquoi elle ne levait pas le petit doigt pour les défendre. Salwa détournait les yeux ou se bouchait les oreilles pour ne pas entendre leurs cris et finissait par courir se réfugier dans la pièce voisine. Cette femme presque illettrée, qui tremblait de peur devant son mari, trouvait préférable de faire le gros dos face à ce genre de situation déplaisante plutôt que de risquer de se retrouver une fois encore seule avec ses filles. En conséquence, elle prenait automatiquement le parti de Nimer et sacrifiait ses enfants en lui restant loyale et dévouée.

Leur première année de vie commune s'écoula selon un triste cycle récurrent de violences domestiques. Nimer les maltraitait quotidiennement, et Salwa se recroquevillait à vue d'œil, devenant chaque jour un peu moins présente. Les filles finirent par s'habituer aux crises de rage de leur beau-père, qui se défoulait systématiquement sur elles. Elles les sentaient même arriver, comme des vagues qui enflent avant de se briser sur les rochers, et les reconnaissaient rien qu'en voyant son expression quand il rentrait, les yeux rétrécis, les lèvres serrées. Dans ces moments-là, le moindre mouvement déplacé ou le plus petit mot malvenu suffisait à déclencher sa fureur.

Un matin, Nimer entra par erreur dans la salle de bains pendant que Nadia prenait sa douche. Surpris, il resta sans bouger dans l'embrasure de la porte en la détaillant pendant un laps de temps qu'elle trouva interminable. Dans sa gêne, Nadia essaya maladroitement de se couvrir avec ses bras et ses mains. Au bout d'un moment, son beau-père finit par tourner les talons.

Le soir même, il rentra dans la chambre des filles et se glissa dans le lit de Nadia, qui venait d'avoir treize ans. Le sommier craqua, et l'adolescente sentit Nimer peser de tout son poids sur le matelas. La pièce fut envahie d'une forte odeur de tabac et de sueur qui pénétra dans ses narines.

— Salut, Nadia, murmura-t-il en l'embrassant sur la joue, et elle fut submergée par la même sensation de moiteur et de saleté qui l'avait tellement dégoûtée la première fois qu'il l'avait embrassée.

Puis il commença à la toucher, et elle sentit ses mains calleuses descendre de plus en plus bas. Tout au long de l'épisode, elle resta immobile, envahie de nausées et terrifiée par cette situation qu'elle ne comprenait pas, respirant par saccades et essayant de ne pas faire le moindre bruit et de s'abstraire de cette puanteur qui la privait d'oxygène. Enfin, Nimer partit sans un mot en refermant la porte derrière lui.

Cette nuit-là, Nadia n'arriva pas à s'endormir. Elle se sentait mal, et sale aussi, sans bien savoir pourquoi. Elle resta allongée, les jambes raides, agitée de tremblements incoercibles, jusqu'à ce que les premiers rayons du soleil éclairent le sommet du mont Carmel. Sachant que son beau-père allait bientôt partir, elle attendit d'entendre la porte claquer avant de se lever tout doucement. Comme elle était restée crispée des heures entières dans une posture rigide, ses muscles lui faisaient mal.

Nadia remplit la baignoire d'eau bouillante et s'y plongea. Elle se remit instantanément à trembler. Entourant ses genoux repliés de ses bras, elle éclata en sanglots. Sa mère, qui passait devant la salle de bains pour aller à la cuisine, remarqua qu'elle pleurait sans poser la moindre question. La jeune fille se frotta avec une éponge jusqu'à en avoir la peau écarlate et irritée. Salwa passa finalement la tête dans l'embrasure de la porte pour lui rappeler d'amener les figues de Barbarie à la plage et d'aller chercher les filets chez les pêcheurs.

Pendant qu'elle se coiffait, Nadia regarda longuement la partie basse de la ville à travers la fenêtre de la salle de bains. Le ciel matinal était si clair qu'elle distinguait très bien la baie de Haïfa, chatoyant de toutes les nuances imaginables de rouge et de jaune. Quelques bruits montaient du port, le son des navires qui arrivaient à quai ou qui appareillaient, mais le quartier était plutôt silencieux, comme indifférent au fait que, la nuit précédente, son adolescence avait été fracassée.

À huit heures, elle réveilla ses petites sœurs, prépara le petit déjeuner de Tamam et donna un biberon à Ruba, le bébé. À ce moment-là, elle prit la décision de trouver un moyen de quitter la maison.

*
* *

Les années passèrent sans qu'aucun des changements que Nadia avait espérés survienne. Elle devint l'une des plus belles filles de la ville, et son beau-père continua à lui rendre visite la nuit. Nadia se laissait violer en nourrissant en silence une haine qu'elle avait du mal à ne pas laisser transparaître dans son regard sombre. Il y avait bien eu un jour, quelques années auparavant, où elle avait tenté de se rebeller en menaçant Nimer de tout raconter à sa mère, mais elle n'avait reçu qu'une volée de coups de ceinture en guise de réponse.

Un jour, elle remarqua qu'il reluquait la petite Tamam. Ne connaissant que trop bien ce regard-là, Nadia fut submergée par un accès de rage aveugle. Prenant son courage à deux mains, elle raconta toute l'histoire à Salwa pendant qu'elles reprisaient les filets. Elle ne s'attendait pas vraiment à ce que leur mère lève le petit doigt pour les protéger, mais peut-être espérait-elle simplement trouver un peu de réconfort face à ce qui était devenu pour elle une souffrance intolérable. En revanche, elle n'avait pas prévu que Salwa volerait au secours de son mari en affirmant que tout était forcément de la faute de sa fille, qui avait dû le provoquer.

S'il y avait bien une chose que Nadia en était venue à abhorrer en grandissant, c'étaient les femmes faibles qui se soumettaient docilement aux injustices perpétrées par leurs maris et aux règles édictées par leur communauté. La réaction de Salwa convainquit Nadia qu'il était temps de partir.

Elle alla se coucher avec le même sentiment qui l'avait envahie des années plus tôt, la nuit où elle avait perdu son innocence, mais aussi toute capacité à être heureuse un jour. Pendant des heures, elle resta allongée sous ses couvertures, parfaitement éveillée, avant de se glisser hors du lit en essayant de ne pas réveiller ses sœurs. Elle les regarda dormir paisiblement pendant un long moment. C'était en partie pour rester à leurs côtés qu'elle avait supporté ces terribles années, mais elle n'en pouvait plus.

Nadia attendit que son beau-père se lève pour l'affronter.

— J'ai tout raconté à maman et, maintenant, je pars. Mais si tu oses toucher à un seul cheveu de mes sœurs, je veillerai à ce que tu paies le prix fort.

Nimer la considéra un instant, sidéré de son assurance, une qualité qu'il n'avait jamais discernée chez elle. Mais ses yeux reprirent vite leur habituel éclat cruel, et il lui répondit avec un rictus méprisant :

— Qu'est-ce que tu crois, petite putain ? Qu'un arbre peut pousser dans mon jardin sans que j'aie le droit d'en goûter les fruits ?

Nadia s'empara d'une lampe à gaz qu'elle lui jeta à la figure, mais Nimer esquiva l'objet. Ignorant son rire sarcastique, elle fila dans sa chambre prendre quelques vêtements dans un tiroir, caressa du regard ses sœurs encore à moitié endormies, et se dirigea vers la porte, son petit sac à la main. Sa mère la rattrapa par le bras et tenta de l'étreindre, les yeux pleins de larmes.

— S'il te plaît, supplia-t-elle. Ne raconte rien à personne. Sinon, les gens vont jaser. Pense à tes sœurs… Leur réputation sera fichue.

— Tu me dégoûtes, rétorqua Nadia en ravalant les larmes de colère qui lui montaient aux yeux. Tu aurais dû me protéger, et tu n'as rien fait.

— Mais si. J'ai fait un choix : rester aux côtés de mon mari, parce que c'est ma place, et que Tamam et Ruba sont trop jeunes pour partir. Tiens, prends ça.

Elle tendit à sa fille un peu d'argent que Nadia lui arracha presque des mains, trouvant que c'était le minimum que Salwa puisse faire. Nadia jugeait sa mère aussi coupable que son beau-père et la haïssait autant qu'elle la plaignait. Elle savait en effet combien il était difficile pour une femme musulmane vivant en Israël en 1959 de se révolter contre son mari. Mais Nadia ne pouvait plus reculer : si elle ne partait pas, elle n'aurait pas d'autre alternative que la mort. Rien au monde n'aurait pu lui faire supporter d'être violée, maltraitée et tyrannisée une minute de plus.

Elle dévala la colline, fuyant la maison comme une folle poursuivie par des démons, sans jamais se retourner.

2.

Quand Nadia arriva à Jaffa, elle fut envahie d'un sentiment de liberté. Elle se sentait à la fois amère d'avoir dû prendre cette décision difficile et fière d'avoir eu la force de se rebeller contre un homme aussi cruel.

À partir de maintenant, c'est moi qui fixe les règles, se dit-elle en marchant sans but précis. *Personne ne me fera plus souffrir.*

Jaffa était plus petite et plus propre qu'Haïfa, qui restait un port où tout s'organisait autour du chargement et du déchargement des marchandises et des florissantes activités de la pègre. À l'inverse, Jaffa semblait s'être développée harmonieusement et regorgeait d'équipements publics, de restaurants et d'hôtels entourés de grands parcs. Ses rues étaient bordées de citronniers, de pamplemoussiers et de mandariniers, et ses maisons roses possédaient un style colonial qui, bien que démodé, était décidément plus charmant que celui des immeubles modernes d'Haïfa.

Après avoir déambulé dans la ville tout l'après-midi, Nadia aperçut un panneau marqué : « Hôtel Shalom ». *Peut-être vais-je trouver un peu de tranquillité ici*, pensa-t-elle avant de traverser la rue pour pénétrer dans le hall. La matrone russe entre deux âges de la réception fut surprise que Nadia désire une chambre individuelle. Les clients habituels de l'hôtel étaient des touristes ou des hommes d'affaires qui venaient s'amuser un peu, loin de leur femme.

Nadia choisit une chambre dont la terrasse surplombait la mer et s'endormit dans l'instant, heureuse de pouvoir relâcher la tension accumulée durant les heures précédentes et soulagée d'être enfin sortie du cauchemar qu'elle avait vécu pendant des années. Après sa sieste, elle prit un long bain, puis descendit à la réception demander aux employés s'ils connaissaient un restaurant qui cherchait des serveuses. La dame russe l'informa qu'un de ses clients réguliers, un restaurateur, voulait effectivement embaucher quelqu'un, et lui donna son adresse.

*

*   *

Le propriétaire du restaurant, un Juif marocain nommé Yossi, fut immédiatement frappé par la beauté de la jeune fille, qui se comportait avec l'assurance d'une adulte.

Si Nadia montra qu'elle savait travailler dur, elle restait mélancolique, et ses yeux s'emplissaient parfois d'une telle tristesse que Yossi s'interrogeait sur ce qui avait bien pu la blesser à ce point. Par ailleurs, elle était parfaite. Les clients lui laissaient de généreux pourboires et elle se montrait toujours prête à donner un coup de main à ses collègues. Un jour, elle demanda à Yossi s'il avait entendu parler de quelqu'un qui louait des appartements, car l'hôtel lui revenait trop cher. Il lui proposa de s'installer dans sa maison sur la plage, face à la mer, que sa famille et lui n'utilisaient que l'été. D'abord un peu réticente, Nadia finit cependant par accepter, sachant qu'une occasion pareille ne se représenterait pas deux fois.

Son amitié avec Yossi devenait plus profonde de jour en jour. Comme il la raccompagnait tous les soirs, ils parlaient de leurs vies respectives. En fait, c'était surtout Yossi qui parlait. Il lui confia qu'il y avait vingt ans qu'il était marié, mais que l'amour s'était envolé depuis bien longtemps. Il lui parlait aussi de son pays natal adoré, se plaisant à répéter qu'il n'y avait rien de plus agréable au monde que de se promener dans la médina de Fez et de s'y laisser ensorceler par les parfums et les couleurs des souks.

Un soir, Nadia lui offrit de sortir boire un verre. Pris de court, Yossi hésita un peu avant d'accepter. Nadia savait parfaitement ce qu'elle faisait. Elle avait l'intention de se prouver à elle-même que sa sensualité était intacte et qu'elle avait évacué le traumatisme des sévices de Nimer. Cette histoire d'un soir se transforma vite en liaison, durant laquelle Nadia demanda à son amant de tout lui enseigner sur les choses de l'amour.

Quelque temps plus tard, quand Nadia proposa à Yossi de monter un numéro de danse du ventre au restaurant, il ne se fit pas prier. Le spectacle eut un tel succès que la jeune femme se produisit à nouveau le lendemain, le surlendemain et les jours suivants. Son numéro ne tarda pas à devenir l'attraction principale de l'endroit.

Je ne serai jamais comme ma mère, se répétait Nadia quand elle dansait en tâchant d'ignorer les regards concupiscents des clients assis aux tables environnantes.

Un jour, Yossi arriva au restaurant, visiblement très agité. Nadia remarqua qu'il bouillait d'impatience toute la soirée. Lorsqu'ils furent enfin chez elle, entre les draps de lin très doux, il sortit une bague et lui déclara sa flamme.

— Nadia, je t'aime, et je veux t'épouser.

Ses collègues auraient donné n'importe quoi pour une telle proposition, mais Nadia, elle, était terrifiée.

Dès le lendemain, elle fit ses bagages et partit pour Tel-Aviv sans laisser d'explication.

*
* *

Au bout de quelques années, Nadia s'était parfaitement adaptée à la vie à Tel-Aviv, qu'elle considérait comme la capitale du monde. Au début, elle avait un peu regretté Yossi et sa gentillesse, mais elle l'avait rapidement oublié. Les salaires étaient plus élevés qu'à Jaffa, et elle nourrissait l'espoir d'économiser assez d'argent pour visiter un jour des endroits lointains. Elle n'avait aucune envie de revoir sa mère, mais, quand elle apprit que Tamam s'était à son tour enfuie de chez eux, pour être aussitôt rattrapée et cloîtrée dans une école chrétienne, Nadia décida d'aller lui rendre visite.

C'était un samedi matin de mars, et le soleil réchauffait les vitres du car. Le véhicule sortit de Tel-Aviv pour grimper les collines rocailleuses de Judée et de Samarie avant d'atteindre enfin Nazareth.

Tamam était enchantée de revoir son aînée. Elle emmena Nadia dans sa chambre, où elles se regardèrent longuement dans les yeux avant de parler. Rompant le silence, Nadia raconta à Tamam ses pérégrinations des années précédentes, d'abord à Jaffa, ensuite à Tel-Aviv, et lui parla de son job de danseuse, de son indépendance financière et de sa liberté. Elle expliqua à sa sœur à quel point elle s'était sentie renaître, loin de la tyrannie de leur beau-père et de la faiblesse de leur mère. Mais elle regrettait par-dessus tout de n'avoir personne à qui parler, avec qui partager ses expériences, à qui faire confiance sans réserve. Bref, sa sœur lui manquait.

De son côté, Tamam décrivit sa vie à l'école, les horaires stricts, les religieuses au regard dur, et le comportement des autres filles, qui avaient tendance à l'isoler parce qu'elle était musulmane. La sévérité de cet endroit était néanmoins plutôt tolérable comparée à l'enfer qu'elle vivait à la maison. Baissant les yeux un instant, elle fixa une partie du mur où le plâtre partait en lambeaux. Alors seulement, Nadia remarqua l'extrême dépouillement de la pièce, qui ne révélait pas le moindre détail sur la personnalité de son occupante.

Nadia se rapprocha de sa sœur pour essayer de croiser son regard et comprit qu'elle cachait quelque chose. Dans les yeux de Tamam, elle reconnut une tristesse qui lui rappela son propre état d'esprit pendant les premiers jours tumultueux après son départ. Nadia fut soudain saisie d'un frisson. Un horrible doute venait de lui traverser l'esprit : peut-être leur beau-père avait-il aussi abusé de Tamam ? Questionnée, celle-ci commença par se taire, mais elle avait tellement besoin de se confier qu'elle lâcha vite prise. Quelques minutes plus tard, agrippant les mains de Nadia dans les siennes, Tamam lui avoua que Nimer l'avait violée pour la première fois le jour du départ de sa grande sœur.

Après leur entrevue, Nadia redescendit à pied la rue qui menait à la gare routière, en proie à un accès de rage mêlée de culpabilité. Nimer avait abusé de Tamam systématiquement, presque comme s'il menait une vendetta contre sa sœur, qui avait osé se révolter contre lui et partir.

Elle marchait vite, les bras le long du corps, les poings serrés, les nerfs à vif. Son instinct lui criait de s'enfuir à nouveau, même si, cette fois-ci, ce serait Tamam qu'elle fuirait, parce qu'elle lui rappelait que ni l'une ni l'autre ne seraient jamais libres de leur passé.

En réponse à la faiblesse de sa mère et à l'oppression qu'elle avait dû subir, Nadia avait développé une fierté hors du commun. Elle était devenue une belle jeune femme arrogante, mais ses blessures étaient trop profondes pour lui permettre de partager sa souffrance avec qui que ce soit. Elle ne le ferait qu'une fois dans sa vie, des années plus tard, quand elle serait emprisonnée pendant trois mois pour avoir donné un coup de poing à une Israélienne qui l'avait insultée. C'est là qu'elle rencontrerait Fatima.

TROISIÈME PARTIE

FATIMA

1.

Fatima leva les yeux vers le ciel, derrière les barreaux de sa fenêtre. Il était six heures et demie du matin et la prison baignait encore dans une atmosphère feutrée et onirique. Il n'y avait pas un bruit, pas un seul nuage ni un seul oiseau : tout semblait pétrifié.

Dans une demi-heure, les gardes ouvriraient les portes, et tout recommencerait, comme chaque jour : le bruit assourdissant, les mots, et cette constante sensation de vide.

Elle s'étira péniblement sur son lit en fixant le grillage métallique qui supportait le matelas au-dessus d'elle, inoccupé depuis plusieurs semaines. Cela faisait cinq ans qu'elle avait été arrêtée, cinq longues années pendant lesquelles le temps s'était tellement étiré qu'il n'existait même plus. Durant des mois, on lui avait promis qu'elle pourrait travailler à l'hôpital voisin, mais ils ne l'avaient toujours pas appelée. *Des problèmes de paperasse*... supposait-elle.

Elle était sûre qu'ils finiraient par la contacter. Ils avaient besoin d'infirmières, et elle était qualifiée.

*
* *

Pendant la guerre des Six Jours de 1967, qui avait porté le énième coup fatal à toute tentative de dialogue et de paix, Fatima avait soigné des soldats, des civils et des enfants à l'hôpital de Naplouse. Elle y avait été témoin de choses que personne ne devrait voir au cours de sa vie.

La guerre avait été rapide, mais terrible. Des femmes et des enfants arrivaient à l'hôpital dans un état désespéré, souvent méconnaissables. On amenait également des soldats arabes mourants, et Fatima avait lu dans leurs yeux la même confusion et la même peur qu'elle avait observées dans ceux des réfugiés des camps où vivaient sa tante et ses cousins.

Elle n'avait jamais oublié l'expression de ces visages, pas plus que l'image de ses parents humiliés par les soldats israéliens quand ils franchissaient un poste de contrôle. Ils s'appliquaient à donner le change, à la convaincre que tout allait bien, et pourtant, elle entendait malgré tout les mots qu'ils ne prononçaient pas, disant en silence leur terreur et leur indignation d'avoir été punis pour des crimes qu'ils n'avaient pas commis. La liberté fait partie de ces trésors que l'on ne remarque que lorsqu'on en est privé. Fatima savait que les Israéliens avaient réalisé en 1948 un rêve vieux de deux mille ans. Elle avait beau n'être encore qu'une enfant à l'époque, elle n'arrivait pas à se débarrasser de l'impression qu'il s'accomplissait aux dépens de son peuple et de sa famille.

Avec le temps, elle avait essayé de mettre de côté sa rancœur pour se concentrer sur sa vie. À chaque fois qu'elle étudiait, elle tâchait de faire abstraction des bruits de leur maison de Jérusalem, trop exiguë pour sa grande famille, des cris du voisin qui passait son temps à hurler sur sa femme, et de la puanteur des ordures qu'on avait laissées pourrir au soleil. Fatima détestait son quartier, et les soldats avec leurs airs suffisants et leurs doigts toujours prêts à appuyer sur la détente. Elle avait donc bûché assidûment pour devenir infirmière et avait fini par déménager à Naplouse, à deux cents kilomètres de là.

Elle arpentait les couloirs violemment éclairés de l'hôpital d'un pas assuré, vêtue d'un pantalon militaire, de chaussures de sport, d'un tee-shirt blanc et de sa blouse blanche. Son dévouement ne tarda pas à lui valoir d'être promue infirmière en chef.

Tous les matins, elle allait travailler à pied en traversant le quartier arabe, son keffieh autour du cou, saluant ici ou là quelques connaissances d'un signe de tête avant de s'enfoncer dans le labyrinthe des rues étroites de la vieille ville. En la voyant, personne n'aurait imaginé que cette femme discrète, d'apparence si rassurante et aimable, allait bientôt devenir la première Palestinienne à participer à l'organisation d'une attaque terroriste.

À l'hôpital, elle avait rencontré Yasser Arafat, avec qui elle nouerait par la suite une solide amitié. Elle partageait déjà son temps entre son travail d'infirmière et ses activités politiques.

Pendant la guerre des Six Jours, on avait amené à l'hôpital un flot continu de victimes meurtries dans leur chair et dans leur esprit, des femmes et des enfants blessés venant des camps de réfugiés et des jeunes soldats au corps mutilé. Beaucoup souffraient sans se plaindre, acceptant sans doute inconsciemment la tragique répétition perpétuelle de leur destin et leur statut de pions déplacés par des forces plus puissantes. Au fur et à mesure qu'elle désinfectait, traitait et recousait ces corps lacérés, elle se répétait que rien ne pouvait justifier de telles horreurs.

Fatima avait l'impression de revivre les événements de 1948. Elle revoyait ses parents à l'époque et les efforts qu'ils avaient déployés pour la protéger et la persuader que leur vie ne changerait pas malgré l'occupation israélienne. Elle avait grandi en se convainquant qu'ailleurs, les enfants jouaient aussi à cache-cache au milieu des gravats et des piles de détritus. Mais ayant neuf ans au moment du grand changement, elle était trop grande pour ne pas se souvenir de sa vie d'avant, qui s'était arrêtée tout à coup sans explication.

La douleur, la haine et la rancune qu'elle avait tenté de refouler pendant si longtemps resurgirent au moment de la guerre des Six Jours, et elle décida finalement de passer à l'action. On avait prévenu le personnel de l'hôpital que tous les soldats blessés étaient des prisonniers de guerre, qui devaient être remis à leur sortie sous la garde des Forces de défense israéliennes.

Tout commença avec un soldat qu'elle soignait, un jeune Jordanien d'origine palestinienne. Malgré sa difficulté à garder les yeux ouverts, il l'implora du regard de l'aider à s'échapper. Fatima n'hésita pas. Sachant que le jeune homme était retourné en Palestine afin de se battre pour la cause de son peuple, elle se dit que le moins qu'elle puisse faire était de l'aider à rentrer chez lui. Elle lui donna les vêtements d'un collègue, et le jeune soldat disparut sans demander son reste.

L'étape suivante découlait naturellement de la précédente. Si elle l'avait aidé, lui, elle pouvait en aider d'autres.

Fatima se mit donc au travail, détruisant des dossiers médicaux, brûlant des uniformes et trouvant des vêtements civils à ses patients. Perplexes, les autorités militaires essayaient de comprendre où ils étaient passés. La confusion régnait. Mais le stratagème de Fatima tourna vite court. L'administration de l'hôpital l'avait déjà à l'œil depuis la capture de plusieurs combattants arabes, appréhendés alors qu'ils tentaient de fuir. Bien qu'aucun fugitif n'ait divulgué son nom, elle fut désignée comme responsable. Échappant de justesse à l'arrestation, elle fut licenciée sur-le-champ.

Pourtant, Fatima ne se sentait ni inquiète ni coupable. Au contraire, cet épisode l'avait convaincue de passer de la complicité à l'action directe. Jérusalem était désormais complètement sous contrôle israélien, et le ressentiment des habitants arabes de la ville avait crû de manière exponentielle. La jeune femme éprouvait presque dans son corps le besoin d'agir concrètement pour sa cause, de laisser une trace. Si elle reconnaissait l'importance des mots et des discours, elle était convaincue qu'ils ne suffisaient pas à changer la réalité.

*
* *

Quelques jours après son licenciement, Fatima retourna dans la maison familiale de Jérusalem-Est. C'est au marché qu'elle trouva la personne qu'elle cherchait, un jeune homme à la barbe taillée au cordeau et aux cheveux courts et drus. Faisant mine de choisir des légumes, elle se rapprocha progressivement de lui, accrocha son regard, et lui sourit avec franchise.

— Bonjour, lança-t-elle. Je m'appelle Fatima.

— Salut, Fatima. Content de te rencontrer. Moi, c'est Maher, répondit-il sans manifester la moindre surprise.

Il lui rendit son sourire comme s'ils étaient de vieilles connaissances en continuant à jeter des coups d'œil circonspects aux alentours. En tant que chef d'un groupuscule de résistants dépendant de l'Organisation de libération de la Palestine, Maher devait répondre de toutes les activités politiques de Jérusalem-Est.

Avant que Fatima n'ait eu le temps d'expliquer la raison de sa venue, il l'interrompit :

— J'ai entendu parler de ce qui t'est arrivé. Tu as perdu ton travail pour avoir essayé de sauver des combattants palestiniens.

Fatima approuva de la tête.

Avec un sourire entendu, Maher ajouta :

— Tu es très courageuse.

Fatima le regarda sans dire un mot. Dans un sens, c'était à lui d'orienter leur conversation.

— En ce moment, dit-il en se caressant la barbe avec un sourire amical mais discret, on a besoin de gens comme toi. La guerre n'est pas finie.

Fatima comprit ce qu'il lui proposait : c'était exactement ce qu'elle souhaitait. Elle se sentait investie d'une mission dont l'accomplissement rendrait sa vie digne d'être vécue. Désormais, au lieu de soigner les corps blessés au combat, elle voulait les empêcher d'être blessés, et frapper l'ennemi en plein cœur.

*

* *

Avant comme après l'attentat, Fatima ne s'était jamais demandé si planifier la mort des spectateurs d'un cinéma bondé était un moyen efficace de promouvoir la libération de son peuple. Une seule chose comptait à ses yeux : venger la profonde injustice dont il était victime.

Elle passa longtemps à préparer l'opération avec Maher et cinq autres hommes, tous âgés de vingt à vingt-six ans. À l'abri derrière les murs de la vieille ville, ils se réunirent tous les jours pendant plusieurs semaines, se retrouvant à chaque fois sur le toit d'un immeuble différent, tandis que l'un d'entre eux faisait le guet. Au début, ses camarades avaient pensé imprimer et distribuer des tracts, mais Fatima les avait persuadés de l'inefficacité de ce genre d'action, qui n'aboutirait probablement qu'à les faire arrêter. Elle avait impérieusement plaidé sa cause auprès d'eux.

– Ils ne comprennent qu'un langage, celui de la violence. C'est le seul message qui leur fera reconnaître que nous existons, et que notre lutte continue.

– Mais, Fatima, tout ça va bien au-delà de nos activités habituelles. Ce que nous faisons tous ici, c'est de la propagande, répliqua l'un des jeunes gens, intimidé par l'assurance dont elle faisait preuve, alors qu'elle était la seule femme du groupe.

– La propagande n'a pas marché, répondit-elle. On y a recours depuis des années, moyennant quoi on est toujours là, à lécher nos blessures. La seule solution, c'est de semer la panique, et de les atteindre dans leurs activités quotidiennes, exactement comme ils le font avec nous.

Au bout de quelques semaines, Fatima avait pris la tête du groupe. Tous ses membres commencèrent alors à discuter des cibles possibles et des aspects techniques de l'opération. La jeune femme était certaine qu'une frappe de type militaire était la seule réponse appropriée aux cycles de violence qui abreuvaient leur terre de sang. Sachant que la suprématie de l'armée israélienne vouait à l'échec toute attaque dirigée contre elle, Fatima choisit finalement une cible civile, le cinéma Sion à Jérusalem-Ouest, un établissement cependant presque exclusivement fréquenté par des membres des forces armées israéliennes, surtout le soir. Cette décision déclencha un nouveau débat enflammé, auquel Fatima apporta à nouveau une réponse sans appel.

– Écoutez, les gars, dites-vous bien que quand les bombes israéliennes nous tombent dessus, elles frappent sans discrimination civils et militaires, et que, dans les camps de réfugiés, les tanks écrasent presque toujours nos enfants.

Il fallut plus d'un mois à la bombe pour arriver du Liban.

Le 8 octobre 1967, Fatima, porteuse d'un sac à main bourré d'explosifs, pénétra dans le cinéma en se mêlant aux prostituées qui le fréquentaient. Afin de ne pas éveiller les soupçons, elle attendit un quart d'heure pour repartir. À la dernière réunion, elle avait galvanisé ses camarades.

— Je sais que vous allez vous demander toute votre vie si notre action était juste. Mais les Israéliens doivent comprendre que tant que nous ne serons pas libres dans notre propre pays, ils ne le seront pas non plus dans le leur.

La bombe n'explosa pas.

*
* *

Fatima ne s'enfuit pas en Jordanie. Une semaine après l'échec de l'attentat, tous les membres du groupe furent placés en détention suite au témoignage du caissier du cinéma. Les cinq jeunes gens refusèrent d'admettre que Fatima était leur chef, et elle nia en bloc toutes les accusations. Quand la police arrêta toute sa famille, elle fut toutefois obligée d'avouer pour les faire relâcher. À l'issue du procès, elle écopa de deux peines consécutives de prison à vie, et de onze ans supplémentaires pour avoir refusé de se lever au tribunal. C'était la première Palestinienne à être écrouée pour raisons politiques.

*
* *

Elle était aussi la seule détenue arabe et la seule prisonnière politique dans une maison d'arrêt remplie de prostituées, de meurtrières, de voleuses et de criminelles de droit commun, qui l'évitaient soigneusement. Fatima lisait beaucoup, comme elle l'avait toujours fait, ce qui lui permit de se rendre compte que si un livre ne pouvait pas changer le monde, il avait au moins le pouvoir de faire disparaître les murs d'une geôle. Certains soirs de pleine lune, elle lisait le poète palestinien Samih al-Qâsim.

De la fenêtre de ma petite cellule,
Je vois les arbres qui me sourient
Des toits qui abritent mes amis
Des fenêtres qui pleurent et qui prient pour moi
De la fenêtre de ma petite cellule
Je vois ta grande cellule.

Pendant ses moments d'angoisse nocturne, elle se réfugiait dans ses souvenirs d'enfance, une époque où elle arrivait encore à s'endormir en se berçant de rêves idylliques et de douces illusions.

2.

Le bus avance lentement dans la clarté aveuglante de la mi-journée. Il est rempli d'enfants portant les uniformes de diverses écoles et d'ouvriers aux salopettes tachées et aux chaussures usées. Debout, Fatima se tient à l'une des poignées. De nouveaux passagers montent à l'arrêt suivant, si bien que cette fois-ci le véhicule est vraiment bondé. Il y règne une odeur puissante et écœurante.

La fille assise en face d'elle s'est endormie : la bouche entrouverte, elle tient son sac à main serré contre sa poitrine. Le bus freine brusquement, envoyant les gens valdinguer d'avant en arrière. Le sac de la fille s'ouvre et un livre s'en échappe. Fatima se baisse pour le ramasser : il s'agit d'un ouvrage d'histoire de l'art. Elle observe une des illustrations, représentant une femme très belle, complètement nue, debout dans un énorme coquillage. Sa peau est laiteuse, sa tête légèrement inclinée vers son épaule, et une créature ailée souffle dans sa direction, ébouriffant doucement ses longs cheveux blonds. À sa gauche, une nymphe lui tend une cape. Derrière elle, l'océan se confond avec le ciel bleu. La fille se réveille. Fatima lui rend son livre en souriant. L'espace d'un instant, le monde lui semble en harmonie avec l'image du livre, même à l'intérieur de ce bus bondé qui cahote dans les rues accidentées de Jérusalem, avec leurs maisons blanches entassées les unes sur les autres et le mont des Oliviers en arrière-plan.

À ce moment-là, la porte de la cellule s'ouvre avec le grincement métallique qui la réveille tous les matins.

*
* *

Fatima émergea progressivement du sommeil, l'esprit encore empli du tableau de son rêve. Au bout de quelques instants, elle se redressa à moitié pour voir quel garde était de service. Mais la porte s'était refermée pour laisser pénétrer une grande jeune femme mince aux lèvres charnues, aux yeux noisette, presque jaunes, et aux longs cheveux noirs très raides. *Mais il n'y a pas de place pour Vénus dans cet endroit tourmenté*, pensa Fatima. *Ici, la beauté meurt.*

Sans trop d'enthousiasme, elle salua sa nouvelle compagne de cellule avant de se retourner sur le côté, la tête appuyée sur l'oreiller.

En guise de réponse, Nadia se contenta de lui faire un petit signe de tête et se dépêcha de grimper sur la couchette du dessus. Elle redescendit toutefois au bout de quelques secondes pour s'approcher de la bassine, dont elle examina le contenu avec un certain dégoût en demandant à quelle fréquence ils changeaient l'eau.

— Ça dépend, répondit Fatima.

— De quoi ?

— Des gardes. Écoute, ici, tout est plus ou moins comme ça. Tu ferais mieux de t'y habituer, conclut-elle en s'asseyant au bord de son lit.

Nadia haussa les épaules, mais un sourire fugace éclaira ses traits.

Elle avait ressenti une sympathie immédiate pour cette petite femme trapue, avec ses cheveux frisés, son pantalon militaire vert et ce nez légèrement aplati qui donnait du caractère à son visage.

*
* *

Leurs différences les rapprochèrent et cimentèrent leur amitié, née dans une prison où elles étaient les deux seules Arabes, et où l'une d'entre elles avait été écrouée pour raisons politiques. Grâce à une sorte d'alchimie qui resta un mystère pour elles deux, ces femmes peu habituées à se laisser aller ne mirent que quelques jours à comprendre qu'elles pouvaient se faire confiance. Elles ne tardèrent pas à se raconter leurs parcours respectifs et, quand elles ne trouvaient pas les mots pour exprimer leur pensée, un regard ou un geste suffisait. Elles découvrirent ainsi qu'au moment où Nadia avait commencé à travailler comme serveuse à Jaffa, Fatima se rapprochait de plus en plus de l'activisme politique. Bien que venant d'univers très éloignés, elles avaient atterri l'une comme l'autre dans l'espace confiné d'une cellule. Après ces mois de cohabitation forcée, les deux détenues, Nadia surtout, étaient désormais capables de regarder leur passé d'un œil différent.

— Tu n'as pas eu peur ? demanda un jour Nadia à Fatima, qui lui relatait la tentative d'attentat.

— Non, pas une seconde. Tu sais, Nadia, la peur ne faisait pas partie des émotions que je ressentais. En fait, je me fichais de tout, même de ma propre vie. La seule chose qui comptait, c'était le succès de notre plan… Je ne voyais pas plus loin.

Ébahie, Nadia dévisagea longuement sa nouvelle amie. C'était la première fois qu'elle rencontrait quelqu'un d'aussi impliqué dans la cause palestinienne. Nadia ne s'était jamais considérée elle-même ni comme arabe ni comme israélienne, et les remous de la politique la laissaient de marbre. Et voilà qu'elle se retrouvait en compagnie d'une femme qui avait tout sacrifié pour quelque chose dont elle ne comprenait même pas la nécessité. Ce qui la fascinait le plus chez Fatima, c'était son courage et son indifférence vis-à-vis de son sort. Nadia n'attachait pas non plus beaucoup d'importance à sa vie, mais elle savait que si elle devait la risquer, ce ne serait certainement pas afin de se battre pour une cause, à part peut-être sa propre liberté.

— Il faisait si chaud que j'avais les cheveux plaqués sur le front, poursuivit Fatima.

Fascinée par la découverte de ce monde inconnu, Nadia se concentra à nouveau sur le récit de sa compagne de cellule.

— Il y avait une forte odeur de tabac, de transpiration et de parfum éventé. L'endroit était miteux, et des relents de crasse et d'ail se mêlaient aux autres odeurs. Avant de me tendre mon ticket, le caissier m'a jeté un bref coup d'œil en m'assurant que j'allais en avoir pour mon argent. Apparemment, le cinéma était bourré de mecs désireux de dépenser le leur. J'ai répondu que j'en étais ravie, et je l'ai vu se retourner et me suivre du regard. À l'intérieur, personne n'a fait attention à moi. Tout le monde avait les yeux rivés sur l'écran, où une blonde rêvait qu'elle se faisait molester sur son lit. Ces soldats en goguette étaient à cent lieues d'imaginer que d'ici quelques minutes, ils seraient les protagonistes d'une histoire complètement différente.

Fatima s'interrompit avant de continuer son récit :

— Au bout d'à peu près un quart d'heure, j'ai laissé mon sac sous le siège et je suis sortie du cinéma.

Elle but une gorgée d'eau avant de décrire un des grands moments de fierté de son existence.

— En m'éloignant, j'ai attendu d'entendre un grand boum. Rien. J'ai patienté un quart d'heure de plus, et j'ai vu des gens sortir du cinéma en courant. Je n'ai pas bougé. La police est arrivée, et le caissier leur a parlé.

— Celui qui t'avait vendu ton ticket ?

— Oui. En fait, il m'a vue sortir et il a trouvé la bombe cachée sous mon siège, après quoi il a donné mon signalement à la police, qui n'a pas tardé à me retrouver.

Nadia n'arrivait pas à croire qu'on puisse être habité d'une haine aussi aveugle contre des inconnus. Dans son cas, c'était différent : elle avait ressenti la même haine, elle avait nourri les mêmes sentiments de vengeance, mais sa rage était dirigée contre un individu précis, qu'elle connaissait bien et qui lui avait volé son enfance.

— Je ne les voyais plus comme des hommes, Nadia. Pour moi, ce n'étaient que des symboles de toutes les injustices qui nous étaient infligées. Tu vois, l'occupation militaire, c'est comme un monstre qui étouffe peu à peu tes rêves, tes espoirs, et même ton avenir. Et toi aussi, progressivement, ça te change.

*
*   *

Une lumière blafarde filtrait à travers la fenêtre de la cellule. La soirée devait déjà avoir fait place au matin. Nadia avait commencé à raconter son histoire après le déjeuner, assise sur la couchette du bas à côté de Fatima. Les sourcils froncés, celle-ci l'avait écoutée parler des abus sexuels qu'elle avait subis, de ses relations avec sa mère, de sa plus récente rencontre avec sa sœur, puis de sa quête de liberté et de son refus d'avoir des relations durables avec les hommes...

Fatima voyait en elle une femme à la fois forte et fragile. Oppressée par son passé à cause des violences physiques qu'elle avait endurées et de toutes les contraintes qu'on lui avait imposées, elle avait appris à réagir dans la seule langue qu'on lui avait enseignée depuis sa naissance : un mélange de colère et d'instinct. Même en prison, elle avait très souvent pris de gros risques en manifestant un rejet de l'autorité que les gardes n'appréciaient guère.

Nadia s'endormit, appuyée contre le mur lépreux de la cellule, la tête penchée sur le côté. Fatima la regarda pendant un moment dans la semi-pénombre. Sa minceur et ses muscles bien dessinés lui donnaient l'air énergique. Malgré les brutales punitions que la vie lui avait infligées, elle rayonnait de beauté.

Le lendemain, elle confia à Fatima le reste de son histoire, en commençant par son séjour à Tel-Aviv.

3.

Il avait fallu deux mois à Nadia pour commencer à se sentir à l'aise à Tel-Aviv. C'était une ville très vivante, pleine de boutiques et d'immeubles neufs. Il y avait des restaurants, des cafés et des cinémas partout, et les rues fourmillaient de monde jour et nuit. C'était comme si elle vivait dans l'une de ces métropoles occidentales dont elle avait souvent entendu parler, où les gens n'avaient pas de soucis et sortaient danser en boîte. Elle s'était fait beaucoup d'amis et voyait plusieurs hommes, mais surtout, elle se sentait libre d'agir à sa guise, ce qui constituait dans son esprit une victoire énorme. En même temps, elle savait que cet interlude plutôt serein ne durerait pas. Son humeur était aussi changeante que les brises côtières qui soufflent vers la terre le matin, et vers la mer l'après-midi. Malgré ses nombreux amants, elle n'avait aucune liaison sérieuse.

— Pour moi, une relation stable est toujours une source potentielle de contraintes, de frustration et de mépris, expliqua-t-elle à Fatima.

Nadia ne voulait pas d'un homme qui contrôlerait sa vie.

Pour gagner autant d'argent qu'avant, elle s'était mise à donner des cours de danse du ventre chez elle. Une de ses amies, une Israélienne plus âgée nommée Yaël, lui avait proposé de se produire dans la boîte de son mari, l'un des endroits les plus en vogue de la ville, fréquenté par de riches hommes d'affaires en voyage et par certaines des personnalités les plus en vue du pays.

C'était un club très accueillant, aménagé avec goût avec son plafond en marqueterie, ses canapés de velours rouge parsemés de coussins de soie et ses précieuses lanternes antiques qui diffusaient une lueur tamisée. Sa beauté, son tempérament rebelle, son regard pénétrant et mystérieux et ses mouvements gracieux et assurés permirent à Nadia de devenir en un clin d'œil l'artiste la plus prisée de la boîte. Pendant qu'elle dansait, naviguant au milieu des tables, elle aimait sentir les yeux des clients posés sur elle, lourdement chargés de désir. Ils étaient nombreux à laisser de généreux pourboires, mais si l'un d'entre eux avait le malheur de la toucher ou même de l'effleurer, voire de lui faire une proposition qu'elle jugeait indécente, d'un signe, elle le faisait jeter dehors. Ces clients avaient beau être très influents, le propriétaire laissait faire Nadia de peur de perdre le clou de son spectacle.

Un soir, elle remarqua en dansant un jeune homme qui ne l'avait pas quittée du regard de toute la soirée. À la fin de son numéro, il l'invita à prendre un verre à sa table et, contrairement à son habitude, elle accepta, peut-être à cause des manières impeccables de ce nouveau soupirant et de ses yeux, qui lui rappelaient ceux d'un enfant. Beni – c'était le diminutif de Benyamin – lui apprit qu'il était dans les affaires, catholique et originaire de Nazareth. À la fermeture, ils prirent rendez-vous pour le lendemain.

Les mois suivants, Nadia baissa progressivement sa garde et fit des efforts pour dépasser sa méfiance vis-à-vis de la gent masculine. Elle semblait enfin presque apaisée. Après son numéro, elle ne restait plus terrée dans la pénombre de sa loge à écouter des chansons tragiques et à vider des bouteilles d'arak jusqu'à la fermeture. Désormais, elle se changeait rapidement pour rejoindre Beni à sa table, toujours la même que le premier soir. Ensemble, ils se promenaient dans les marchés ou voyageaient dans des villes et des pays qu'elle n'avait jamais visités. Beni la couvrait de bijoux, de vêtements et de cadeaux, et en retour le corps de Nadia répondait généreusement à ses attentions.

Un soir, le propriétaire du club, qui avait développé avec le temps une affection quasi filiale pour Nadia, remarqua qu'elle avait l'air morose, mais elle lui affirma que tout allait bien. Elle dansa encore mieux qu'à l'accoutumée, d'une façon si déchirante et mystérieuse que les clients restèrent assis en silence longtemps après la fin de la représentation, comme s'ils étaient encore intrigués par la grâce presque surnaturelle de ses mouvements.

Sans même se remettre en tenue de ville, Nadia alla ensuite directement s'asseoir à la table de Beni, qui fumait un cigare. Les autres clients regardaient le couple avec une curiosité teintée d'envie.

– J'ai attendu toute la journée de pouvoir te parler, Beni. Je suis enceinte. Ce n'était pas prévu, mais je suis tellement heureuse !

Beni s'étouffa à moitié avec la fumée de son cigare. Il dévisagea intensément Nadia pendant quelques minutes, comme s'il essayait de décrypter ce qu'elle venait de lui annoncer.

– Et toi, tu es content ? lui demanda-t-elle en faisant de son mieux pour ignorer le trouble qui s'était peint sur le visage de son amant.

– Bien sûr, bien sûr que c'est une bonne nouvelle, réussit-il à articuler. C'est juste que tu m'as pris par surprise. Je ne m'y attendais pas.

Le visage de Nadia s'éclaira.

– On fêtera ça demain, alors !

Le soir même, Beni annonça à sa famille qu'il aimait Nadia. Il leur avoua tout : qu'elle était musulmane, danseuse, et enceinte. Ce qui troublait le plus ses parents dans cette affaire restait la profession de la jeune femme. Ils étaient prêts à accepter sa religion et sa grossesse, mais, pour eux, une danseuse du ventre n'apporterait que le déshonneur à leur famille.

Cette nuit-là parut excessivement longue à Beni, tiraillé entre son amour pour Nadia et sa loyauté envers les siens. Il finit tout de même par prendre une décision, et par s'y tenir.

*
* *

Nadia l'attendit longtemps, mais il ne revint pas. Peut-être était-elle plus furieuse encore de la façon dont Beni l'avait quittée que de leur séparation. Une nouvelle fois, elle avait dû subir la honte et l'humiliation.

Elle ignorait ce qui de son métier de danseuse ou de sa religion avait le plus joué en sa défaveur, mais, pour la première fois de sa vie, elle avait l'impression d'avoir fait l'objet d'une discrimination de la part de son propre peuple. Tout le monde la croyait israélienne, elle se considérait comme intégrée, et l'idée que l'on puisse avoir des préjugés aussi forts à son égard ne l'avait jamais effleurée. Sa beauté et son mode de vie très libre lui avaient jusqu'alors servi de laissez-passer dans la société israélienne et, tout à coup, ses certitudes s'étaient retrouvées ébranlées. Ayant rejeté les règles imposées par sa propre communauté, elle ne s'était jamais considérée comme musulmane. Et maintenant on l'abandonnait, probablement à cause de son héritage culturel, peut-être aussi en raison de son appartenance à ce monde de la nuit qu'elle trouvait pourtant étrange et lointain.

La naissance de sa fille fut une grande joie, mais, au bout de quelques mois, Nadia comprit qu'elle ne pouvait pas concilier sa vie de bohème avec les horaires fixes que lui imposait son bébé et les obligations inhérentes à l'éducation d'un enfant. Dès qu'elle sortait de scène, elle se précipitait dans sa loge où elle trouvait invariablement sa fille en train de pleurer de faim, de soif ou parce qu'elle avait besoin d'être changée. Nadia l'adorait, mais se sentait maladroite et craignait de commettre les mêmes erreurs que sa mère avait faites avec elle. En regardant son bébé, elle ne pouvait s'empêcher de se souvenir qu'elle avait perdu son innocence très jeune.

Un jour, elle reçut la visite de Tamam, qui avait entretemps quitté son école religieuse de Nazareth pour épouser Abbas, un homme doux et intelligent, glacier à Haïfa. Tamam confia à sa sœur que leur mère regrettait en secret de s'être comportée aussi lâchement dans le passé et qu'elle aurait beaucoup aimé la revoir. Cette entrevue n'était envisageable que parce que son beau-père avait été victime d'un accident sur le port : un treuil s'était coincé et trois tonnes de marchandises l'avaient écrasé comme une crêpe.

Les retrouvailles avec Salwa ne furent pas des plus faciles. Même si Nadia faisait tout son possible pour essayer de se souvenir de moments heureux passés avec elle avant l'arrivée de Nimer, la jeune femme n'arrivait pas à oublier sa rancune. Sans compter que Salwa restait la seule responsable de ce qui était arrivé… Nadia lui parla un peu de sa vie à Tel-Aviv et de ses difficultés à élever son bébé. Tamam et Abbas lui proposèrent leur aide, mais sa mère annonça qu'elle s'occuperait elle-même de la petite.

– S'il te plaît, implora-t-elle.

Depuis que Ruba, sa benjamine, s'était mariée elle aussi, partant s'installer à Nazareth où son mari avait de la famille, elle se sentait seule.

Nadia fut surprise d'une telle proposition de la part de la femme qui l'avait abandonnée à son destin. Elle lisait la sincérité dans les yeux de Salwa, mais comment pouvait-elle simplement passer l'éponge sur le passé ? Par ailleurs, elle s'était juré de nombreuses années auparavant de se débrouiller toute seule, et elle n'avait pas l'intention de revenir sur son serment.

– Nadia, on est là, on habite tout près, lui assura avec douceur Abbas, qui n'avait pas dit un seul mot jusque-là.

La jeune femme finit donc par accepter. Non seulement elle n'avait pas le choix, mais encore elle savait qu'Abbas veillerait sur sa fille.

Doublement humiliée d'avoir été abandonnée et réduite à demander de l'aide, Nadia commença à se réfugier dans l'oubli procuré par l'alcool. Elle terminait souvent la soirée complètement saoule. Assise devant le miroir de sa loge, elle observait son reflet, le visage barbouillé de maquillage, les cheveux dans les yeux, en se désolant de n'avoir en fin de compte rien fait de sa vie à part rouler des hanches en rythme pour le plus grand plaisir d'une poignée d'hommes d'affaires transpirants, d'industriels obséquieux et de fonctionnaires puants.

Tout en ayant l'impression que les spectateurs ne voyaient pas le meilleur d'elle-même en la regardant onduler lascivement, elle pensait parfois que certains lisaient dans ses yeux brûlants et qu'ils y devinaient son histoire, nettement moins belle que ses lèvres, ses seins et ses fesses, mais aussi triste que la souffrance qu'elle noyait dans l'arak. À la fin de chaque spectacle, elle s'enfermait dans sa loge et en commandait une bouteille qu'elle buvait peu à peu, mécaniquement, jusqu'à ce que ses muscles se relaxent et que les objets qui l'entouraient deviennent flous. Elle se demandait alors à quoi ressemblait le reste du monde et pourquoi il était si difficile de vivre en Israël en particulier. Presque toutes les soirées finissaient de la même façon : elle s'endormait en s'imaginant en train de se promener dans les rues d'une ville lointaine, l'une des nombreuses capitales qu'elle espérait visiter un jour : Paris, Londres, Tokyo...

Arrivée à ce point de son histoire, Nadia fit une remarque à Fatima :

– Quand tu viens au monde en Israël, ça signifie que tu es né soit arabe, soit juif, et que tous les jours, quelqu'un va te regarder de travers. J'essaie de faire abstraction de tout ça et de marcher la tête haute, et pourtant je me sens de plus en plus souvent examinée et jugée. Je fais partie de la minorité parce que je n'appartiens à rien ni à personne. Ma peau est mate, mes cheveux sont noirs, mes lèvres charnues : tout dans mon physique rappelle que je suis palestinienne. Je fréquente les Israéliens, je vais dans les mêmes boîtes, j'écoute la même musique, je mange la même nourriture, mais je n'ai jamais eu l'impression d'être l'une d'entre eux.

Pourquoi devait-elle nécessairement être arabe ou juive ? Ne pouvait-elle pas se contenter d'être Nadia, Nadia la rebelle, Nadia l'esprit libre ?

Fatima était restée immobile pendant tout le récit de son amie en l'examinant avec attention. Nadia semblait retranchée dans un autre monde, et Fatima avait évité de l'interrompre de peur qu'elle ne se réveille de son voyage dans le passé en comprenant qu'elle n'avait pas rêvé. Fatima était perplexe. Elle qui avait aimé, haï, et qui s'était montrée prête à tuer pour son peuple restait incapable de comprendre comment Nadia fonctionnait. Elle sentait néanmoins que leurs histoires avaient une origine commune, comme si le même chagrin les avait conduites à faire des choix différents.

Nadia reprit le cours de son récit pour en raconter à Fatima la dernière partie, celle qui lui avait valu de se retrouver là où elle était.

*
* *

Nadia était avec des amis dans une boîte de nuit sur la plage. Les palmiers se balançaient sous une brise légère. Des lampes éclairaient vivement les tapis bariolés, qui étouffaient le bruit des allées et venues des clients. Elle n'avait pas remarqué le jeune type assis à la table voisine, qui la dévisageait pourtant depuis un bon moment. L'homme mûr large d'épaules et la jeune femme menue qui l'accompagnaient semblaient en pleine conversation. La fille s'était toutefois aperçue que Nadia intéressait son petit ami et lui jetait de temps en temps des regards hostiles, avant de se retourner vers son copain avec un sourire artificiel. Nadia se leva pour aller dire bonjour à une vieille connaissance assise au bar. En passant devant la table voisine, elle finit par remarquer le jeune homme, un Israélien avec qui elle avait eu une brève liaison peu de temps auparavant, qu'elle se contenta de saluer d'un bref signe de tête.

Se levant d'un bond, il s'approcha du bar sous prétexte de commander un autre verre et s'assit sur le tabouret voisin.

Quelques minutes plus tard, quand Nadia retourna à sa table, la petite amie du type la regarda en ricanant et lui lança : « Sale Arabe, sale Arabe ! »

Nadia frappa la fille avec une telle violence qu'elle s'effondra. Les tempes bourdonnantes, elle vit une expression mi-apeurée, mi-surprise se peindre sur le visage de sa victime. Du sang coulait de sa narine droite, tachant le col blanc de son chemisier. Toujours debout, Nadia avait le bras replié au niveau de la poitrine, le poing encore serré. L'Israélienne prostrée sur le sol avait agi par jalousie, incapable de supporter que son homme, ou peut-être juste son ami, s'intéresse aussi clairement à Nadia. Mais ce qui avait particulièrement blessé celle-ci était l'emploi à son encontre du terme « Arabe » comme une injure courante. Qu'elle se considère comme telle n'avait finalement pas d'importance : c'était sa condition, un point, c'est tout. Mais pour d'autres, c'était une insulte.

Une foule hétérogène de curieux s'était formée et, pendant un moment, personne ne se porta au secours de la jeune femme qui avait piqué au vif la fierté de Nadia. L'homme mûr finit par la relever, au milieu du brouhaha des clients de la boîte, désormais noyé sous les sirènes des voitures de police. On embarqua Nadia dans l'une d'elles, qui se fraya un passage le long de la plage au milieu de la foule du samedi soir. À travers la vitre, elle regarda un palmier ployer sous le vent en direction de la mer, et se mordit la lèvre. Le goût de l'anis se mélangea dans sa bouche à l'amertume plus salée du sang.

*

* *

Le lendemain du récit de Nadia, Fatima étendait le linge des détenues dans une petite cour. En contemplant la tranche de ciel encadrée de murs gris, elle réfléchissait à ce qu'elle ferait si elle se trouvait dans la situation de Nadia et devait comme elle quitter la prison d'ici quelques mois et apprendre à vivre sa liberté retrouvée.

Son travail terminé, elle retourna dans la cellule et s'étendit sur son lit en attendant son amie. Ses yeux fixèrent les morceaux de plâtre qui semblaient sur le point de se détacher du plafond et les grosses taches humides qui en soulignaient les bords.

Quand Nadia revint, elle sourit à Fatima, qui lui rendit son sourire. Depuis quand cela ne lui était-il pas arrivé ?

L'influence de Fatima sur Nadia s'accroissait de jour en jour. Fatima essayait avant tout de la persuader d'aller à Jérusalem, dans sa propre famille, qui l'aiderait certainement, au lieu de reprendre son ancienne vie de danseuse à Tel-Aviv. Pendant le dernier mois de détention de Nadia, quand les parents de Fatima vinrent lui rendre visite, ils demandèrent également à parler à sa compagne de cellule. Nadia, qui les trouva chaleureux et agréables, se dit que Fatima avait peut-être raison.

Bien trop tôt à leur goût, le moment de la séparation arriva. Pour Fatima, la vie en prison allait reprendre son cours monotone. Elle devrait à nouveau affronter l'hostilité des autres prisonnières, seule. Mais la cohabitation avec Nadia lui avait beaucoup appris. Ses nombreuses questions lui avaient permis de réfléchir pour la première fois à son acte, et à beaucoup de convictions qu'elle n'avait jamais remises en question.

La veille de sa libération, Nadia passa en revue les différentes expériences qu'elle avait vécues au cours des six derniers mois. En partageant son histoire avec Fatima, elle avait pris conscience qu'elle ne s'était jamais perçue comme appartenant à un groupe auparavant, jusqu'à ce qu'on la traite de « sale Arabe ». Nadia songea que Fatima disait peut-être vrai en affirmant qu'on ne peut pas être libre tant que son peuple ne l'est pas, et qu'aucun Arabe n'était par conséquent libre dans ce pays. Elle n'avait jamais réfléchi à la question. Peut-être cela signifiait-il aussi qu'elle ne pensait pas beaucoup et, à cette idée, Nadia se sentit vide. En tout cas, ce raisonnement était dangereux. D'une part, il impliquait qu'on pouvait vivre en prisonnier sur son propre sol sans être en prison et, de l'autre, il pouvait se retourner contre ceux qui chercheraient à survivre différemment ou choisiraient une autre voie que la lutte.

Le dernier matin, à l'aube, Nadia s'aperçut que la prison lui avait offert le luxe de penser en termes abstraits pour la première fois de son existence.

Plus tard dans la matinée, avant de l'embrasser une dernière fois, Fatima lui donna un conseil :

– Tu vas retrouver ta liberté, mais ça ne te rendra pas forcément heureuse. Quoi qu'il arrive, arrange-toi pour que toutes nos conversations continuent à signifier quelque chose. N'oublie pas : fais-le pour moi.

4.

Nadia se sentit vite à l'aise avec les parents de Fatima et la vie à Jérusalem. Cette dernière avait laissé entendre à sa famille que Nadia avait elle aussi été incarcérée pour raisons politiques. Dès le premier jour, la jeune femme avait noué avec eux une relation amicale et s'était familiarisée sans tarder avec les petites rues de la vieille ville. Elle décida rapidement de se fiancer à Jamal, le frère de Fatima, qui était tombé amoureux d'elle dès leur première rencontre en prison. Quelques semaines après son arrivée, quand Jamal la demanda en mariage, elle accepta, sans jamais mentionner qu'elle avait une fille vivant à Haïfa.

Jamal Shaheen était un homme attentionné et réservé. Nadia lui enviait son calme, qui s'accompagnait d'une rationalité dont elle se savait elle-même dépourvue. Elle était contente de se glisser dans l'existence tranquille d'une future mariée, remplie de préparatifs, de fêtes, et d'autres mariages auxquels assister. Imam à la mosquée Al-Aqsa où il dirigeait la prière du matin, Jamal avait également pris un second emploi de gardien de nuit afin de mettre de côté de l'argent pour la réception. Pendant ce temps, Nadia s'employait à se faire aimer de tous et se fondait parfaitement dans le tissu social de la ville.

Elle s'émerveillait encore à l'idée que la prison lui avait contre toute attente offert l'opportunité de commencer une nouvelle vie. Son anxiété semblait s'être imperceptiblement dissipée. Les habitants du quartier, qui avaient vite appris qu'elle avait partagé la cellule de Fatima, lui vouaient un respect sans bornes, lui pardonnant ses vêtements occidentaux, son effronterie et sa passion pour les cigarettes. Ils étaient persuadés qu'elle avait été arrêtée pour des motifs politiques, tout comme elle-même était convaincue que sa réaction après avoir été traitée de « sale Arabe » représentait, en un sens, un acte « politique ».

*
* *

Un jour, à un mariage, la cousine de Jamal lui présenta un jeune homme de Bethléem. Quand leurs regards se croisèrent, ce fut comme s'ils s'étaient soudain retrouvés seuls au monde. Ils parlèrent trois heures d'affilée sans que les autres invités y prêtent la moindre attention. Âgé de vingt-deux ans, Hilmi était grand et mat de peau. Il avait un regard intelligent et intense et projetait de partir étudier à l'université américaine de Beyrouth. Nadia lui annonça qu'elle était déjà fiancée à un autre.

Leur attraction réciproque était si forte qu'ils décidèrent malgré tout de se revoir deux jours plus tard. Par la suite, ils continuèrent à se donner rendez-vous en secret dans des cafés et des restaurants de Jérusalem-Ouest, et se virent même chez les Shaheen. La mère de Jamal, une vieille dame un peu naïve, pensait que Hilmi courtisait sa seconde fille. Quant à Jamal, il était tellement accaparé par son travail et par les préparatifs du mariage qu'il n'y vit que du feu.

Les rendez-vous clandestins entre Nadia et Hilmi devinrent de plus en plus intenses. Ils finirent par faire l'amour, un après-midi. Après s'être retrouvés à l'heure du déjeuner près de la porte de Damas, ils avaient marché jusqu'à un hôtel. La peur rendait Nadia très tendue et Hilmi se sentait lui aussi extrêmement nerveux.

Dans la jolie chambre spacieuse, ils s'enlacèrent en échangeant un long baiser passionné. Ni l'un ni l'autre n'avaient jamais été aussi certains de vouloir ce qui était en train d'arriver. Hilmi embrassa la gorge de Nadia avant de commencer à la déshabiller lentement. Ses mouvements étaient maladroits, mais elle pensa que son corps n'avait jamais été touché par des mains si délicates. Hilmi l'allongea avec douceur sur le grand lit. Voyant qu'elle était secouée de tremblements, il l'encouragea en souriant à se détendre et lui assura que tout allait bien se passer. Nadia n'en arrêta pas moins de trembler, les yeux écarquillés.

— Si tu veux que je m'arrête, dis-le, murmura Hilmi, qui n'avait pas l'intention de la forcer.

En guise de réponse, Nadia lui prit la main et la posa sur son sein.

Pour eux, le temps s'arrêta.

Avant de quitter la chambre, Nadia étreignit Hilmi en lui demandant de ne pas partir. Elle l'aurait même supplié si sa fierté ne l'en avait pas empêchée.

— Tu pourrais faire tes études ici, dans n'importe quelle université, lui suggéra-t-elle.

Mais il resta inébranlable. Il essaya de la consoler en lui promettant de revenir bientôt.

— S'il te plaît, Nadia, attends-moi, et ne te marie pas !

Une semaine plus tard, quand Hilmi quitta Jérusalem, Nadia eut du mal à cacher l'immense tristesse qui l'avait envahie. Sa déception d'avoir vu partir son amant l'écrasait. Une fois encore, elle se sentait abandonnée. Comme elle avait perdu toute confiance en la gent masculine depuis longtemps, elle choisit de ne pas croire aux promesses de Hilmi, et décida d'épouser Jamal comme prévu.

Le mariage devait avoir lieu un mois plus tard, mais la veille, elle découvrit qu'elle était enceinte. Après avoir appelé Jamal, elle lui raconta toute l'histoire en pleurant. Son fiancé fut profondément perturbé par ces révélations. C'était quelqu'un de bien, doté d'une foi inconditionnelle en son prochain. Quand il se leva de son fauteuil, il avait l'air complètement déboussolé. Tant de questions se bousculaient dans sa tête. Qui était le père ? Et surtout, comment avait-il réussi à ne se rendre compte de rien ?

— Je ferais mieux de retourner à Haïfa maintenant, proposa Nadia. Tu as été très généreux avec moi, et je n'ai pas su me montrer digne de ta confiance.

Jamal, qui avait pris une décision, rompit le silence :

— Nadia, je t'aime. Tout ça est peut-être en partie ma faute. Je t'ai négligée à cause de mon travail. Je veux toujours t'épouser, mais tu dois me promettre de ne plus le revoir.

Nadia eut l'impression qu'un immense poids venait de lui être enlevé. Comment avait-elle mérité un homme aussi bon ?

— Il est parti et il ne reviendra pas, promit-elle, les yeux remplis de larmes.

— Je te crois, acquiesça Jamal en se rapprochant pour la prendre dans ses bras. Je t'aime tellement. Je t'ai aimée dès que je t'ai vue.

*
* *

La première année de leur union se passa dans la plus grande sérénité. Nadia s'investit dans plusieurs groupes féminins. Elle organisait des discussions, donnait des réceptions et encourageait les femmes à être indépendantes et à exiger le respect de leurs maris. Nadia était une vraie pionnière, toujours aussi fantasque et instinctive, mais qui offrait concrètement son exemple à ses voisines marginalisées et soumises. Ses minijupes, ses constantes pérégrinations à travers la ville, de jour comme de nuit, sa totale autonomie vis-à-vis de son mari, le fait qu'elle conduise, et qu'elle ait à la fois des amis israéliens et arabes, déstabilisaient d'ailleurs quelque peu les habitants du quartier.

À la fin de l'année, Hilmi lui rendit visite. Il lui expliqua qu'il avait trouvé un appartement à Beyrouth et qu'il s'était inscrit à l'université.

— C'est une ville moderne et pleine de vie, ajouta-t-il. Je suis sûr qu'elle va te plaire.

Remarquant que Nadia s'était figée, Hilmi s'interrompit pour l'examiner attentivement.

Un peu en retrait, il distingua un nourrisson de quelques mois, une petite fille.

— Je vois que tu es mariée, remarqua-t-il d'un ton dépité, et que tu as une fille.

Un doute lui traversa soudain l'esprit, et le petit calcul auquel il se livra mentalement fut loin de le dissiper.

— Dis-moi la vérité, Nadia. Y a-t-il la moindre chance que ce bébé soit de moi ?

Nadia, qui n'avait jamais cru le voir revenir, était aussi perdue que lui, mais c'était trop tard. Elle le regarda d'un air de défi.

– Non, ce n'est pas ta fille. Tu crois que tu es le seul homme sur terre ? (Sans savoir exactement pourquoi, elle avait envie de lui faire mal.) J'ai couché avec plein de types, avant et après toi.

Il lui avait brisé le cœur, elle venait de lui rendre la pareille.

Blessé dans son amour-propre et dans ses sentiments, Hilmi se leva et partit sur-le-champ, déterminé à disparaître pour toujours. Plutôt que de rester à Beyrouth, décida-t-il, il recommencerait sa vie ailleurs, dans un endroit lointain. En Europe peut-être...

*
* *

Un après-midi, pendant sa deuxième année de mariage, Nadia se rendit au hammam, où elle resta longtemps au *tepidarium* à observer les autres femmes, surtout celles de son âge, en essayant de deviner lesquelles portaient le voile en public. Pour beaucoup d'entre elles, ces quelques heures au hammam étaient le seul moment de liberté de la semaine : elles pouvaient enfin se comporter à leur guise, décider d'être irascibles, aimables, solitaires ou extraverties, et cesser de jouer des rôles imposés par la société.

En se rhabillant, Nadia se regarda dans la glace. Elle était la plus belle femme du hammam, et aussi la plus malheureuse. Malgré la douceur et la bonté de Jamal, elle n'avait pas trouvé l'équilibre dans le mariage. Un an après la naissance de Miral, la fille née de sa relation avec Hilmi, elle avait mis au monde Rania. Si la maternité lui avait apporté un éclat nouveau et un bonheur éphémère, elle avait cependant compris que rien, pas même sa beauté, ne pouvait la guérir de sa tristesse.

Quand une femme est belle, pensa-t-elle, tout le monde s'attend à ce qu'elle soit heureuse aussi, c'est presque une obligation. Elle ne supportait pas de savoir que son mari, sa sœur, et même Fatima, à sa manière, voulaient tous qu'elle soit forcément heureuse et satisfaite de son sort. Ils insistaient pour qu'elle apprenne à voir la beauté autour d'elle. Mais Nadia avait continué à cacher ses faiblesses aux autres : en public, elle paraissait forte et pleine d'assurance, alors qu'au tréfonds d'elle-même, elle restait fragile et obsédée par le passé.

Elle s'efforçait d'être une bonne mère, mais la paix intérieure demeurait pour elle une oasis lointaine, un miracle hors de portée.

*

* *

Nadia monta dans sa voiture sans savoir exactement où elle allait, et roula lentement à travers les rues de la ville. Les boutiques fermaient et les paysans venus de la campagne pour vendre leurs produits rentraient dans leurs villages, se mêlant aux rares personnes encore dehors.

Une chanson traditionnelle qui passait à la radio lui rappela l'époque où elle était danseuse orientale à Tel-Aviv, quand ses admirateurs traversaient encore le pays pour l'applaudir. La nostalgie de toute cette attention l'envahit – les fleurs, les compliments, les invitations à dîner… – et elle sentit une vague d'angoisse enfler.

Elle attendit l'aube sur la plage en compagnie d'une bouteille d'arak en pensant que sa vie manquait décidément de continuité. Fatima avait essayé de l'extraire de la spirale masochiste dans laquelle elle s'était enfermée, et elle y avait même presque réussi, mais pour un temps seulement. En réalité, Nadia avait plus que jamais l'impression de tâtonner dans le noir à la recherche d'une issue.

Trempant ses pieds dans l'eau claire et froide, elle essaya d'imaginer son avenir, qui lui parut aussi incolore que la dernière goutte d'alcool au fond d'une bouteille. Une vague plus haute que les autres mouilla le bas de sa jupe jusqu'aux genoux. Son sourire se mua en un rire nerveux. Elle venait brutalement de comprendre que si quelque chose manquait à sa vie, c'était une enfance. Nadia n'avait aucun souvenir heureux de cette époque, aucune image agréable d'elle-même en train de batifoler dans les vagues, de jouer avec ses amies ou de recevoir un cadeau. À cet instant précis, elle ressentit une profonde haine pour sa mère, et peut-être aussi pour son père, qui s'était fait engloutir par les flots sans avoir pu l'élever, la protéger, ni même lui tenir la main.

Nadia passa trois jours chez une amie à Jaffa en savourant la liberté de ses bonnes vieilles années de célibat, avant de rentrer tout naturellement au bercail. Jamal lui pardonna son escapade, et toutes celles qui suivirent, dans l'espoir que l'angoisse de sa femme diminue avec le temps et qu'elle finisse par s'attacher davantage à sa famille.

Il lui procurait l'alcool dont elle avait besoin pour combattre ses accès de dépression en essayant de ne pas lui poser trop de questions. Afin de ne pas être reconnu quand il faisait ces achats, il se rendait dans un café loin de son quartier, mais, comme il était imam, il avait du mal à rester incognito. Le barman glissait toujours la bouteille dans un sac avec un sourire malicieux et lui disait :

— Tu es quelqu'un de formidable, imam, en accompagnant cette déclaration d'un rire sonore qui gagnait les clients de table en table.

L'amour que Jamal portait à sa femme lui donnait le courage de supporter même ces humiliations-là.

*
*   *

Un jour, Nadia décida de rendre visite à Fatima en prison. Elle eut une drôle d'impression en empruntant à nouveau ces couloirs sombres et en respirant les odeurs de moisi et de tabac bon marché émanant des cellules.

Fatima n'avait pas changé. Elle avait le même visage rond et la même vivacité qu'avant.

Leur rencontre fut chaleureuse et amicale, même si les deux femmes ne se parlaient plus avec la même franchise que pendant leur détention commune. Nadia se garda de raconter à Fatima qu'elle s'était mise à fréquenter d'autres hommes que son mari, et qu'elle buvait de l'arak jusqu'au petit matin, assise dans un fauteuil, une cigarette à la main. Fatima, qui voyait bien que son amie n'avait pas trouvé la paix, l'encouragea à continuer à croire en son action auprès des autres femmes de la communauté, et essaya comme toujours de lui redonner confiance en elle. C'était peine perdue. Son sourire se teinta d'amertume quand Nadia lui confia que les trois mois qu'elle avait passés en prison constituaient la période la plus heureuse de sa vie.

Nadia posa alors une question qui la désarçonna :

— Comment as-tu pu vouloir tuer des gens que tu ne connaissais même pas ?

Fatima, qui aurait bien aimé lui faire comprendre qu'elle avait agi dans un but précis, répondit :

— Pour moi, ce ne sont pas des gens, mais des soldats. Notre peuple souffre. Les Israéliens nous ont fait la guerre et nous n'avons pas d'autre choix que de résister ou de disparaître. Leur Premier ministre David Ben Gourion a dit un jour : « Nous sommes un peuple sans terre, et cette terre n'a pas de peuple. » Mais si c'est une terre sans peuple, alors, que sommes-nous ?

Nadia s'était déjà levée. Elle se dirigea vers la porte, offrant à Fatima le spectacle de ses longs cheveux retenus par un ruban rouge et de sa silhouette fine, qui se détachait sur les murs en ciment gris de la cellule.

Fatima n'était pas tourmentée par son sort, ni par celui de ses ennemis, mais elle devait admettre que la vie en prison lui avait fait connaître un aspect du monde israélien qu'elle ne connaissait pas. Les femmes juives qu'elle côtoyait étaient toutes voleuses ou prostituées, de pauvres miséreuses en fait, victimes à part entière d'un système de pouvoir qui les dépassait largement.

*

* *

Jamal chercha Nadia partout. Il alla dans sa famille à Haïfa, où elle lui avait annoncé qu'elle se rendait pour quelques jours, mais ils ne l'avaient pas vue, tout comme lors de ses précédentes fugues. Personne ne savait où elle était passée.

De retour chez lui, après avoir longuement fixé le téléphone, il déboucha la bouteille qu'elle avait laissée sur la table de nuit et versa un peu d'arak dans le creux de sa main avant de la porter à ses narines. L'espace d'un instant, il eut l'impression de revivre le baiser que sa femme lui avait donné le matin de son départ.

Nadia était en fait retournée dans la boîte de nuit de Tel-Aviv où elle avait travaillé comme danseuse. Dans son esprit, c'était le seul endroit où elle avait vraiment été elle-même. Et malgré ses trois grossesses et ses quelques années de plus, elle en était redevenue l'attraction principale en peu de temps. Elle restait très attrayante, peut-être encore plus qu'avant, même si sa beauté était plus mélancolique, comme une jolie ville construite dans un endroit sans âme.

Quand Jamal apprit que Nadia avait renoué avec son ancienne vie, il se maudit d'avoir été si tolérant avec elle et d'avoir commis l'erreur de lui laisser trop de liberté.

Nadia trouva finalement une issue. Tout lui parut soudain si clair ! Au moment où elle se rendit compte qu'elle se sentait enfin légère, elle sut pour la première fois ce qu'était la joie… Elle allait pouvoir s'épargner à elle-même et aux êtres qui lui étaient chers une vie qui ne lui apportait que des problèmes.

*

* *

La police ramassa le corps de Nadia sur une plage de Jaffa. Défigurée, elle se trouvait dans une position bizarre, comme si elle avait essayé d'atteindre la mer : elle avait les bras tendus vers l'avant, et les vagues lui léchaient les mains. La marée montait. Une heure de plus, et les flots auraient repris son corps, comme ils avaient avalé celui de son père. Les autorités conclurent qu'elle avait mis fin à ses jours, mais son mari et ses amis proches n'y croyaient pas. Nadia n'avait jamais abandonné, pas même à treize ans, quand son beau-père lui avait volé son avenir. Peut-être avait-elle été victime d'un accident ? Tout le monde se refusait à penser que le dernier chapitre terrible de cette vie hors normes s'était conclu par un suicide.

Jamal décida que ses enfants avaient besoin de grandir dans un environnement serein, en compagnie d'autres petites filles. Il souhaitait aussi avant tout qu'elles se construisent loin des drames qui avaient marqué leur famille. C'est pourquoi il confia Miral et Rania à Hind Husseini, qui les élèverait dans son orphelinat de Dar El-Tifel.

Quatrième partie

MIRAL

1.

Le jour où le père de Miral et de Rania avait emmené ses filles à Dar El-Tifel pour la première fois, l'automne n'avait pas encore commencé, mais une légère brume enveloppait les collines autour de la ville.

Jamal avait laissé la porte de la salle de bains entrouverte. Il se rasait, mais sans siffloter en même temps comme d'habitude, se bornant juste à regarder le reflet de son visage las dans le miroir. Il avait la même expression défaite que le jour de l'enterrement de Nadia, un mois auparavant. Miral, qui l'observait en silence, vit une larme briller sur sa joue avant de disparaître dans la mousse.

Le père des deux filles était un homme élancé et mince aux grands yeux noirs. Il était natif du Nigeria et avait fait partie des nombreux émigrants venant du Sénégal, du Mali et des autres pays musulmans d'Afrique qui avaient afflué en Palestine pendant le mandat britannique. Dans leur quartier de la vieille ville, où l'on accédait en franchissant une grille métallique verte, presque tous les habitants étaient d'origine africaine. Jamal était doté d'un raffinement naturel et d'une dignité qui se remarquaient tout de suite dans ses manières, ses yeux et ses gestes. Il avait aussi de belles mains aux longs doigts fins. Le secteur où ils habitaient constituait en fait une véritable communauté où tous les enfants jouaient ensemble. Même les adultes y entretenaient des relations intenses et cordiales, et se considéraient non pas comme de simples voisins, mais presque comme des frères et sœurs appartenant à une sorte de famille élargie.

Conseiller spirituel de nombreux fidèles, Jamal comptait parmi les hommes les plus respectés du quartier, et se conduisait envers tous en ami avisé et patient.

Les Shaheen vivaient dans une maison composée de deux pièces, dont la porte était encadrée par un odorant buisson de jasmin et un grand grenadier. À l'intérieur, deux volées de marches très raides menaient à un salon spacieux et clair, au sol et aux murs recouverts de tapis. Au milieu de la pièce trônait le canapé où dormait désormais Jamal, face à une vitrine d'exposition en bois remplie de verres de couleur soufflés aux quatre coins du Moyen-Orient par des maîtres verriers de Damas, de Beyrouth, d'Amman ou du Caire. Comme Jamal les époussetait quotidiennement, ils étaient toujours étincelants.

La chambre regorgeait également de tapis et comportait un lit bas couvert de coussins. Les lampes en fer forgé et les carreaux multicolores diffusaient une lumière chaude aux tons bleutés et rougeâtres. Quoique petite, la salle de bains, ornée d'une charmante mosaïque de carreaux bleus et verts, jouissait d'une vue sur la vieille ville. Jamal avait appris à Miral et à Rania que le vert était la couleur de l'Islam, et le bleu, celle de la pureté, du ciel, de l'eau et de l'infini. Presque tout un pan de mur était occupé par un lavabo, fendu sur un côté depuis que Miral avait maladroitement essayé de grimper dessus quelques mois avant la mort de sa mère.

À chaque fois qu'elle regardait cet imperceptible défaut, Miral revoyait, l'espace d'un instant, le visage de Nadia.

*
* *

Le matin du départ de ses enfants, Jamal s'était réveillé plus tôt qu'à l'accoutumée. Alors qu'il observait de sa fenêtre la rue déserte encore éclairée par des lampadaires à la lumière vacillante, les maisons aux fils à linge chargés de vêtements et aux appuis de fenêtres encombrés de pots de géraniums, il entendit le premier appel à la prière émanant de la mosquée toute proche.

Jamal était différemment attaché à chacune de ses filles. Alors que Miral s'était comportée comme une adulte miniature après le décès de Nadia, continuant à remporter les meilleures notes à l'école, Rania semblait avoir davantage besoin d'être protégée. Dès qu'elle n'arrivait pas à trouver le sommeil, elle filait dans le salon où Jamal s'était installé à la suite de la mort de sa femme et entourait son père de ses bras. Ainsi allongée à côté de lui, la petite parvenait enfin à s'endormir.

Miral n'en inquiétait pas moins Jamal à cause de sa profonde anxiété. La nuit précédente, elle s'était réveillée couverte de sueur en lui racontant qu'elle avait encore rêvé de sa mère. Perchée dans un arbre dont les branches se balançaient au gré d'un vent léger, elle avait décidé de continuer à grimper jusqu'au sommet. Rania la regardait d'en bas, souriante, les bras levés au-dessus de sa tête. Son père fumait, assis sur l'herbe, et leur mère marchait en direction de la rivière. Miral avait resserré la pression de ses jambes autour du tronc de toutes ses forces, enfonçant ses ongles dans l'écorce rêche qui l'égratignait, et poursuivi son ascension jusqu'à la branche la plus haute. Tout à coup, le vent avait cessé de souffler, et le silence s'était installé. Miral avait adressé un regard joyeux à son père, qui lui avait fait en retour un petit signe de la main. Sa petite sœur sautillait toujours gaiement dans le jardin, mais Miral était perturbée de ne plus apercevoir sa mère nulle part.

Son père l'avait consolée en lui expliquant qu'il était naturel de faire de mauvais rêves quand on venait de perdre un être cher. La petite fille lui avait alors lancé un regard indéchiffrable, comme si, insatisfaite de sa réponse, elle attendait des explications supplémentaires. Pour lui, ce songe correspondait à la peur de Miral d'oublier les traits de Nadia.

Placer ses enfants à Dar El-Tifel avait été une décision difficile, voire douloureuse, pour Jamal. Il n'aurait jamais imaginé vouloir être séparé de ses filles, surtout maintenant que Nadia n'était plus là. Mais c'était précisément à cause de sa mort, et parce que son nom de famille était encore terni par la tentative d'attentat que sa sœur avait organisée quelques années plus tôt, qu'il préférait que Rania et Miral, âgées de quatre et cinq ans seulement, soient élevées dans un environnement plus protecteur. Il connaissait Hind depuis longtemps et lui avait déjà personnellement amené plusieurs orphelins abandonnés devant la mosquée, et, maintenant, il allait lui confier ses propres enfants. Hind lui avait proposé que l'école devienne leur second foyer. Dans cet ordre d'idées, Jamal et elle avaient décidé qu'il serait préférable de changer le nom de famille des filles. C'est ainsi que Miral et Rania Shaheen devinrent Miral et Rania Halabi.

2.

Ce matin-là, dans les quartiers arabes, les marchands des souks s'affairaient comme d'habitude bruyamment à préparer leurs étals. La tête emplie d'un bourdonnement sourd, Jamal prit avec ses filles le chemin de l'orphelinat, une petite valise contenant leurs effets personnels dans la main droite. En marchant, Rania agrippait le petit doigt de son père de ce côté-là, tandis que Miral lui tenait la main gauche. Jamal s'arrêta pour leur acheter des caramels. Il avait prévu de leur rendre visite presque chaque semaine et, pourtant, il ne se sentait pas tranquille. Dans la bouche des fillettes, la douceur sucrée des bonbons se mêlait au goût amer du départ.

Alors que leur petit convoi se mettait en branle, Miral regarda autour d'elle. Personne n'était encore sorti à part les marchands. Mais le trio avait à peine fait quelques pas qu'une foule de voisins apparut aux fenêtres. Les gamins avec qui Miral et Rania avaient joué tous ces après-midi ensoleillés les attendaient aussi sur le chemin pour leur donner des fleurs et d'autres bonbons. Miral se doutait bien qu'elle ne retournerait pas vivre chez elle de sitôt. Jamal avait soigneusement éludé cette question, et elle n'avait jamais tellement insisté, en partie pour ne pas inquiéter sa cadette. Depuis la mort de leur mère, Miral regardait Rania avec d'autres yeux. Bien qu'âgée de un an de plus seulement, elle avait l'impression qu'il était de son devoir de la protéger.

Après avoir traversé toute la vieille ville, le père et les filles s'arrêtèrent chez Jafar, la plus ancienne confiserie de

Jérusalem, où chacun mangea en silence un *kunafeh.* Ce petit gâteau, constitué d'un mélange de fromage, de beurre, de blé dur et de pistaches écrasées et sucrées avec du sirop, rappela à Miral les moments les plus heureux de sa vie, où elle allait avec sa mère chez Jafar en acheter pour toute la famille.

Lorsqu'ils eurent dépassé les remparts, ils se retrouvèrent devant une grille de fer forgé, sur laquelle Miral put lire avec un peu d'hésitation l'inscription suivante : *Dar El-Tifel, Jérusalem, 1948.*

Ils passèrent dans un jardin ombragé avant d'atteindre une longue route bordée de pins, débouchant sur une clairière. Un peu plus loin, on apercevait trois bâtiments.

— Ils sont décorés dans le style mudéjar, annonça Jamal, qui ne perdait jamais une occasion d'enseigner à ses enfants quelque chose de nouveau sur les riches traditions historiques ou artistiques de leur peuple.

— Dans le style mudéjar, répétèrent solennellement Miral et Rania à l'unisson, d'une voix sérieuse et triste.

Non loin de là, elles remarquèrent une pelouse où quelques petites filles jouaient au volley-ball.

Une femme entre deux âges en tailleur blanc vint à leur rencontre avec un sourire cordial. Ses cheveux gris étaient attachés en chignon et elle portait une légère touche de rouge à lèvres rose. Elle salua affectueusement Jamal avant de se tourner vers les filles pour leur caresser le visage et leur proposer d'aller jouer avec les autres.

Miral tendit la main à Rania, mais sa sœur s'accrochait de toutes ses forces au bras de leur père et refusait de le lâcher, comme si elle craignait de ne plus jamais le revoir. Elle resta debout à côté de lui en silence avec une petite moue boudeuse. Jamal prit alors ses deux filles par la main et les emmena sur la pelouse en leur promettant qu'il ne partait pas tout de suite, parce qu'il devait parler un peu avec Hind. Rania dévisagea son père avec méfiance pendant un instant, puis suivit finalement sa sœur. Du coin de l'œil, Miral vit Jamal s'éloigner et se retourner pour les observer, le regard brillant de larmes. Elle ne l'avait encore jamais vu si malheureux. Il leur fit un signe de la main, mais Rania, absorbée par son jeu, ne remarqua rien. Un ballon de foot atterrit aux pieds de Miral, qui se contenta de le fixer en pensant qu'elle aurait tellement aimé pouvoir le renvoyer et se retrouver par miracle projetée en arrière, à l'époque où sa mère vivait encore et où ils étaient tous ensemble.

*
* *

Le plus vieux bâtiment de l'école, situé au sommet de la colline dominant la vieille ville, abritait les classes et les bureaux de l'administration, dont celui de Hind, une pièce simple meublée d'antiquités remontant à la période du mandat britannique. De l'autre côté du terrain de jeux, dans un bâtiment plus moderne, se trouvaient les dortoirs, construits grâce à une donation du cheikh Ben Jassim Sabah. À l'époque, il y avait déjà deux mille élèves. Comme pour les classes, Hind avait décidé que les fillettes les plus jeunes s'y verraient attribuer le rez-de-chaussée, où elles occupaient des chambres à six lits. Les plus grandes dormaient quatre par quatre au premier. Le dernier étage abritait des chambres individuelles, réservées à quelques élèves de terminale et aux professeurs vivant sur le campus. Le gymnase se trouvait à l'opposé du terrain de jeux, et, un peu plus loin en descendant la colline, on arrivait à la résidence de Hind. En vieillissant, la directrice avait décidé de réinstaller ses appartements dans une des plus vieilles maisons de son grand-père. Sa terrasse spacieuse donnait sur la ville, et ses murs de pierre blanche étaient presque entièrement recouverts de lierre.

Le premier soir, après le dîner, servi dans une grande cafétéria, une enseignante mince au regard triste accompagna Miral, Rania et quatre autres fillettes dans leur chambre. Rania, qui n'avait pratiquement pas touché à son assiette, ne lâchait pas la main de sa sœur.

Miral remarqua que les plus grandes aidaient les plus petites à se mettre en chemise de nuit et leur racontaient des histoires pour les aider à s'endormir. Malheureusement, celles-ci parlaient souvent d'orphelins, notamment *Oliver Twist*, leur préférée. En écoutant l'une d'entre elles, Rania laissa finalement couler les larmes qu'elle avait retenues toute la journée. Sa sœur la coucha, mais la petite pleurait toujours, hoquetant entre deux sanglots qu'elles avaient perdu leur maman et qu'elle ne voyait pas pourquoi elles devaient aussi perdre leur papa.

Miral rapprocha son lit de celui de Rania. Du moment qu'elles restaient ensemble, tout irait bien, lui promit-elle. Elle lui caressa les cheveux et les joues jusqu'à ce qu'elle s'endorme. Les quatre autres fillettes avaient elles aussi poussé leurs lits les uns contre les autres pour ne faire qu'un grand couchage commun, afin de tenter d'exorciser leurs sentiments de solitude et d'abandon. Tout le monde finit par s'endormir, sauf Miral. La petite fille revoyait la silhouette de son père s'éloignant le long de l'allée bordée de pins et repensait aux récits de ses camarades. Ces histoires sinistres n'avaient-elles pas un fond de vérité, comme celle de sa propre mère, qui avait été heureuse, et qui s'était un jour arrêtée de sourire, avant de mourir ?

*

*   *

Si Miral s'était rapidement adaptée à sa nouvelle vie à Dar El-Tifel, on ne pouvait pas en dire autant de sa sœur. Très taciturne, Rania voulait en permanence rester avec son aînée. Après la première nuit, leurs compagnes de chambre rapprochèrent leurs lits de ceux des deux sœurs comme la veille, et elles dormirent toutes les six serrées les unes contre les autres. De tels gestes d'affection constituaient un moyen de compenser l'absence de contact physique avec leurs mères.

Déjà intenses auparavant, les liens qui unissaient Miral et Rania les aidaient à échapper à leurs crises de cafard. Rania se reposait sur Miral, que la pression constante que sa cadette exerçait sur elle étouffait parfois. Néanmoins, chaque jour qui passait, Miral se félicitait de sa chance d'avoir sa sœur auprès d'elle, mais aussi un père qui venait les voir toutes les semaines. Certaines pensionnaires étaient complètement seules. Les plus mal loties ne savaient rien de leurs origines. Dépourvues de toute famille, elles n'avaient aucune idée de l'identité de leurs parents, ni de leur lieu de naissance. Plus moroses que les autres, elles étaient aussi plus agressives et avaient parfois recours à la violence physique pendant les récréations. Elles étaient incapables d'assumer le moindre échec et se disputaient généralement avec n'importe qui pour des vétilles. Ne parvenant pas à se résigner à vivre avec des questions destinées à rester sans réponse, elles se tourmentaient et tourmentaient les autres.

L'école avait institué une coutume selon laquelle tous les soirs, les élèves devaient se raconter des histoires avant de se coucher. La plupart soutenaient que leurs récits étaient purement fictifs ou basés sur l'expérience de leurs amies, mais Miral remarquait souvent à la soudaine détresse qui envahissait leurs yeux qu'il s'agissait de leur propre vie. Elle découvrit ainsi que Lamá, âgée de dix ans, avait été trouvée tout bébé par le mufti de Jérusalem, emmaillotée dans des vêtements devant la porte de la mosquée. D'autres filles avaient été ramassées alors qu'elles déambulaient seules dans des villages en flammes, le regard perdu dans le vague. Ces enfants-là, qui se révélaient généralement les plus motivées de l'école, aspiraient à affirmer leur propre identité.

*
*   *

Le premier mois, Miral s'habitua à la sonnerie du réveil, qui se déclenchait à 5 h 45 du matin. Elle se levait lentement et allait à la fenêtre pour tirer les rideaux et admirer la vieille ville en se frottant les yeux. La moitié supérieure de ses murailles était éclairée par les rayons du soleil, alors que la moitié inférieure baignait encore dans l'ombre, ses demeures trapues si tassées les unes contre les autres qu'elles cachaient les rues les séparant. Miral cherchait du regard sa maison, située près de la mosquée, mais un minaret lui bloquait la vue. Elle pensait alors à son père. Était-il encore endormi ou bien réveillé comme elle, les yeux rivés au plafond, occupé à se demander comment les choses avaient pu tourner ainsi ? En arrière-plan, le mont des Oliviers, majestueux et rassurant, paraissait protéger la cité, qui, vue de haut, ressemblait pour la petite fille à une magnifique ruine immobile.

Miral s'habitua progressivement à la vie à l'école et à la présence constante de Rania, qui la suivait partout. La première année, Hind autorisa les deux sœurs à dormir dans la même chambre, mais, par la suite, quand elles furent séparées, Rania resta dépendante de Miral à de nombreux égards. Lorsque la cloche de onze heures sonnait, signalant la première pause de la journée, Rania allait s'asseoir sur un banc en dessous d'un grand cèdre dans l'aire de jeux. Pendant ce temps-là, Miral achetait leur déjeuner à la dame qui passait tous les jours à l'école avec un panier rempli de sandwichs, de pitas, de fruits et de desserts, avant de rejoindre sa cadette. Assumant le rôle maternel, elle donnait à manger à Rania, qui malgré son année de moins était de constitution plus robuste et donnait l'impression d'être la plus âgée des deux.

Durant les premiers mois à Dar El-Tifel, Rania ne parla à personne d'autre, si bien que les professeurs étaient souvent obligés d'appeler Miral s'ils voulaient obtenir que sa sœur dise quelques mots.

*

* *

Après les vacances d'été, la scène de leur arrivée initiale se reproduisit, à ceci près que cette fois, Miral et Rania savaient parfaitement où leur père les emmenait. Miral était surexcitée à l'idée de passer de la maternelle au cours préparatoire, un véritable saut de géant dans son esprit. Elle mourait surtout d'impatience de mettre son nouvel uniforme et de changer de salle de classe. Dès leur arrivée, elle se dépêcha de rejoindre la file d'attente qui s'allongeait devant la porte de la couturière chargée de prendre les mesures de chacune et de retoucher les uniformes.

En début d'après-midi, Miral reçut son chemisier blanc, sa robe chasuble verte, son cardigan rouge et ses chaussures noires. Avec la plus grande solennité, elle enleva son short et son tee-shirt en coton bleu préférés pour revêtir lentement son uniforme et cirer ses chaussures – qu'elle avait déjà aux pieds –, avant de contempler fièrement son reflet dans le miroir et d'aller parader devant Rania.

Les deux sœurs ne devaient plus partager la même chambre, ce qui inquiétait la plus petite. Jalouse de l'uniforme de Miral, elle se plaignit d'avoir à attendre toute une année avant de pouvoir porter le sien. La directrice et les professeurs la trouvèrent tout de même beaucoup moins mélancolique qu'à son arrivée un an plus tôt. Jamal prit en photo les deux filles, avec Hind au milieu.

*

* *

La fascination de Miral pour l'Histoire commença cette année-là. Maisa, une petite femme corpulente aux cheveux frisés en désordre et aux lunettes à verres épais, racontait à ses élèves les horreurs de la Révolution française ou la guerre civile libanaise comme si elle leur lisait des romans ou des contes de fées. Pendant ses leçons, tout le monde retenait son souffle en se demandant comment l'histoire se terminerait. Personne ne disait mot tandis que Maisa, arpentant la classe de long en large, déroulait des cartes pour leur montrer du doigt des villes lointaines ou dépliait des photos de chefs de guerre et de batailles sanglantes. Elle utilisait rarement le terme de Palestine et parlait plus volontiers de la grande nation panarabe, l'*Umma*, du président égyptien Nasser et de l'Empire ottoman. Si Miral tira quelques principes de base essentiels des enseignements de son professeur, elle apprit avant tout à s'interroger sur les « si » et les « mais » de l'Histoire.

3.

Deux fois par mois, Miral et Rania passaient le week-end à la maison. Les deux fillettes attendaient impatiemment ces vendredis matin où elles apercevaient leur père remonter d'un bon pas la longue allée bordée d'arbres.

Avant qu'ils ne regagnent la ville tous les trois, Jamal s'entretenait avec Hind. Ils évoquaient des sujets variés, parlant de Miral et de Rania ou de l'orphelinat, mais aussi de l'avenir de la Palestine. En quittant le bureau de la directrice, Jamal arborait invariablement un grand sourire et, plus d'une fois, alors qu'il prenait la main de ses filles et qu'ils se dirigeaient vers la grille, Miral l'avait entendu murmurer : « Quelle femme remarquable ! »

Jamal avait accroché la photo de ses enfants avec Hind dans son salon, au-dessus de la télévision. Il la contemplait longuement durant les interminables soirées où la tristesse l'envahissait. Elle lui procurait un grand sentiment de paix. Le spectacle du regard fier de Miral, si semblable à celui de sa maman, de la légère moue de Rania et de l'expression sereine et rassurante de Hind le confortait dans l'idée qu'il avait pris la bonne décision en lui confiant ses filles.

L'une des premières choses que faisaient les petites en rentrant était de prendre un bain. Sachant combien Miral adorait ce moment, Jamal aimait la regarder faire chauffer de l'eau sur le feu avant de la verser dans la baignoire en cuivre. La vapeur embuait les carreaux de la salle de bains et opacifiait les vitres. L'atmosphère ouatée de la pièce était chaude et brumeuse comme dans un rêve particulièrement agréable. Rania, qui rechignait d'abord un peu à partager la joie de ce rituel, finissait vite par grimper dans la baignoire avec sa sœur. Les deux fillettes s'immergeaient dans l'eau jusqu'à ce qu'elle devienne tiède, puis froide, et que Jamal leur enjoigne plusieurs fois de sortir de là. Il essayait alors de peigner leurs cheveux frisés et emmêlés en les imprégnant d'une couche épaisse d'après-shampoing, mais, en dépit de ses efforts affectueux et maladroits, Miral et Rania retournaient souvent à l'école avec des nœuds que les plus âgées des pensionnaires les aidaient à démêler. Après le bain, Jamal se rendait à la mosquée pour la prière de midi et, à son retour, ils déjeunaient tous les trois, assis sur des ottomanes en cuir de couleur, autour de la petite table au plateau de cuivre gravé de motifs de plantes et de fleurs.

Jamal préparait généralement du poulet au curry, accompagné de riz basmati et de légumes de saison. Comme leur père était un très bon cuisinier, à la fois inventif et patient, ses filles se réjouissaient à l'avance à la perspective de ce repas. Le lendemain matin, ils faisaient les courses et allaient au marché aux tapis l'après-midi.

*

* *

Au souk, Jamal apprenait à Miral et à Rania à choisir les meilleures laitues, presque toujours dissimulées au bas de la pile. Les filles s'habituaient à évaluer l'odeur, la couleur et la texture des fruits et des légumes. Jamal était capable de deviner si une tomate avait été cultivée avec des engrais naturels ou non, et savait à l'avance si une orange serait douce ou acide. Après avoir acheté la nourriture, il montrait aussi à ses enfants son habileté à marchander avec les praticiens les plus talentueux de cet art séculaire, les vendeurs de tapis. Grand amateur de tapis persans, Jamal en avait rempli sa demeure, ce qui la rendait particulièrement accueillante. De nombreuses années plus tard, après la mort de son père, Miral en compterait pas moins de trente-trois étendus sur le sol ou accrochés aux murs de la maison.

Mais les filles de Jamal avaient elles aussi des choses à lui enseigner. Grâce aux règles strictes en vigueur à Dar El-Tifel, Miral et Rania étaient désormais capables d'expliquer fièrement à leur père comment plier ses vêtements, qu'une femme du voisinage lavait et repassait, avant de les ranger dans son armoire.

Les dimanches après-midi étaient consacrés à la discussion. Le père et les filles parlaient de leurs soucis et de l'importance de leur éducation. Jamal leur disait en leur caressant doucement les cheveux :

– L'incertitude de notre situation nous place dans une position où tout est plus difficile, où nous devons faire davantage d'efforts pour résoudre le moindre problème, et où il est encore plus dur pour une femme sans éducation de vivre libre. C'est pourquoi vous devez toutes les deux étudier le plus possible. C'est la condition nécessaire de votre liberté.

Miral et Rania partaient parfois gaiement pour l'esplanade des mosquées, où leur père passait tous les jours un temps considérable à arroser ses roses, ses bougainvillées et ses oliviers, ou à lire à l'ombre d'un grand pin.

Le vendredi, les fidèles affluaient de tout le pays pour prier à la mosquée Al-Aqsa et au dôme du Rocher. Les deux enfants se joignaient au flot de croyants entrant par les portes de Damas ou de Jaffa après avoir traversé la vieille ville pour atteindre ce que les musulmans appellent *Haram esh-Sharif*, ou Noble Sanctuaire, troisième lieu saint de l'Islam après La Mecque et Médine. De là, on pouvait apprécier le contraste entre les ruelles rendues plus étroites encore par l'abondance des paniers de légumes que les femmes des Territoires occupés apportaient tous les jours, et la splendide vue de Jérusalem et des collines de Judée. Les fidèles, émus, s'attardaient dans les jardins après la prière pour y manger de la pita et de l'houmous pendant que leurs enfants jouaient joyeusement autour d'eux, avec le solennel mont des Oliviers en toile de fond.

Le samedi, la vieille ville était surtout envahie de Juifs de Jérusalem-Ouest, qui franchissaient la porte de Damas ou la porte d'Hérode pour se rendre au mur des Lamentations. Miral et Rania étaient particulièrement fascinées par les Juifs orthodoxes, avec leurs longues papillotes de cheveux noirs, leurs chemises blanches, leurs vestes courtes et les pantalons de lourd tissu noir qu'ils portaient même par les journées les plus chaudes de l'été.

Les deux groupes de fidèles, juifs et musulmans, empruntaient le même chemin jusqu'à ce qu'ils arrivent à une fourche. Les musulmans tournaient pour grimper dans la direction de l'esplanade des mosquées, alors que les juifs continuaient jusqu'à l'entrée du *ha-Kotel ha-Ma'aravi*, ou mur des Lamentations, seul fragment restant du temple bâti par Hérode le Grand.

Jamal estimait que sa religion et le judaïsme avaient beaucoup de points communs, mais une différence fondamentale. L'Islam aimait apparemment à se montrer et à se cacher en même temps. Le splendide *Qubbet al-Sakhra*, le dôme du Rocher, avec sa coupole dorée visible de n'importe quel endroit de la ville et les carrelages aux couleurs extravagantes qui recouvraient ses six murs, ainsi que les nombreux minarets disséminés dans Jérusalem-Est, témoignaient de l'aspect démonstratif de l'Islam. À l'inverse, les cours intérieures des palais et des mosquées, avec leurs fontaines et leurs *mihrabs*[1], étaient typiques d'une religion qui se plaisait à dissimuler sa beauté magique.

Quant à la religion juive, elle semblait fascinée par le mystère – c'était tout au moins la conclusion à laquelle était arrivé Jamal après des mois de réflexions nocturnes. Aucun autre endroit au monde n'était aussi sacré pour les juifs que le mont du Temple. La synagogue à ciel ouvert du mur des Lamentations et les clameurs ininterrompues qui montaient des écoles talmudiques, les *yeshiva*, faisaient de Jérusalem la destination d'un incessant pèlerinage des Juifs du monde entier. Beaucoup d'habitants de la ville croyaient d'ailleurs que les branches des oliviers n'y bougeaient pas au gré du vent, mais de la respiration de Dieu lui-même.

Quant aux pèlerins chrétiens, ils empruntaient la Via Crucis, aussi appelée Via Dolorosa, qui traversait la vieille ville, et s'arrêtaient à chaque station du chemin de croix avant d'atteindre l'église du Saint-Sépulcre et d'y respirer l'odeur âcre et enivrante des nuages d'encens.

---

1. Niche orientée vers La Mecque dans le mur d'une mosquée.

Un après-midi d'été où Jamal et ses filles se promenaient dans le souk, Miral regardait les poulets suspendus à des crochets dans les échoppes des bouchers, les morceaux de viande dégoulinant de sang et les cafés où les vieux messieurs fumaient leurs narguilés en buvant du thé à la menthe ou à la sauge, ou du café à la cardamome. Soudain, elle se retourna pour observer un groupe qui passait.

— Papa, ils vont où ces touristes ?

Très occupé à acheter des feuilles de vigne à une vieille femme assise à même le sol, un gros panier d'osier à ses pieds, Jamal leva les yeux pour regarder dans la direction que Miral lui indiquait.

— Ce ne sont pas des touristes, mais des pèlerins chrétiens qui se rendent à l'église du Saint-Sépulcre, répondit-il en souriant.

Ils s'arrêtèrent tous les trois chez Jafar, où ils firent honneur à la tradition familiale en mangeant un *kunafeh* chacun. Pendant leur collation, Jamal se dit qu'il était très dommage de ne connaître qu'une partie de cette ville, alors qu'elle constituait un tel creuset culturel et religieux.

— Si vous voulez, on peut aller visiter cette église, proposa-t-il aux enfants.

Excitées par la nouveauté de cette proposition, les filles acceptèrent avec enthousiasme. Le trio parcourut le reste de la Via Dolorosa. Devant la grille de fer forgé sur laquelle un panneau indiquait le nom de l'église, Jamal annonça :

— Avant de nous disputer cette ville avec les Juifs, nous avons d'abord dû nous battre avec les chrétiens pour la contrôler.

Le père et ses filles décidèrent de s'arrêter un instant. Il faisait une chaleur étouffante et Rania voulait boire un verre d'eau. À leur gauche se trouvait une petite boutique de souvenirs. Beaucoup d'objets qu'on y vendait parurent très mystérieux à Miral et à Rania, particulièrement les croix de bois et les couronnes d'épines. Un vieil homme assis sur un tabouret en paille leva les yeux du quotidien *Al-Quds*, dans lequel il était plongé, pour faire signe à Jamal d'approcher et lui tendre une bouteille d'eau. Les deux hommes engagèrent la conversation pendant que les filles regardaient les groupes de pèlerins affluer vers l'entrée de la basilique. Au bout de quelques minutes, le marchand se leva et accompagna Jamal jusqu'à l'église. Toujours intriguées par les nombreux souvenirs en vente dans la boutique, Miral et Rania traînaient derrière et durent se mettre à courir pour les rattraper juste au moment où ils rejoignaient le flot de pèlerins. Elles emboîtèrent ensuite le pas à Jamal et au vendeur sans rien dire.

Dans l'église, le vieil homme s'arrêta de temps en temps en s'appuyant sur sa canne pour signaler l'importance de telle ou telle pierre ou de telle ou telle lanterne. Ne sachant pas qui étaient les Coptes, les Syro-Jacobites, les Arméniens ou les Grecs orthodoxes, Miral ne comprit pas grand-chose à ses explications, mais elle remarqua des prêtres à longue barbe coiffés de chapeaux bizarres, qui passèrent à côté du groupe en balançant des lanternes pleines d'encens et en entonnant d'incompréhensibles litanies. Ce spectacle et l'air âcre chargé de myrrhe, d'encens et de la fumée des lampes à huile avaient désorienté la petite fille, qui se sentit soudain épuisée quand elle se retrouva dehors au soleil. Le vieux marchand leva alors sa canne et la pointa en direction du minaret voisin, à quelques pas de là.

– C'est la mosquée d'Omar, le second calife, expliqua-t-il. Le patriarche orthodoxe de Jérusalem l'avait invité à venir recevoir les clés de la ville. Comme Omar était arrivé à midi, l'heure de la prière, le patriarche lui avait proposé d'entrer dans l'église du Saint-Sépulcre pour prier. Mais le calife avait refusé de s'exécuter, de peur qu'un jour les musulmans de la ville ne clament leur droit de construire une mosquée à cet endroit. Omar était un sage, qui a fait l'impossible pour protéger l'équilibre entre les différentes communautés religieuses. Voilà le véritable esprit de l'Islam.

Sur le chemin du retour, Miral se dit que Jérusalem était décidément une ville compliquée, car un mystère s'y révélait à chaque coin de rue, ou au moins à chaque nouveau lieu de culte au nom obscur.

Une voix de femme en colère interrompit la rêverie de Miral. C'était une blonde, un petit enfant dans les bras, qui entretenait une conversation pour le moins animée avec un vendeur de vêtements. On ne pouvait d'ailleurs pas vraiment dire qu'ils discutaient : la dame était la seule à parler, et l'homme l'observait d'un air impassible.

Ayant repéré Jamal et ses filles, la blonde les apostropha en anglais :

– Quel sale type ! Pas question que je dépense trente-cinq dollars pour une robe.

Après le départ de sa cliente, le marchand se décida enfin à parler, révélant une dentition jaunie et incomplète.

– Elle se faisait passer pour une touriste anglaise, mais je l'ai entendue parler hébreu à sa mioche. C'est pour ça que je lui ai réclamé trente-cinq dollars au lieu de trente-cinq shekels, commenta-t-il avec un rire satisfait.

Il était difficile à Jamal d'expliquer l'origine d'une telle hostilité à ses enfants sans influencer leur vision du monde.

Désireux de les voir grandir dans le respect de l'autre, il savait qu'il devrait leur expliquer un jour que cette situation était le résultat des combats entre fanatiques religieux qui s'étaient disputé la possession de Jérusalem, année après année, siècle après siècle. Les voies empruntées par chacun, qui les avaient rendus différents, résultaient parfois d'un simple opportunisme politique ou économique, ou de raisons oubliées depuis longtemps. Beaucoup considéraient la leur comme la seule possible, mais certains espéraient que tous ces chemins tachés de sang innocent convergeraient un jour. En commandant un poulet dans une rôtisserie, Jamal décida qu'il rentrait dans la seconde catégorie.

*
* *

Le soir précédant leur retour au pensionnat, les filles s'allongeaient toujours à côté de Jamal, et parlaient sans s'arrêter.

Elles essayaient de s'exprimer chacune à son tour, mais finissaient généralement par jacasser en même temps jusqu'à ce qu'elles tombent de sommeil. Jamal les soulevait alors doucement et les portait l'une après l'autre dans leur lit commun. Le lendemain matin, Rania était souvent abattue à l'idée de reprendre l'école, ce qui mettait les talents oratoires de Jamal à rude épreuve. Par bonheur, il disposait de l'aide de Miral, qui adorait inventer de nouveaux arguments magiques pour convaincre sa sœur de retourner à Dar El-Tifel.

4.

Quelques années après son entrée à l'école, Miral était devenue une enfant pleine d'entrain, débarrassée de la mélancolie de ses débuts.

Deux fois par an, la directrice de l'école primaire et Hind passaient dans les classes pour distribuer les bulletins. C'était une véritable cérémonie, au cours de laquelle les dix meilleures élèves étaient appelées une par une devant la classe et devaient se mettre en ligne sous les applaudissements de leurs camarades. Un jour, alors que Miral était en CE2, elle fut si surprise d'entendre son nom en premier qu'elle resta clouée sur place. Hind lui fit signe d'approcher du bureau de l'institutrice, et les autres filles applaudirent.

En apprenant les exploits de sa fille, Jamal, ému, voulut lui acheter un cadeau, que Miral demanda à Rania de choisir pour elle. Sa sœur opta pour une nouvelle robe et une poupée aux cheveux noirs et à la peau mate, mais Jamal et ses enfants s'aperçurent très vite que toutes les poupées de Jérusalem avaient les cheveux blonds et le teint très pâle. Rania n'en voulait pas, et Miral commença à s'impatienter elle aussi à l'idée qu'il n'existait pas de poupées à leur image. Pour les calmer, leur père leur expliqua qu'il était très rare d'en trouver d'aussi ravissantes que ses filles, et que la leur serait d'autant plus jolie qu'ils passeraient du temps à la chercher.

En fin de compte, quand leur tante de Haïfa en dénicha une, les deux petites la trouvèrent plus belle que toutes celles qu'elles avaient jamais vues.

*
* *

Au fil du temps, Miral s'était fait beaucoup d'amies de son âge, mais elle aimait par-dessus tout écouter les plus grandes raconter leur vie en dehors de l'école. Heureusement, certaines de leurs histoires finissaient bien, même si presque tous ces récits lui confirmaient – spécialement ceux d'Aziza et de Sahar – que le monde extérieur était un endroit horrible.

Aziza avait onze ans quand elle était retournée pour la première fois à Gaza durant les vacances d'été voir sa grand-mère. Comme beaucoup d'autres *fedayin*, le père d'Aziza avait été tué lors de la sanglante guerre civile au Liban. Sa mère s'était remariée, abandonnant par la même occasion ses trois filles à la famille de son premier mari, selon la tradition. Très pauvre, la grand-mère d'Aziza habitait une masure humide dans un camp de réfugiés aux environs de la ville de Gaza. Tous les étés depuis la réouverture de la frontière, l'oncle d'Aziza, qui vivait en Égypte, rendait visite à sa mère, porteur de quelques cadeaux et d'un peu d'argent.

Aziza savait qu'il attendait simplement qu'elle ait atteint l'âge requis pour la marier à son fils. Peu de temps après son quinzième anniversaire, son oncle et son cousin arrivèrent à Gaza. Aziza connaissait ce dernier pour lui avoir parlé de temps en temps, et le trouvait aussi répugnant que son père, avec ses cheveux gras et son haleine fétide.

L'automne suivant, l'oncle vint à Dar El-Tifel demander à Hind d'autoriser Aziza à quitter l'école. La directrice le fit entrer dans son bureau, où il se laissa lourdement tomber sur une chaise en croisant les jambes. L'expression sévère de son hôtesse le persuada vite de se redresser et d'adopter une position plus élégante.

Après s'être éclairci la gorge, il annonça :

— Je veux ramener ma nièce en Égypte avec moi.

— Ah oui ? répondit simplement Hind.

— C'est une femme maintenant, et je veux qu'elle épouse mon fils. S'il vous plaît, mademoiselle Husseini, comprenez ma position : c'est une chance pour elle. Mon fils est un très beau parti, et Aziza devra bientôt se marier de toute façon, alors pourquoi pas maintenant, comme ça, elle reste dans la famille, n'est-ce pas ?

Sans répondre à la question, Hind demanda à Hidaya d'appeler Aziza. Quand elle arriva, Hind fit escorter son oncle dans le hall, où on le pria d'attendre.

L'entrevue de Hind avec Aziza fut brève : la petite était catégorique, et n'avait pas la moindre intention d'épouser son cousin. Hind sourit sans plus insister. La volonté de l'adolescente était la seule chose qui importait. Après l'avoir renvoyée, Hind fit signe à Hidaya de ramener l'oncle dans son bureau.

— Je suis désolée, lui annonça-t-elle en essayant de cacher le dégoût qu'il lui inspirait. Aziza est opposée à ce mariage. Vous devez comprendre ma position, continua-t-elle en utilisant sciemment les mêmes mots et le même ton que son interlocuteur quelques minutes plus tôt. Je ne peux pas forcer une de mes filleules à prendre une telle décision si elle n'est pas d'accord.

Très en colère, l'oncle se leva d'un bond et brandit le poing en menaçant de dénoncer Hind aux autorités. Loin de se laisser impressionner, la directrice resta intraitable. Sa réputation et sa célébrité rendaient futiles les récriminations de l'homme, à qui on montra la porte sur-le-champ.

Après cet épisode, Aziza ne retourna plus jamais à Gaza. De temps en temps, elle avait des remords de ne plus pouvoir rendre visite à sa grand-mère, désormais trop vieille et trop faible pour venir elle-même. Par un jour étouffant de juin, Aziza apprit que la vieille dame était morte en se rendant à Jérusalem.

*
* *

Sahar était une belle jeune fille qui adorait s'habiller. Le matin, avant de descendre pour le petit déjeuner, elle passait un long moment à se brosser les cheveux, et répétait la même opération le soir en admirant fièrement son reflet dans le miroir. Comme le règlement de l'école l'interdisait, elle ne se maquillait pas, mais gardait cachée sous le carrelage une boîte contenant une petite trousse de cosmétiques qu'elle avait échangée à une des cuisinières contre quelques leçons d'anglais. Quand on l'interrogeait sur sa famille, elle répondait que sa mère était morte pendant une attaque israélienne et qu'elle n'avait jamais connu son père. Ses camarades savaient toutefois parfaitement que son père avait abandonné sa femme et sa fille peu de temps après sa naissance. Quelques années plus tard, la mère de Sahar tomba amoureuse d'un autre homme. Il promit de l'épouser, mais en lui expliquant qu'il avait déjà beaucoup d'enfants et n'avait pas la place d'en accueillir un de plus, surtout d'un autre lit. Le lendemain matin, la mère de Sahar abandonna sans hésiter sa petite fille de quatre ans dans leur cahute pour rejoindre son nouvel époux à Jaffa.

Sahar resta enfermée toute la journée en attendant le retour de sa maman. Elle trouva du lait et un peu de pain sur la table. Après avoir attendu encore et encore, elle partit à la recherche de sa mère à la nuit tombée. Elle l'appela en répétant son nom à l'infini, mais sa voix d'enfant était couverte par les bruits de la rue. Au bout d'un moment, la fatigue et la faim la décidèrent à rentrer. Seulement, elle ne retrouvait plus son chemin. Épuisée et découragée, elle fondit en larmes avant de s'endormir à même le trottoir.

Elle se réveilla dans un lit inconnu et s'apprêtait à se remettre à pleurer quand son regard fut attiré par une silhouette assise dans un fauteuil. Après lui avoir dit bonjour, Hind lui demanda son nom et tenta de savoir si Sahar se souvenait des événements de la nuit précédente. La petite fille pleura en racontant ce qu'elle savait, ce qu'elle avait compris. Miriam la prit dans ses bras.

— Je suis sûre que maman s'est perdue. Elle ne retrouve pas notre rue, exactement comme moi, répétait Sahar.

— Tu peux rester avec nous jusqu'à ce qu'elle revienne, lui assura Hind.

À Dar El-Tifel, Sahar était réputée pour l'expression hautaine qu'elle prenait à chaque fois qu'elle se sentait observée. Elle était toujours seule et, quand elle s'adressait à quelqu'un, c'était uniquement pour décrire la vie princière qu'elle menait avant la mort de sa mère. Elle énervait beaucoup les autres filles, mais sa beauté les intimidait, même si elles savaient que Sahar mentait. Alors, elles l'écoutaient en faisant mine de croire ses affabulations. Et elles la regardaient de loin, guettant le moment où le château de cartes qu'elle s'était bâti commencerait à s'écrouler et où la vraie Sahar apparaîtrait enfin.

*
* *

En 1982, trois mille Palestiniens furent tués au camp de réfugiés de Sabra et Chatila, au Liban. À l'annonce de la nouvelle du massacre, l'atmosphère tranquille de Dar El-Tifel changea. Les filles de terminale voulaient participer à une manifestation organisée conjointement par les Palestiniens et les pacifistes israéliens pour protester contre l'invasion israélienne du Liban. Les autorités ne l'avaient pas interdite, mais Hind, qui se sentait partagée, avait du mal à se décider. D'un côté, elle était blessée par la cruauté du massacre, qui surpassait celle de Deir Yacine, et comprenait l'indignation des filles, très proche de ses propres réactions d'autrefois. Mais de l'autre, Hind avait peur pour son école. À la dernière minute, elle décida donc d'empêcher les élèves d'y participer. Depuis quelque temps, elle pensait que les autorités israéliennes avaient Dar El-Tifel à l'œil. Elle avait toujours été obligée de demander des autorisations aux Israéliens pour voyager, mais elle avait surtout besoin de papiers d'identité pour les enfants recueillis dans la rue qui n'avaient pas de famille connue. Cela faisait des mois que les autorités bloquaient l'émission de papiers pour tous ceux qui ne possédaient pas de certificat de naissance. Par le biais de connaissances dans un des hôpitaux de la ville, Hind avait réussi à obtenir des certificats déjà signés. Elle savait qu'elle devait fournir une identité aux orphelins afin qu'ils puissent un jour obtenir leur permis de conduire et travailler légalement. Mais sa droiture lui faisait craindre que cette méthode peu orthodoxe ne soit un jour découverte. Même les jeunes filles les plus déterminées se laissèrent en fin de compte persuader de renoncer à manifester, en grande partie grâce à l'intervention des enseignants les plus respectés de l'école, et notamment d'Abdullah, le professeur d'éducation physique.

Si, pour beaucoup d'élèves de Dar El-Tifel, Hind était presque une mère, Abdullah jouait vis-à-vis d'elles le rôle d'un père. Petit et râblé, c'était un homme solide et enjoué, fier de son corps athlétique. À la fin des cours de gym, il récompensait toujours les plus jeunes avec des bonbons et des caramels et encourageait les plus âgées à consacrer autant de temps au sport qu'à leurs études. Miral le considérait comme son professeur préféré, car il se montrait toujours prêt à discuter de tout. En tant que seul élément subversif et provocateur de l'assez conservatrice communauté des enseignants de l'école, il avait gagné son admiration.

Quand elle courait un quatre cents mètres, Miral se sentait heureuse, en harmonie avec elle-même et avec le monde. Elle ne voyait que la terre rouge défilant sous ses pieds et ne pensait à rien d'autre jusqu'à ce qu'elle aperçoive Abdullah qui l'encourageait, chronomètre en main. Quelques années plus tard, en fuyant la police israélienne pendant une manifestation, elle se souviendrait avec gratitude de la voix de son entraîneur lui répétant : « Dans la vie, il est toujours utile de savoir courir. »

Non seulement Abdullah excellait à enseigner sa discipline, mais c'était aussi l'un des experts en histoire palestinienne les plus en vue de Jérusalem. Les bruits très divers qui couraient à son sujet avaient fait de lui un personnage mystérieux bien avant l'arrivée des sœurs Halabi à l'école. Miral savait qu'il avait passé du temps en prison pour raisons politiques avant d'être engagé par Hind. Le fait qu'il lui manquait presque tous les ongles de la main gauche semblait confirmer les rumeurs selon lesquelles il avait été torturé en détention. Des thèses contradictoires circulaient aussi sur les raisons de son emprisonnement. Pour certains, Abdullah avait combattu pour le Front populaire de libération de la Palestine[1] (FPLP), une organisation hors la loi. D'autres soutenaient qu'il occupait une position de premier

1. Mouvement nationaliste arabe d'obédience marxiste fondé en 1967, qui rejoint l'OLP en 1968 et devient le second groupe le plus important de cette organisation après le Fatah.

plan dans le noyau dur du mouvement de résistance palestinien. Une chose paraissait en tout cas certaine : il avait refusé de révéler la moindre information sous la torture, un acte qui lui avait valu l'estime de la communauté arabe de Jérusalem.

Au printemps, quand la chaleur commençait à se faire sentir, Miral adorait passer des après-midi à lire les livres qu'Abdullah lui prêtait. Elle découvrit de cette façon les plus beaux romans de la littérature palestinienne, notamment *Des hommes dans le soleil* et *Retour à Haïfa*, de Ghassan Kanafani, et commença à comprendre les événements importants de l'histoire de ce peuple troublé. Ces ouvrages étaient captivants, leur contenu presque toujours tragique. Ce fut donc sous le grand magnolia, à l'est du jardin, que Miral entrevit pour la première fois les liens subtils et les fils invisibles dont on ne trouve pas trace dans l'histoire officielle.

Un jour, Abdullah vint lui annoncer solennellement :

– Maintenant, tu as assez lu pour savoir ce qu'est la *nakba*. (Il prit une profonde inspiration en examinant un instant sa main gauche et continua.) La catastrophe, le désastre, l'apocalypse. La création de l'État d'Israël en Palestine a malheureusement causé la dispersion de notre peuple, notre diaspora à nous. C'est difficile à expliquer, parce que c'est quelque chose que chaque Palestinien ressent au plus profond de lui-même, comme une blessure inguérissable, un court-circuit survenu dans notre histoire. Nous vivons un terrible paradoxe historique.

Miral ne saisit pas entièrement la signification du discours de son professeur, mais comprit au moins qu'elle avait peut-être trouvé un nom à mettre sur le malaise qu'elle ressentait parfois.

Les années suivantes, après avoir visité les camps de réfugiés et participé à la première intifada, le soulèvement palestinien de 1987, ce malaise se transformerait en un désir de faire des gestes concrets, même très modestes, pour ses compatriotes, qui espéraient toujours.

5.

La première fois que Miral s'était rendue dans un des quartiers juifs de Jérusalem, elle avait treize ans.

Quand Jamal était passé les prendre à Dar El-Tifel, elle avait remarqué que le professeur d'anglais, une petite femme aux cheveux courts, parlait longuement avec lui. Visiblement embarrassé, Jamal se touchait fréquemment la tête avec la paume de sa main et ne croisait jamais le regard de son interlocutrice. Il s'était ensuite retourné vers Miral, qui venait juste de l'entendre dire :

— J'ai l'impression qu'hier encore je la tenais dans mes bras.

Les dernières années avaient passé comme un éclair, mais en dehors de l'apparition d'une grosse télévision couleur, qui avait remplacé le poste en noir et blanc, et de quelques tapis persans neufs, la maison familiale était restée presque identique. Le buisson de jasmin était devenu un arbre dont les branches atteignaient presque le toit. Plus haut et plus dense, le grenadier fournissait désormais une ombre bienvenue au plus chaud de l'été. Dans le même temps, Miral et Rania s'étaient transformées en deux jeunes filles minces et gracieuses. Miral ressemblait à sa mère, avec ses traits exotiques, à la fois doux et acérés. Quant à Rania, elle avait un superbe teint mat et des lèvres plus charnues que celles de sa sœur. Jusque-là, Jamal n'avait pas remarqué – ou peut-être avait délibérément ignoré – les changements récents survenus chez sa progéniture. Son esprit refusait d'admettre l'inexorable passage du temps, et il n'arrivait pas à croire que tant d'années s'étaient écoulées depuis la mort de sa femme.

Il comprit brutalement un après-midi d'automne que ses filles avaient vraiment grandi. Miral avait besoin d'un soutien-gorge.

Le lendemain matin, Jamal alla frapper chez Nour, une gentille voisine qui venait de fêter ses quarante ans. Devenue veuve très jeune, elle n'avait pas eu d'enfants, malgré son instinct maternel prononcé. Jamal la consultait donc à chaque fois que son instinct paternel ne suffisait pas à gérer l'éducation de ses deux filles.

Même si Jamal la considérait comme une femme intelligente, Nour n'était pas appréciée dans le quartier, sous prétexte qu'elle parlait hébreu couramment pour avoir travaillé dans une boutique israélienne et qu'elle voyait désormais un Israélien druze. Jamal l'avait toujours défendue contre l'animosité croissante de ses voisins, nourrie par des rumeurs plus féroces à mesure qu'elles étaient colportées de bouche à oreille. L'attachement étrange de Jamal envers Nour venait en partie du fait que Nadia et elle avaient été de bonnes amies, mais aussi de l'admiration que son caractère indépendant suscitait chez lui.

L'année précédente, Jamal avait parcouru la courte distance qui séparait sa maison de celle de sa voisine pour frapper à sa porte, rouge de confusion. À peine avait-elle ouvert qu'il avait exposé son problème d'une voix presque inaudible :

— Miral vient d'avoir ses premières règles. Que dois-je faire ?

Au grand sourire de Nour, Jamal avait compris qu'il n'avait pas de raisons de s'inquiéter.

— Aujourd'hui, annonça-t-il cette fois à l'ouverture de l'épaisse porte en bois, j'ai juste besoin de conseils pour acheter un soutien-gorge à Miral.

Cet après-midi-là, Jamal embarqua Nour et Miral dans la voiture. Ils longèrent d'abord les remparts de la vieille ville pour se rendre dans la zone commerçante du quartier juif de Jérusalem, qui regorgeait de boutiques de vêtements, serrées les unes contre les autres. Très curieuse, Miral inspectait du regard ces rues inconnues. *Comme les bâtiments sont différents, tellement plus grands et plus modernes !* s'étonna-t-elle. *Et toutes ces voitures !*

Quand leur véhicule eut franchi la limite de Jérusalem-Ouest, elle pensa que les gens avaient l'air de courir au lieu de marcher, comme s'ils étaient tous très pressés d'aller quelque part.

La rue Ben-Yehouda lui rappela un peu Haïfa, la ville natale de sa mère, où ils allaient rendre visite à leur tante tous les étés. Miral fut interloquée par le spectacle des filles en minijupe et hauts talons et des hommes et des femmes devisant gaiement ensemble aux terrasses des cafés. Les vitrines aux éclairages fluorescents des boutiques contrastaient avec l'obscurité des rues étroites du quartier arabe, où les bâtiments étaient quelquefois si rapprochés que les rayons du soleil semblaient avoir du mal à y pénétrer.

Non seulement ce quartier était conforme à l'idée qu'elle se faisait des villes d'Europe, mais elle n'aurait jamais imaginé l'existence d'un tel endroit, à quelques pâtés de maisons de chez elle. Elle avait déjà aperçu la partie occidentale de la ville du haut du mont des Oliviers, mais elle déplorait alors l'existence des grands immeubles construits contre les murs de la vieille ville et des énormes bâtiments assiégeant les remparts blancs de Jérusalem.

Jamal ralentit soudain pour s'arrêter sur un signe de Nour devant une vitrine remplie de lingerie de couleurs vives. La voisine accompagna Miral dans la boutique pendant que son père attendait à l'extérieur. Il n'entrerait que pour payer. Miral choisit un modèle simple de coton très doux en trois teintes : un blanc, un rose et un rouge. Mais son père étant totalement opposé au rouge, Miral et Nour trouvèrent un compromis en optant pour un blanc et deux roses.

Ce soir-là, Nour dîna avec les Shaheen et rentra chez elle après avoir préparé le café. Alors que Miral observait son père attendre que le breuvage finisse de passer, elle lui demanda à brûle-pourpoint :

– Hé, papa, pourquoi vous ne vous mariez pas, toi et Nour ? Vous faites un beau couple.

Troublé, Jamal déglutit et avala sa salive de travers, obligeant Miral à lui taper dans le dos pour l'empêcher de s'étouffer. Après avoir piqué un fou rire, ils réussirent enfin à reprendre leur sérieux, et son père finit par répondre :

– Parce que je ne l'aime pas. C'est une amie très chère, mais dans ma vie, je n'ai aimé qu'une femme, ta mère. Et c'est encore le cas.

6.

Miral s'était liée d'amitié avec une de ses camarades de classe, Amal, de un an sa cadette. Durant les chaudes soirées de printemps, elles avaient de longues conversations dans leur chambre, éclairée seulement par une bougie et par la lueur de la lune filtrant par la fenêtre.

À l'inverse de Miral, Amal ne s'intéressait pas à la politique et restait imprégnée de la culture paysanne de sa famille. Intelligente et sensible, elle seule était capable de contrebalancer l'agitation de son amie. Amal, qui avait aussi une sœur plus jeune à l'école, n'aimait pas beaucoup rentrer chez elle pour les vacances d'été, car elle devait alors quitter ses condisciples et l'atmosphère paisible de Dar El-Tifel pour travailler aux champs.

Amal, dont le nom signifie « espoir » en arabe, était née dans un village palestinien près de Ramallah. Après la mort de son père, quand elle avait six ans, sa mère s'était remariée avec un homme possédant de nombreux terrains qu'il cultivait près du village. Bien que plutôt aisés, le beau-père et la mère d'Amal avaient demandé à Hind de prendre en charge leurs filles pour avoir plus de temps à consacrer à leurs récoltes et à leurs moutons. La directrice avait accepté parce que les deux enfants lui plaisaient.

Au début de chaque été, leur mère venait chercher ses filles à Dar El-Tifel et les ramenait le premier jour de classe en déposant un chèque à Hind pour couvrir leur pension, auquel elle joignait un panier de fruits et légumes en cadeau.

Une année, à son retour des grandes vacances, Amal se montra soudain distante. Miral s'était précipitée à sa rencontre pour lui annoncer qu'elles allaient à nouveau partager une chambre et lui offrir un tee-shirt « *Don't worry, be happy* » acheté spécialement à Haïfa pour son treizième anniversaire, qui tombait début septembre. Amal refusa de la regarder et la remercia à peine, avant de monter directement se coucher. Miral sentait qu'elle lui cachait quelque chose, mais elle eut beau insister, son amie refusa de se confier.

La gaieté d'Amal semblait s'être volatilisée. Ses professeurs remarquèrent aussi que ses performances scolaires baissaient : elle s'endormait souvent en classe, touchait à peine à ses repas et passait beaucoup de temps aux toilettes. Informée de la situation, Hind décida de la faire examiner par le médecin de l'école, son cousin Amir. Il tenta de cacher sa propre nervosité en accueillant Amal à la porte de l'infirmerie avec un grand sourire pour la mettre à l'aise. Les symptômes qu'on lui avait rapportés ne laissaient effectivement guère place au doute.

Les examens montrèrent qu'Amal était enceinte. Interrogée, elle répondit qu'elle avait rencontré un garçon mais qu'elle ne révélerait jamais son nom, avant de se murer dans un silence total.

Amir alla frapper à la porte du bureau de Hind, conscient qu'il était sur le point de la confronter à une des décisions les plus difficiles de son existence. Hind arpentait nerveusement la pièce depuis plus d'une heure, s'arrêtant de temps en temps devant la fenêtre pour regarder un groupe de petites jouer dans la cour.

— Ce n'est qu'une enfant ! s'exclama Amir en ouvrant la porte.

L'air sombre de son cousin suffit à informer Hind que la pire des hypothèses s'était confirmée.

Avant qu'il n'ait eu le temps d'ajouter quoi que ce soit, Hind poussa un cri :

— Mais qui est le père ?

Amir n'avait jamais vu sa cousine dans un tel état de fureur. Il s'assit dans un des fauteuils en cuir avant de répondre.

— Elle n'a pas voulu me donner de détails, expliqua-t-il d'un ton grave en détachant chaque mot comme si cela lui coûtait. Elle a refusé de me dire le nom de ce garçon, ni quoi que ce soit de plus.

Après s'être laissé tomber dans le fauteuil voisin, Hind posa la question fatidique :

— Combien de mois ?

— Deux. On a encore le temps, si c'est ce que tu comptes faire.

Amal était remontée dans sa chambre, les yeux gonflés de larmes. Bien que le soleil soit encore haut dans le ciel, elle se déshabilla et se coucha. Elle ne voulait qu'une chose, dormir, dormir et ne plus penser à rien. L'image de Mustapha l'obsédait. De tous ses souvenirs, le plus tendre restait celui du jour de leur rencontre.

Elle rentrait de son travail aux champs, un gros panier d'aubergines en équilibre sur la tête. Les mois précédents, son corps, quoique encore immature, avait commencé à prendre des formes et à perdre peu à peu le côté anguleux de l'enfance. Le soleil se couchait, mais il faisait encore une chaleur étouffante. Le vert intense des collines entourant Ramallah avait viré au jaune paille, et le paysage devenait chaque jour un peu plus nu.

Arrivée à un tournant, Amal vit se profiler son village. Perché au sommet de la colline, il semblait si précaire, comme sur le point de glisser. Il avait l'air inhabité : la fumée montant des cheminées des maisons blanches était le seul indice apparent d'activité. La jeune fille s'arrêta pour se reposer un moment. L'air était chaud, sans un souffle de vent, et la sueur plaquait ses cheveux noirs sur son front.

Amal entendit le bourdonnement d'un moteur qui se rapprochait, d'abord imperceptible, puis de plus en plus fort. Un garçon en mobylette prenait un virage en contrebas. Il roulait assez lentement, zigzaguant habilement pour essayer d'éviter les rochers et les nids-de-poule, et laissait derrière lui une traînée de poussière noire. Arrivé à quelques mètres d'elle, il ralentit et s'arrêta. Il portait une casquette et un tee-shirt ta hé d'huile de moteur et découvrit en souriant deux rangées de dents d'une blancheur parfaite. Amal le connaissait de vue. Il s'appelait Mustapha, il avait deux ou trois ans de plus qu'elle, et c'était le fils du mécanicien local.

– Je t'emmène ? Je vais au village, proposa-t-il en souriant toujours.

Épuisée par sa journée de travail au soleil et encouragée par son expression amicale, Amal, qui ne voyait pas de mal à accepter sa proposition, lui fit un signe affirmatif. Mustapha attacha le panier sur son cyclomoteur et redémarra. Après avoir grimpé derrière lui, Amal passa au bout de quelques mètres les bras autour de sa taille pour ne pas tomber.

Oubliant soudain la chaleur et sa lassitude, elle se surprit à souhaiter que la route soit beaucoup, beaucoup plus longue. Au contact des bras de sa passagère qui l'entouraient et de son corps légèrement pressé contre le sien, Mustapha fut de son côté parcouru d'un délicieux frisson inconnu.

Les jours suivants, la mère et le beau-père d'Amal furent stupéfaits de voir l'adolescente, d'habitude peu encline à aller travailler, partir tôt pour les champs, le sourire aux lèvres. Tous les après-midi, Mustapha proposait à son père d'aller à Ramallah acheter une pièce détachée pour l'atelier. Sans s'être jamais donné rendez-vous, les deux jeunes gens se retrouvaient systématiquement au même endroit tous les soirs.

Un jour, Mustapha arriva en avance. Il gara son vélomoteur sur le bord de la route et descendit la pente qui menait au champ de la famille d'Amal. Lorsqu'il l'aperçut, elle ramassait du raisin, ses longs cheveux emmêlés par la brise. D'habitude, elle les attachait sous un fichu rouge pour travailler, mais il avait remarqué qu'à chaque fois qu'il venait la chercher, elle les laissait flotter sur ses épaules.

Mustapha l'aimait aussi bien avec son foulard que sans, mais quand il la vit ce jour-là, des gouttes de sueur perlant sur son front et sans doute aussi dans le creux entre ses seins, qu'il devinait à peine à travers son tee-shirt, son cœur battit subitement la chamade. Il s'approcha d'elle par-derrière à pas de loup et lui chatouilla le bras droit avec un brin d'herbe. Surprise, Amal se retourna brusquement. Le jeune garçon se rapprocha encore et ils se regardèrent intensément, à quelques centimètres l'un de l'autre. Quand il l'enlaça, Amal lui passa naturellement les bras autour de la taille. Mustapha sentit ses tempes se mettre à battre comme lorsqu'il roulait à toute allure sur le dernier tronçon de route avant la ville.

Leurs corps nus se trouvèrent à l'ombre d'un arbre, et cette expérience donna un sens nouveau à la profonde attraction qu'ils ressentaient l'un pour l'autre. Avant de remonter sur la mobylette, Mustapha cueillit deux figues et en offrit une à Amal en lui remettant une mèche de cheveux derrière l'oreille pour dégager son visage. Ralentissant le pas, elle le fixa en savourant la pulpe rouge et sucrée du fruit. Sur le chemin du retour, ils ne prononcèrent pas un seul mot. Amal s'agrippait si fort à la poitrine de l'adolescent qu'il devait se concentrer pour maîtriser son vélomoteur. Ils se quittèrent comme d'habitude, avec un « Salut » et un simple geste de la main. Mais leurs regards s'unirent comme dans un baiser.

Le lendemain soir, Amal attendit en vain pendant plus d'une heure, assise sur le même muret de pierre, espérant voir Mustapha surgir derrière le virage d'une minute à l'autre, les yeux rivés sur la route au-dessous d'elle. Dans le silence que rompait seulement le chant des criquets, elle guettait le bourdonnement du vélomoteur, qu'elle avait appris à reconnaître même de très loin.

Quand le soleil disparut pour de bon derrière la colline, Amal ramassa son panier rempli de raisins et reprit le chemin du village dans le noir, les joues baignées de larmes.

Elle avait entendu les filles plus âgées de l'école raconter des histoires de ce genre où les garçons disparaissaient après avoir obtenu ce qu'ils voulaient. Pourtant, même sans avoir parlé très longtemps avec Mustapha, elle n'arrivait pas à imaginer qu'il rentrait dans cette catégorie-là. S'appliquant à regarder droit devant elle, Amal se rendit au garage où il travaillait pour demander où elle pouvait le trouver.

Le père de Mustapha sortit de l'atelier en essuyant ses mains pleines de graisse.

— Il ne t'a pas ramenée, ce soir ? demanda-t-il avec un sourire timide. Il est allé à Ramallah ce matin, et il n'est pas encore rentré. Je pensais qu'il était avec toi.

Le panier d'Amal lui échappa des mains et les raisins s'éparpillèrent sur la chaussée poussiéreuse.

*
* *

Mustapha était arrivé à Ramallah un peu avant midi. Il avait franchi en trombe les dix kilomètres qui séparaient son village de la ville, atteignant une telle vitesse dans la dernière descente que sa casquette s'était envolée, ce qui l'avait obligé à faire demi-tour. Plus vite il rapporterait à son père la tubulure dont il avait besoin, plus vite il retrouverait Amal. Mais la boutique de pièces détachées était fermée. Tous les magasins avaient descendu leurs rideaux de fer à cause d'une manifestation. Résigné à attendre, Mustapha était allé prendre un jus d'orange dans une buvette. Au bout d'une demi-heure, comme personne ne s'était montré, il avait décidé de marcher jusqu'au centre-ville. Au loin, il avait entendu des coups de feu et les cris des manifestants, parmi lesquels il était sûr de trouver le jeune employé de la boutique, connu comme l'un des chefs de la résistance locale.

Mustapha n'avait jamais participé à ce genre de rassemblement. Il n'y en avait pas dans son village, et il préférait réparer des moteurs plutôt que de jeter des pierres. Alors qu'il remontait une ruelle étroite conduisant à l'artère principale, du gaz lacrymogène lui piqua les yeux. Respirant de plus en plus difficilement, il repéra sur sa droite une bande de garçons, très jeunes pour certains. Au milieu de ce groupe qui reculait lentement, des pierres à la main, Mustapha reconnut le type de la boutique. Ses mouvements étaient empreints d'assurance et d'agilité, et il portait un foulard sur la bouche. Malgré les grands signes que lui fit Mustapha, le jeune manifestant, enveloppé dans un épais nuage de fumée, ne le vit pas. L'espace d'un instant, Mustapha hésita à abandonner pour retourner à la buvette en attendant la fin de l'échauffourée. Mais l'idée de ne pas voir Amal lui était intolérable et, après tout, il voulait simplement récupérer les clés de l'échoppe. Il prendrait la pièce en question et retournerait à Ramallah très tôt le lendemain matin avec les clés et l'argent.

Jetant un coup d'œil au jeune homme, qui ne l'avait toujours pas vu, Mustapha décida qu'il était trop près du but pour rebrousser chemin. Il commença à avancer dans sa direction en s'appliquant à raser les murs. L'air était devenu irrespirable, et la distance qui lui restait à couvrir lui parut immense. Avisant une étroite rue transversale, il s'y engouffra, mais une bombe lacrymogène le frôla en sifflant, atteignant un volet derrière lui. Subitement conscient du danger, il s'arrêta net, paralysé par la peur. Au bout de quelques secondes, il ne voyait plus rien et sa respiration était devenue laborieuse. Les soldats s'étaient rapprochés. Un par un, les jeunes gens avançaient vers eux en leur jetant des cocktails Molotov avant de retourner se mettre à l'abri en courant. À moins de dix mètres, au milieu de la fumée et de la poussière, Mustapha vit brièvement réapparaître celui qu'il cherchait.

Mustapha se mit à courir, déterminé à traverser la rue malgré sa toux et sa respiration sifflante, mais il n'eut le temps de parcourir que quelques mètres avant de s'effondrer sur le sol, une bombe lacrymogène fichée entre les omoplates. Un filet de sang coula de sa bouche, allant se mélanger à la poussière de la grande artère. Deux garçons qui s'étaient précipités pour l'aider lui arrachèrent maladroitement la bombe du dos et le traînèrent par les pieds sur plus de cinquante mètres. On le chargea avec les autres blessés dans une voiture qui s'éloigna à toute allure à grand renfort de crissements de pneus au milieu des hurlements de la foule. Il mourut avant d'atteindre le poste de secours. Le siège du véhicule qui l'avait transporté était inondé de son sang. Les médecins informèrent ses sauveteurs que s'ils ne lui avaient pas retiré la bombe, Mustapha n'aurait pas saigné autant, et qu'on aurait peut-être pu le sauver.

Le lendemain, quelqu'un avait déployé le drapeau palestinien sur son corps sans vie enveloppé dans un suaire. Le cortège funèbre, auquel s'étaient mêlés de nombreux habitants de Ramallah, traversa le village. La foule applaudit, rendant hommage à l'adolescent comme à un héros. L'employé de la boutique avait demandé à porter le cercueil avec les parents de Mustapha et tira plusieurs coups de fusil en l'air en son honneur.

Amal suivit la procession du début à la fin d'un pas lourd, sans trouver la force de lever les yeux.

Le lendemain, elle refusa de sortir du lit, mais ses parents, qui ignoraient tout du drame, l'obligèrent à aller aux champs comme d'habitude.

– Les fruits et les légumes doivent être récoltés tous les jours. Ça ne peut pas attendre demain !

Elle sortit donc travailler toute la journée, sans pouvoir s'empêcher de penser à lui. Profitant de sa solitude dans les champs, elle laissa ses larmes couler librement. Le soir, elle enleva son fichu, détacha ses cheveux, et s'assit sur le même muret qu'à l'accoutumée, non loin du fameux virage. Elle attendit jusqu'à ce que l'obscurité l'empêche de distinguer la ligne d'horizon des collines. Ce n'est qu'alors qu'elle comprit vraiment que Mustapha n'était plus là.

Quand les vacances touchèrent à leur fin et qu'Amal retourna à Jérusalem, elle savait que sa vie ne serait plus jamais comme avant. Elle s'aperçut qu'elle n'arrivait pas à parler des tragiques événements de l'été, pas même à ses meilleures amies, pas même à Miral. Elle avait envie d'oublier. Mais il lui arrivait parfois aussi de se mettre au lit, blottie sous les couvertures, les yeux grands ouverts, et d'essayer de tout se remémorer, jusqu'au plus minuscule détail. Elle s'était juré de ne rien dire à personne pour que ce qu'elle venait de vivre reste son secret.

Pendant ces après-midi d'insomnie, Amal sentait souvent la main de Miral lui caresser les cheveux. Elle feignait de s'endormir et, au bout d'un petit moment, son amie se levait, fermait les rideaux et quittait la pièce sur la pointe des pieds. Amal aurait bien voulu pouvoir tout lui expliquer, mais elle en était incapable.

*

* *

Amir était à peine sorti de son bureau que Hind envoya chercher la mère de la jeune fille. Il n'y avait pas une minute à perdre.

La conversation avec cette femme si différente resterait une des expériences les plus éprouvantes de la vie de la directrice.

Aucune des deux n'avait jamais apprécié l'autre. Tout en respectant Hind, la mère d'Amal considérait que son paiement annuel de la pension et des frais de scolarité de ses filles la dispensait de se soucier d'elles pendant l'année. Sa convocation à Dar El-Tifel signifiait qu'elle allait manquer au moins un jour de travail. Hind était quant à elle certaine que cette femme avait inscrit ses enfants à l'orphelinat en sachant que c'était une manière plutôt économique de s'en débarrasser, alors que si elles étaient restées à la maison, elle aurait dû s'en occuper.

Hind entra tout de suite dans le vif du sujet.

— Votre fille a dû avoir des relations avec un garçon cet été, et maintenant elle est enceinte, annonça-t-elle en scrutant les yeux et le visage buriné de son interlocutrice.

— C'est impossible, ce n'est qu'une enfant. Il doit y avoir erreur.

— Madame, nous avons pris toutes les mesures nécessaires pour nous en assurer et, malheureusement, il n'y a pas d'erreur. Sauriez-vous par hasard qui pourrait être ce garçon ?

— Maintenant que j'y pense, c'est vrai qu'elle s'est comportée bizarrement cet été. C'était comme si elle était, eh bien… heureuse, c'est ça… heureuse.

La mère d'Amal parut sur le point d'ajouter quelque chose, mais s'interrompit brutalement, la bouche entrouverte.

— Et après ?

— Après, je ne sais pas. Elle est devenue triste tout à coup. Elle ne voulait plus aller aux champs, et elle se cachait sous ses draps pour pleurer.

— Et vous ne lui avez pas demandé la raison de cette soudaine tristesse ?

— Écoutez, les sautes d'humeur de ma fille, ce ne sont pas mes affaires. J'ai déjà assez de choses à penser comme ça, avec le travail et mon autre gamine, sans parler de mon mari.

Hind, qui s'était raidie, se força à rester calme.

— En d'autres termes, vous n'avez rien remarqué. Pas de garçon en compagnie d'Amal, rien de ce genre.

— Non. Enfin, si vous tenez vraiment à le savoir, quelqu'un m'a raconté qu'on la voyait toujours revenir des champs en vélomoteur derrière un gars du village. Peut-être que c'était lui. En tout cas, on ne pourra pas le lui demander.

— Pourquoi ? interrogea Hind, à la fois sidérée et outrée.

— Parce qu'il est mort. Il est allé à une manifestation, et il en est ressorti les pieds devant. C'est le genre de choses qui arrive à ceux qui ne s'occupent pas que de leurs oignons.

— Je comprends. Maintenant, en ce qui concerne votre fille, nous devons...

— Je ne dois rien faire du tout, chère madame. Je ne veux plus revoir ma fille. Elle nous a déshonorés ! explosa la mère d'Amal en se levant brusquement.

Hind ne parvenait plus à supporter une situation aussi absurde. Elle se leva pour se verser un verre d'eau.

— Très bien. Dans ce cas, vous ne verrez certainement aucune objection à signer ce document autorisant l'avortement.

La paysanne se contenta de hausser les épaules et signa le papier d'une main tremblante.

— Et maintenant, partez, s'il vous plaît. Je ne veux plus vous voir, conclut Hind d'un ton aussi ferme que possible.

La femme lui lança un regard presque suppliant.

— Essayez de comprendre, je ne veux pas compromettre ma réputation pour quelqu'un comme elle. Et le garçon est mort, nous vivons dans un petit village...

— Une enfant, l'interrompit Hind. Votre fille est encore une enfant. Elle ne se rend même pas compte de ce qu'elle a fait. Et vous voulez la punir en lui enlevant votre affection alors qu'elle en a plus besoin que jamais. C'est impardonnable. À présent, il va falloir réfléchir à son avenir. Alors, maintenant, allez-vous-en, s'il vous plaît, et ce n'est pas la peine de revenir la chercher l'été prochain.

La mère abandonna donc sa fille à son triste sort, et Hind décida qu'Amal se ferait avorter. La décision, déjà difficile à prendre, fut compliquée par l'opposition de plusieurs membres du conseil. Hind finit cependant par imposer sa volonté, et leur ordonna à tous de garder le secret.

— La réputation de cette jeune fille est entre nos mains. Personne ne doit savoir ce qui s'est passé. Croyez-moi quand je vous dis que cette décision m'est aussi très pénible, mais nous n'avons pas le choix, conclut-elle à la fin de la réunion.

Quand Miral se réveilla le lendemain matin, elle remarqua qu'Amal était déjà levée et mettait quelques vêtements dans une petite valise. Hind entra dans la pièce.

— Tu es prête, Amal ? Une voiture t'attend dans la cour.

Miral regarda le véhicule qui emmenait son amie et le docteur Amir disparaître lentement dans l'allée.

Quelques jours plus tard, Amal revint à l'école, le visage creusé et les yeux enfoncés dans les orbites. Elle n'avait pas retrouvé une once de son ancienne joie de vivre. Miral, à qui on avait annoncé que son amie se rendait dans une clinique parce qu'elle ne se sentait pas bien, nota qu'elle posait souvent la main sur son ventre et lui demanda finalement la raison de son absence. Amal lui raconta qu'elle s'était fait opérer de l'appendicite.

Les semaines suivantes, elle devint de plus en plus lointaine, comme si elle voulait prendre ses distances avec tout le monde. Au début de l'hiver, les deux amies n'échangeaient plus que de brefs regards. En janvier, Amal partit pour l'Allemagne, où elle termina ses études grâce à une bourse obtenue avec l'appui de Hind.

Miral n'apprit la véritable histoire d'Amal que des années plus tard, en la revoyant à Berlin, où elle enseignait l'architecture à l'université. Elle y avait rencontré son mari, également architecte, qui lui avait donné trois enfants. L'aîné s'appelait Mustapha.

*

* *

Cet hiver-là fut l'un des plus froids depuis des années. Un soir, il commença à neiger et les flocons tombèrent jusqu'au lendemain après-midi. Miral admira Jérusalem, complètement poudrée de blanc. La neige atténuait le contraste entre la vieille ville et les immeubles des quartiers modernes, et la distance entre les secteurs juifs et musulmans semblait avoir rétréci.

Miral se faisait toujours du souci pour Amal. Les seules nouvelles qu'elle avait eues lui avaient été communiquées par Hind. *Il doit aussi y avoir beaucoup de neige en Allemagne*, songea-t-elle. Peut-être que cela les rapprocherait ? Rania, elle, n'avait qu'une peur : que leur père ne puisse pas venir les chercher le lendemain à cause des intempéries, ce qui ne l'empêchait pas de rêvasser, les coudes sur l'appui de fenêtre, perdue dans la contemplation du magnifique tapis blanc enveloppant les environs.

Le lendemain, le hall de leur bâtiment, habituellement rempli de parents d'élèves à cette heure-là, resta silencieux et désert. Beaucoup de filles durent tristement retourner dans leurs chambres après avoir attendu une demi-heure, car personne n'avait franchi la grille au bas de l'allée.

Miral et Rania décidèrent de patienter un peu plus longtemps, pensant qu'après tout, leur papa n'habitait pas si loin. Leur patience fut récompensée. Malgré la neige qui s'était remise à tomber, Jamal était apparu à la grille peu de temps après sa fermeture par le gardien. Emmitouflé dans un manteau noir, il avait les cheveux blancs de neige. Ses filles le regardèrent remonter l'allée d'un pas incertain, ses chaussures noires s'enfonçant dans la poudreuse.

Incapables de contenir leur joie, Miral et Rania sautillèrent dans toute la pièce, et le fracas qu'elles firent résonna partout dans les dortoirs. Leur papa était le seul à avoir bravé la tempête pour leur rendre visite.

CINQUIÈME PARTIE

HANI

1.

Trois fois par semaine, un groupe d'élèves de Dar El-Tifel se rendait au camp de réfugiés de Kalandia, à la périphérie de Ramallah, pour distribuer de la nourriture aux enfants et leur tenir compagnie pendant l'après-midi. Certaines filles leur donnaient des cours d'arabe ou de mathématiques, d'autres les encourageaient à participer à des activités de groupe, comme le dessin ou le sport.

Dès que les gamins du camp apercevaient le bus s'engager sur le chemin dans un nuage de poussière rouge, ils abandonnaient le petit terrain de football, truffé de trous et de nids-de-poule, pour courir à la rencontre de leurs visiteuses. Miral apportait toujours des friandises et des caramels qu'elle distribuait en veillant à ne léser personne. Elle était chargée d'enseigner l'anglais aux enfants de quatre à douze ans.

Un tableau noir craquelé avait été installé sous une structure en bois délabrée, érigée entre des rochers, des briques et des jerricans d'essence agglomérés. Les petits réfugiés y prenaient place avec un sérieux tout à fait surprenant compte tenu de leur environnement.

Au premier rang, Hassan, un garçon au visage émacié de huit ans, souriait en permanence malgré les plâtres qui lui enserraient les deux bras. Les soldats israéliens les lui avaient cassés en les écrasant avec leurs grosses bottes. Hassan avait hâte qu'on lui retire ses plâtres pour pouvoir recommencer à jeter des pierres, même si son père lui enjoignait de se tenir à distance des soldats et si sa mère lui courait désespérément après à chaque manifestation pour le ramener à la maison.

Son voisin, Saïd, neuf ans, avait de grands yeux noirs et des cheveux maculés de boue, comme le reste de sa personne. Lui aussi était un lanceur de pierres assidu, malgré les roustes que lui infligeait son père, qui avait déjà perdu un fils de cette façon.

En dépit des cabanes en tôle ondulée rouillée, des taudis en terre et en paille, des égouts éventrés et des piles d'ordures qui servaient de décor à cette école de fortune, ils répétaient tous consciencieusement les mots que Miral écrivait au tableau avec un sourire joyeux.

On dirait presque qu'ils sont sereins, pensa-t-elle, tout étonnée.

Les filles de Jérusalem restaient leur unique contact avec le monde extérieur… un monde qui semblait les avoir oubliés. Les seuls visiteurs réguliers du camp étaient en effet les soldats israéliens, à qui les enfants réservaient un accueil complètement différent. Aussi petits fussent-ils, ils ramassaient des pierres pour les jeter sans relâche sur ces envahisseurs. Quant aux garçons plus âgés et aux jeunes adultes, ils visaient les blindés et les Jeep avec leurs frondes. Leur parfaite connaissance de tous les sentiers leur permettait de disparaître avec une remarquable agilité dès qu'on les poursuivait.

Miral avait appris par ses élèves que quand les soldats venaient arrêter quelqu'un la nuit, le camp tout entier se réveillait. L'ensemble des réfugiés faisait l'impossible pour mettre des bâtons dans les roues aux Israéliens et éviter la capture de la personne recherchée.

Voilà le genre de jeux auxquels on se livre ici, se dit Miral. *Des jeux brutaux dont beaucoup de participants finissent à terre.*

Les femmes du camp n'étaient pas en reste. Durant les raids nocturnes des Israéliens, elles enfreignaient souvent la loi très stricte de la pudeur musulmane en se promenant à moitié nues d'une maison à l'autre pour distraire les soldats et permettre au fugitif de gagner quelques précieuses secondes en escaladant les toits avant de filer à travers champs.

Un jour, à la fin d'un cours, Miral s'approcha d'un garçon qui se tenait toujours à l'écart des autres, adossé à un bidon d'essence. Ses treize ans en faisaient l'un des plus vieux. Il était large d'épaules et une volumineuse mèche de cheveux noirs lui barrait le front. La leçon terminée, il resta quelques instants à observer Miral sans bouger, alors que ses camarades se précipitaient sur le champ boueux qui leur servait de terrain de foot pour reprendre la partie interrompue par l'arrivée de leur professeur d'anglais.

Le jeune réfugié portait un pantalon militaire froissé trop grand de plusieurs tailles. En regardant Miral approcher, il sortit un mégot de sa poche et l'alluma.

– C'est moi que tu n'aimes pas, ou bien l'anglais ? lui demanda-t-elle en souriant.

Le garçon tira longuement sur ce qui restait de sa cigarette. Il avait les yeux mi-clos et de petites rides s'étaient formées au coin de sa bouche.

– C'est pas ta faute, répondit-il en se dandinant d'un pied sur l'autre. T'es super, mais j'ai pas envie d'apprendre l'anglais. C'est moi qui ai des problèmes, pas toi.

– On peut en parler, si tu veux.

– Non, c'est une trop longue histoire. Et de toute façon, il faut que tu rentres à Jérusalem.

Miral était intriguée par le ton assuré de sa réponse et par l'expression de défiance qu'elle lisait sur son visage. Il avait déjà été témoin de trop de souffrances. Elle savait peu de chose à son sujet : juste qu'il ne voulait pas étudier l'anglais et qu'il avait refusé une bourse d'études dans une école de Damas que Hind avait réussi à décrocher pour lui et quatre autres jeunes réfugiés.

– J'ai encore un peu de temps, lança-t-elle en soutenant son regard.

Pour lui prouver qu'elle était sérieuse, elle s'assit en face de lui sur un bloc de ciment provenant du mur d'une maison démolie. Écrasant calmement son mégot, Khaldun observa ses copains qui couraient après un ersatz de ballon de football en chiffons. Après avoir longuement dévisagé Miral, il poussa un profond soupir et lui débita toute son histoire du début à la fin sans la quitter des yeux, s'arrêtant à peine pour respirer.

– Mon arrière-grand-père est mort dans une prison britannique, où il avait atterri pour avoir participé à la révolte arabe de 1936. Mon grand-père et ma grand-mère sont décédés en Jordanie au moment de Septembre noir en 1970, à l'époque où, comme tu dois le savoir, de nombreux Palestiniens ont été tués par les soldats bédouins au service du roi Hussein. Les Palestiniens ont été oppressés par tous les régimes arabes. Ils nous ont tués au Liban, en Jordanie, en Syrie, et ici, sur notre propre sol. Mon père était un *fedayin* du Front populaire de libération de la Palestine. Il a rencontré ma mère dans un camp de réfugiés en Jordanie, où ils combattaient les Jordaniens. Après, ils sont partis pour le Liban, où je suis né, et où mon père a été tué lors d'un combat entre Palestiniens et Israéliens durant l'invasion de ce pays. Là-bas, les nôtres ont aussi dû lutter contre les phalangistes libanais armés par Ariel Sharon. Tout ce qui me reste de lui, c'est ce pantalon que je porte et un petit livre rouge de maximes de Mao Tsé-toung. Mon père en a souligné une : « Le pouvoir politique sort du canon d'un fusil. » J'ai aussi une photo de lui à côté de Georges Habache, un de nos chefs, où il sourit, mitraillette au poing. Mon père, c'était quelqu'un de courageux. Ça fait maintenant trois ans que je vis ici, dans une cabane en tôle ondulée avec ma mère, ma tante et sa famille. À quoi ça me servira d'apprendre l'anglais ou d'aller faire des études à Damas ? À rien. J'aime bien écrire des histoires, mais ce dont j'ai besoin, c'est d'un fusil pour aider à reprendre cette terre où mes ancêtres font pousser des oliviers depuis des siècles.

Quelques instants plus tard, les deux jeunes gens entendirent un étrange bruit sourd. Miral distingua la silhouette d'un petit garçon de dix ans tout au plus qui émergeait d'un nuage de poussière. Il avait escaladé le bord d'une cabane, composée de deux murs en brique et de panneaux de tôle ondulée rouillée. Une brique avait lâché, emportant avec elle à peu près la moitié du mur de fortune. En courant vers la baraque, Miral et Khaldun entendirent des cris et des injures monter de l'intérieur : le taudis était habité ! La porte s'ouvrit sur un vieil homme qui hurlait : « Pourquoi on m'a pas prévenu qu'on voulait m'enterrer vivant ? »

Khaldun éclata bruyamment de rire, tandis que Miral scrutait les environs à la recherche d'une explication.

Une fois le vieillard calmé, Khaldun lui cria :

— T'inquiète pas, Yassir. Les Israéliens démolissent pas ta cabane. C'était juste cet idiot de Saïd qui essayait encore de grimper sur ton toit.

Sur ce, Khaldun se remit à pouffer de plus belle avec toute la gaieté de ses treize ans en montrant du doigt Saïd qui grognait toujours, tentant de reprendre son souffle au beau milieu des décombres et de la poussière en secouant les morceaux de brique dont il était couvert. Miral, qui aidait le petit à se relever, ne put s'empêcher de sourire.

Une fois qu'il eut compris la situation, le vieux Yassir, lui, n'avait pas du tout envie de plaisanter. Il s'avança en chancelant vers le garçon et leva sa canne pour le frapper. Mais sans le soutien de cette branche noueuse d'olivier, il titubait tellement qu'il semblait sur le point de tomber à la renverse. Le même scénario se répétait à chaque pas : le vieil homme brandissait son bâton en chancelant, et Saïd s'échappait en boitillant. Pendant ce temps, Khaldun se tenait les côtes. Une foule compacte d'enfants, de femmes et de vieillards s'était formée, et ce fut bientôt l'hilarité générale. Yassir, que sa peau ratatinée par l'âge et le soleil faisait paraître encore plus vieux, continuait son improbable poursuite. Saïd essayait toujours de s'échapper, mais les autres garçons l'empêchaient de sortir du cercle de spectateurs en le repoussant à chaque tentative.

Cette petite comédie se termina enfin quand Yassir réussit à donner à Saïd un coup sur la tête avant de basculer en arrière. Quelques réfugiés accoururent pour aider le vieil homme à se relever et l'assirent sur une chaise paillée. D'autres allèrent chercher des seaux d'eau qu'ils versèrent sur la tête de Saïd afin de lui enlever la poussière dont il était maculé. On l'aurait dit sorti d'un sac de farine. Quand il fut clair que le petit avait survécu à cette épreuve avec quelques bleus aux mollets et une bosse sur le front, la plupart des curieux rentrèrent chez eux, mais le vieillard resta assis à se lamenter à grands cris au sujet de sa maison. Khaldun interrompit sa litanie.

— T'en fais pas, Yassir. Ce soir, tu dormiras chez Fatima, ta petite-fille, et demain, Saïd, d'autres copains et moi, on va réparer ton mur, pour qu'il soit encore mieux qu'avant. Comme ça au moins, on aura quelque chose à faire.

— Merci, mon garçon, merci. Tu es un vrai prince, comme ton père. Tu penses toujours aux autres d'abord, le félicita Yassir en lui donnant une tape sur la joue.

Les yeux brillants de fierté, Khaldun se retourna vers Miral, qui lui sourit avec une admiration sincère.

— Je suis déjà en retard. Il faut que j'y aille maintenant... Sinon, je vais être punie, et on ne me laissera pas quitter l'école pendant une semaine.

Dans le bus qui la ramenait à Jérusalem, Miral jeta un dernier coup d'œil au camp de réfugiés en pensant à Khaldun. Des filets de fumée montaient des feux de camp sur lesquels les femmes préparaient des falafels ou du couscous. Ce garçon se comportait comme un prisonnier enfermé dans une cellule étroite qui se serait tellement habitué à vivre au ralenti qu'il ne répondrait plus aux stimuli externes que par des réponses automatiques. Mais Miral avait été impressionnée par le manque d'affectation et l'absolue clarté avec lesquels il avait résumé les drames subis par sa famille. Son récit était totalement dépourvu de fatalisme, et son visage fier reflétait une détermination et un désir d'obtenir réparation qu'elle n'avait observés chez personne d'autre. La plus grande peur de Khaldun n'était pas de mourir dans une échauffourée avec l'armée israélienne, mais de ne pas arriver à apporter sa contribution à la lutte séculaire que les siens menaient contre les forces occupantes. Il avait trouvé – peut-être inconsciemment – le but de son existence, calqué dans le moindre détail sur ceux de son père, de son grand-père et de son arrière-grand-père : se battre pour jeter hors de Palestine tous ses occupants étrangers, qu'ils soient britanniques, jordaniens ou israéliens.

Son intelligence est une arme aussi efficace qu'un fusil, songea-t-elle.

Khaldun pensa à Miral après son départ, lui aussi. Il la suivit des yeux quand elle montait dans le bus, se demandant pourquoi une fille aussi jolie et intelligente perdait son temps à apprendre l'anglais à des mioches qui n'utiliseraient probablement jamais cette langue. Sa façon de le regarder pendant qu'il racontait son histoire l'avait frappé. Il n'avait pas lu dans ses yeux la pitié habituelle des filles de Dar El-Tifel En lui parlant, Khaldun s'était senti à l'aise, et cela lui arrivait peu, sauf quand il tenait une pierre à la main et un tank israélien en ligne de mire.

*
*   *

Le lundi matin suivant, Miral se dépêcha de rentrer à l'école après un week-end à la maison et arriva juste à temps pour le cours d'histoire. L'après-midi, le minibus la ramena au camp de réfugiés. Miral voyait désormais son travail de bénévole là-bas d'un autre œil. Dans le bus, elle reconnut une des nouvelles recrues, Mouna, une adolescente un peu massive âgée d'un an de moins qu'elle, aux longs cheveux bouclés et aux yeux bruns calmes et souriants. Mouna chantonnait constamment, et quand elle ne fredonnait pas, elle parlait de tout et de rien et posait des tas de questions. Beaucoup de leurs camarades se plaignaient d'elle, mais Miral l'aimait bien.

— Qu'est-ce qui t'a poussée à te porter volontaire pour travailler au camp ? lui demanda-t-elle.

— Tu veux que je te dise la vérité ? Il y a un garçon que j'aime beaucoup. Je l'ai rencontré à Dar El-Tifel, et il vit là-bas. Comme ça, je pourrai le voir, et en même temps je me rendrai utile.

— Quelle noble motivation ! la taquina Miral.

— Dans la vie, il faut se laisser aller un peu. Tout est trop sérieux. J'en ai assez, moi. J'ai envie de vivre, de prendre du bon temps, et toi aussi, tu devrais faire pareil.

— Eh bien, tu vas justement en avoir l'occasion. On est arrivées !

Les filles échangèrent un regard complice, mais le sourire de Mouna se figea à la vue du camp.

— Oh là là, quel endroit effroyable ! On dirait qu'il est abandonné de tous !

— C'est un vrai miracle d'arriver ne serait-ce qu'à sourire et à s'amuser ici, lança Miral. Tu crois que tu sauras distraire quelques-uns de ces gosses ? On a apporté du papier grand format et des crayons de couleur. Allez, vas-y, prends un petit groupe, et essaie de les faire gribouiller un peu.

Les enfants couraient déjà à la rencontre du bus pour embrasser les filles et leur souhaiter la bienvenue. Miral prit à part cinq ou six d'entre eux et commença à écrire des phrases en anglais au tableau, pendant que Mouna, qui s'était remise de son choc initial, rassemblait une dizaine de petits pour les emmener sous un eucalyptus. Après avoir étalé un linge sur le sol et sorti du papier blanc et des crayons, elle leur proposa de dessiner ce qu'ils voulaient.

Miral faisait de gros efforts d'imagination pour aider tant bien que mal ses ouailles à échapper temporairement à leur réalité et les inciter à se concentrer sur autre chose que le spectacle qu'elle avait sous les yeux : des maisons en tôle ondulée, divisées en pièces de quelques mètres carrés où s'entassaient des familles de sept personnes, et des conduits d'évacuation éventrés dont le contenu se mêlait à l'eau de pluie. Les visites des élèves de Dar El-Tifel constituaient les seules bouffées d'air des journées interminables de ces petits réfugiés.

Miral observa Khaldun, assis sur un gros rocher, une cigarette éteinte au coin de la bouche. Il paraissait s'intéresser à la leçon : son habituel sourire moqueur avait disparu. Quelques moments plus tard, le grondement des tanks se fit entendre.

— Les soldats ! Ils arrivent ! cria un garçon.

— Ils ne font que passer, restez calmes, affirma Miral d'un ton rassurant.

Elle ne tarda toutefois pas à découvrir que les militaires étaient venus démolir la maison d'un des chefs de l'intifada.

— On ne va pas les laisser faire, intervint Khaldun. Ils auront du mal à mettre cette baraque par terre.

Saisissant une pierre, il piqua un sprint en direction des tanks. Un signal d'alarme se propagea comme un frisson à travers le camp, cabane après cabane. Les femmes sortirent en courant chercher leurs enfants. Les hommes se rassemblèrent par petits groupes. Des cris fusaient de toutes parts.

— Allez-vous-en, bande de salauds ! Laissez-nous tranquilles !

Paniqués, certains enfants filèrent se réfugier chez eux en courant. D'autres se cachèrent derrière les élèves de Dar

El-Tifel en enfouissant leur visage sous leurs vêtements et en hurlant de peur.

Miral et Mouna tentèrent de calmer les plus jeunes, qui s'étaient mis à trembler en s'agrippant de plus en plus fort à elles. Chaque incursion des soldats israéliens les traumatisait, et il faudrait des semaines aux filles pour arriver à les faire sourire à nouveau.

Les premières explosions retentirent, assourdissantes. Des bombes lacrymogènes se mirent à tomber de toutes parts. Celles qu'on avait tirées vers le haut retombaient lentement en décrivant une trajectoire parabolique. Les autres volaient à l'horizontale, quelques mètres au-dessus du sol. Les habitants du camp commencèrent à jeter des pierres aux tanks, ce qui déclencha la riposte des soldats, sous forme de gaz lacrymogène et de tirs de balles en caoutchouc. Au bout d'un moment, elles firent place à de vraies balles. Un seul soldat paniqué pouvait suffire à déclencher un massacre. L'air devint bientôt irrespirable. Prenant les plus petits dans leurs bras, Miral et Mouna se mirent à courir en cherchant une cachette. Khaldun revint en arrière pour les aider à se mettre à l'abri.

Bien qu'assez brève, la bataille fut d'une extrême violence. Avant de se retirer, les tanks ouvrirent le feu à plusieurs reprises depuis le sommet de la colline surplombant le camp. Quand ils eurent réussi à raser la maison du chef de la résistance, un nuage de fumée et de gaz envahit l'atmosphère. Miral, Mouna et un groupe de petits allèrent s'abriter en courant dans une grosse benne à ordures. Avant qu'ils n'aient eu le temps d'atteindre leur but, une grenade lacrymogène érafla Miral et explosa à quelques centimètres d'elle. Le gaz lui piqua les yeux et les enfants hurlèrent de plus belle, sans qu'elle arrive à les calmer. Quel genre d'adultes allaient-ils devenir après avoir vécu tant de terreur et de violence ?

Lorsque les tirs de barrage eurent cessé, les habitants du camp entreprirent de creuser à mains nues dans les décombres. Deux corps émergèrent des ruines.

Au bout d'une attente interminable, une ambulance arriva finalement. Les deux réfugiés qu'on avait sortis des gravats étaient sérieusement blessés et souffraient de fractures multiples, mais au moins, ils étaient en vie. Miral poussa un cri en découvrant Khaldun, qui serrait contre lui un des plus jeunes enfants. Il l'avait sauvé en lui faisant un rempart de son propre corps. Un vieil homme avait eu moins de chance : son cadavre gisait dans la poussière, immobile. Les femmes pleuraient et se lamentaient, mais leurs cris se perdaient dans le silence irréel qui avait envahi le camp. Miral aperçut l'un de ses petits protégés, un garçon de sept ans, assis sur un tas de décombres d'un air résigné, le regard perdu dans le vide.

Un peu plus tard, encore sous le choc, Miral et Mouna reprirent le chemin de Jérusalem. Ce soir-là, Hind décida de suspendre quelques jours le bénévolat dans le camp.

Petit à petit, Miral sentit sa colère s'amplifier. Elle n'arrivait pas à chasser de son esprit le souvenir d'une famille dont les parents avaient tenté d'extraire des ruines quelques malheureux objets intacts – les cahiers des enfants, leurs jouets, des photos – après avoir vu leur habitation détruite sous leurs yeux.

Quel genre de guerre est-ce donc ? s'interrogea-t-elle en contemplant le soleil vermillon qui se couchait derrière le mont des Oliviers. *À quoi bon enseigner l'anglais à des enfants qui ne deviendront peut-être jamais adultes ?*

*
* *

Quelques semaines plus tard, le véhicule qui amenait à nouveau les filles à Kalandia fut arrêté à un poste de contrôle. Les Israéliens ne laissaient passer personne parce qu'il y avait eu des escarmouches au camp ce matin-là. Miral voulait s'y rendre coûte que coûte : inquiète pour Khaldun, Saïd et les autres enfants, elle souhaitait s'assurer qu'ils allaient bien. Elle sortit de la voiture et s'approcha d'un jeune soldat appuyé contre une Jeep. Âgé d'une vingtaine d'années, il avait les cheveux noirs, le teint légèrement olivâtre, les lèvres charnues, comme un Arabe, et embaumait l'eau de Cologne. Il la dévisagea de la tête aux pieds, s'attardant ici et là, attiré par les appâts naissants de ce jeune corps. Finalement, il alluma une cigarette avant de lui faire une proposition :

— Si tu m'embrasses, je te laisse passer.

Miral le regarda tirer une bouffée de sa cigarette américaine. Il avait des mains lisses et parfaitement manucurées. Elle le foudroya du regard en répondant simplement : « Non » avant de tourner les talons.

La jeune fille se souvint alors d'un sentier que ses élèves lui avaient montré un soir où elle s'était attardée après le couvre-feu. Il lui faudrait au moins deux heures pour atteindre le camp par là, mais au moins, elle n'aurait pas à embrasser de soldat. En se frayant un chemin sur la rive couverte de mauvaises herbes du cours d'eau voisin, elle aperçut Ramallah de loin. C'était comme si elle voyait la ville pour la première fois. Tout y semblait compressé, l'espace vital de chacun réduit au strict minimum.

Comment peut-on vivre dans un endroit pareil ? s'indigna-t-elle en trébuchant sur une canette de Coca écrasée.

Ce matin-là, Khaldun, qui avait participé aux affrontements avec les soldats israéliens, s'était approché plus près des tanks que tous les autres. Contrairement aux leçons d'anglais où il restait au dernier rang, pendant les batailles, il était toujours en première ligne. Les jets de pierres avaient continué à pleuvoir intensément pendant plusieurs heures. Saïd était monté sur le toit de la cabane de Yassir – qui offrait la meilleure vue – pour suivre les mouvements des soldats et les communiquer à ses copains par une série de sifflements codés. Il vit Khaldun ramper jusqu'à quelques mètres d'un tank, puis s'abriter derrière un monticule d'ordures avant de lever la fronde qu'il avait bricolée à partir d'une branche d'olivier et de la chambre à air d'une roue de vélo.

Khaldun était si proche du char qu'il aurait pu plonger son regard dans les yeux du soldat debout dans la tourelle. Au troisième essai, il atteignit son casque, qu'il cabossa légèrement d'un côté. Les mouvements du jeune garçon étaient décontractés, quasiment insolents. Alors qu'il se traînait par terre au milieu de la poussière et des détritus, il semblait presque élégant, à la manière des combattants d'une des nombreuses guerres consignées dans les livres d'histoire.

En réponse à la volée de pierres ininterrompue qu'ils essuyaient, les soldats envoyèrent de nombreuses bombes lacrymogènes et tirèrent plusieurs coups en l'air. Comme ces mesures n'avaient pas persuadé beaucoup de leurs assaillants de baisser les armes, les Israéliens décidèrent de viser plus bas et de leur tirer dessus. À quelques mètres de là, Hassan, qui avait été assez stupide pour se lever et courir vers un tas de pierres exposé aux tirs israéliens, se trouva pris à revers. Deux autres garçons étaient blessés, l'un au bras, le second à la jambe. Saïd dut ramper le long du toit en tôle ondulée de la baraque de Yassir et sauter à terre. Un tireur embusqué sur la colline d'en face l'avait repéré. Une balle manqua de quelques centimètres sa jambe droite, qui le faisait encore souffrir depuis sa chute de la semaine précédente. Dans l'intervalle, Khaldun lança toutes les pierres qui lui restaient en attendant la fin du retrait des tanks, avant de se remettre sur pied et de rentrer chez lui d'un pas lent.

Un silence de mort était tombé sur le camp. Khaldun s'approcha prudemment de la clairière qui séparait Kalandia de Ramallah, surpris de découvrir une colonne de blindés qui grimpait une fois de plus le chemin de terre. Il venait de comprendre que les Israéliens leur avaient tendu un piège, à ses camarades et à lui. Après avoir fait signe aux autres garçons, toujours recroquevillés sur le sol, il courut vers les masures.

Il entendit d'abord le grondement du moteur d'une Jeep, avant d'apercevoir le véhicule lui-même qui surgit de derrière le mur décrépi marquant la limite du camp. Khaldun se maudit de s'être bêtement fourré dans un tel pétrin : il était exposé, sa retraite n'était pas protégée, et une centaine de mètres le séparaient de la première baraque. Une cible facile pour les balles israéliennes, en somme. Il courut en zigzaguant, essayant d'éviter les tas d'ordures, et ne se retourna pas quand il entendit les coups de feu. Les soldats, qui avaient capturé au moins cinq garçons plus jeunes, n'avaient pas l'air satisfaits pour autant.

Khaldun savait ce qui lui arriverait s'il tombait entre leurs mains. Comme il était mineur, ils ne pourraient pas le juger et, dans le meilleur des cas, ils lui casseraient les mains et les poignets – voire les bras – pour s'assurer qu'il ne puisse plus tenir la moindre pierre pendant un bon moment.

Un soldat en Jeep le repéra alors qu'il était à vingt mètres de l'habitation la plus proche. Il pointa son fusil dans sa direction, mais son véhicule rencontra un nid-de-poule et il tira en l'air. Proche de l'épuisement, Khaldun plongea dans une ruelle formée par deux rangées de baraques. Le conducteur de la Jeep n'avait toutefois pas l'intention de le laisser filer. Khaldun était hors d'haleine. Il n'avait pas bu depuis des heures, et la chaleur devenait insupportable. Tout à coup, un bras le saisit et le tira en arrière. Trop fatigué pour résister, il se retrouva dans une des cabanes. Ses yeux mirent plusieurs secondes à s'accoutumer à la pénombre de la petite pièce sans fenêtre, qui mesurait tout juste quelques mètres carrés. Il y avait un matelas dans un coin et une baignoire rudimentaire était posée à même le sol au milieu de la cahute. L'unique chaise était appuyée contre un mur. Une femme à peine plus grande que lui, habillée d'une tunique traditionnelle élimée qui avait dû être bleue à l'origine, se tenait devant lui. Elle aurait aussi bien pu avoir quarante ans que soixante.

— Enlève tes vêtements et grimpe dans la baignoire, lui ordonna-t-elle d'un ton décidé.

Habitués à l'obscurité de la cabane, ses yeux étaient réduits à deux fentes. Sans bien comprendre ce qui se passait, Khaldun obéit instinctivement. Il sentait qu'il pouvait faire confiance à cette femme et, de toute façon, il n'avait rien à perdre.

Quand les soldats israéliens entrèrent, ils ne trouvèrent qu'une mère donnant le bain à son fils.

Pendant ce temps-là, les mains dans les poches, Saïd marchait en direction du champ de bataille, où tout était à présent terminé, avec l'intention de demander à Khaldun de lui apprendre à se servir d'une fronde. Soudain, il vit une Jeep approcher et entendit le bruit caractéristique des coups de feu. Il fit volte-face, puis s'enfuit en clopinant vers sa maison. Au bout d'un moment, il s'arrêta pour s'aplatir contre un mur de brique avant de passer prudemment sa tête de l'autre côté. Tout semblait calme, mais il avait à peine reculé qu'il entendit à nouveau la Jeep et un grondement qu'il reconnut comme le son d'un tank en marche. Un rapide coup d'œil lui apprit qu'un énorme char se dirigeait droit sur sa cachette.

*
* *

Lorsque Miral atteignit le sommet de la colline dominant Kalandia, des nuages de fumée et de poussière très denses montaient du camp et se dispersaient au gré du vent.

Les pluies des jours précédents avaient fait éclore une multitude de fleurs jaunes, formant une bande qui épousait la ligne de crête sur la colline puis descendait d'un côté, au milieu des gravats et des carcasses de voitures éparpillées le long de la pente. Miral se hâta en suivant ce triste sentier fleuri, qui semblait avoir été créé spécialement pour elle, car elle avait été nommée d'après une fleur – jaune à l'extérieur et rouge au centre – qui fleurit dans le désert du Sinaï ou du Néguev après des pluies extrêmement rares et dont le parfum sucré et délicat devient plus intense avec la chaleur du soleil.

Lorsqu'elle atteignit enfin l'endroit où elle enseignait d'habitude, elle ne trouva personne. Au centre du camp, elle tomba sur un grand rassemblement d'habitants massés devant une pile de débris et de métal tordu. Dès qu'elle fut plus près, elle reconnut Saïd et Khaldun, qui fouillaient fébrilement les décombres. Miral s'aperçut qu'il s'agissait des restes de la maison de Yassir. Khaldun l'avait vue arriver et vint à sa rencontre. Ses yeux étaient plus alertes que d'habitude, comme éclairés de l'intérieur par une forte émotion.

— Qu'est-ce qui s'est passé ?

— Il y a eu un gros affrontement ce matin : un mort, dix blessés et six arrestations. Ils ont failli m'avoir aussi, ajouta-t-il en désignant les douilles vides qui jonchaient le sol.

— Et Yassir ? s'inquiéta Miral en scrutant la foule qui creusait dans les gravats.

— Malheureusement, cette fois-ci, il a été enterré sous son toit pour de bon. Tu imagines, on venait juste de terminer de reconstruire son mur hier. Saïd se sent coupable, parce qu'il se servait souvent du toit du vieux comme poste d'observation. Il pense que c'est pour ça que les soldats ont rasé sa maison. Peut-être qu'il a raison, peut-être pas. Quelle différence ça peut faire maintenant ?

Tout en regardant Khaldun allumer sa cigarette, Miral se demanda comment il pouvait rester aussi calme. Elle supposa que cette attitude était la seule manière de survivre quand la mort et la souffrance faisaient à ce point partie de votre vie quotidienne.

— Pourquoi tu n'acceptes pas cette bourse d'études à Damas ? Je sais que je t'ai déjà posé la question, mais tu devrais y réfléchir. Ce serait une alternative intéressante.

Miral parlait fermement, sûre d'avoir raison. Pour elle, il était évident que tous les réfugiés seraient plus heureux ailleurs que dans ce camp.

— Hier, j'ai discuté avec une fille de Dar El-Tifel qui est partie étudier là-bas l'an dernier. Elle m'a dit que c'était une très belle ville. Et quand tu auras terminé tes études, tu pourras faire plein de choses, comme revenir ici pour enseigner, par exemple.

Miral était certaine que le point faible de Khaldun restait son désir de se rendre utile.

— Non, Miral. Ces alternatives, elles sont pour toi. Ma place est ici avec les miens. Je finirais par devenir quelqu'un qui met une cravate tous les matins, et lentement mais sûrement, jour après jour, j'oublierais la vie dans les camps, et même leur existence. Comme je ne veux pas que ça arrive, j'aime autant rester ici à jeter des pierres.

— Espèce d'imbécile ! gronda la jeune fille tout bas.

Quelle tête de pioche il faisait, avec sa logique implacable ! Elle joua son ultime carte.

— Moi aussi, j'ai mes combats. Je vais à des manifestations à Jérusalem ou à Ramallah. Mais ça ne m'autorise pas à envisager ne serait-ce qu'une seconde d'abandonner l'école. Écoute-moi, Khaldun. Je sais que tu es né au mauvais endroit au mauvais moment. Mais ce n'est pas une raison pour arrêter d'essayer de construire une vie ici et d'en retirer chaque jour un peu plus, à force d'efforts et de sacrifices. Un peuple qui n'arrive pas à imaginer son propre avenir et celui de ses enfants a déjà perdu.

Balayant les environs du regard, Khaldun ne paraissait pas l'écouter. Il contemplait les décombres d'où on n'allait pas tarder à extraire la dépouille de Yassir, le linge qui séchait, les minuscules parcelles de terre cultivée, le ballon de football en chiffons, autant de preuves du caractère misérable de la vie quotidienne que chaque habitant du camp était néanmoins si désireux de poursuivre.

Peut-être que je ne serais pas si lâche de partir à Damas en fin de compte ? se demanda-t-il.

Mais ce n'était pas ce qu'il voulait. Comment envisager d'étudier les mathématiques quand on est rempli de haine ? Il était animé par une rage à la fois aveugle et précise, un ressentiment qui le conduisait à rêver toutes les nuits qu'il se comportait en héros et à se réveiller tous les matins avec l'espoir que son heure de gloire était arrivée. Voilà qui était bien difficile à expliquer à une fille de la ville, une privilégiée, mais il se lança tout de même :

— Tu vois, après tout, toi aussi, tu risques ta vie tous les jours en pensant faire ton devoir. Personne ne te force à manifester ni à contourner en douce un blocus de l'armée pour venir ici. Tu sens simplement que tu dois le faire. C'est la même chose pour moi.

Les autres garçons l'appelèrent à la rescousse pour dégager le corps de Yassir. Khaldun jeta un dernier coup d'œil à Miral et, juste avant de la quitter, son visage s'illumina d'un sourire qui la stupéfia. Comment pouvait-on arriver à sourire ainsi dans un endroit pareil ? Une pensée s'imposa alors à elle avec force : *Il faut que je sauve ce garçon.*

2.

Après avoir passé l'après-midi au camp, Miral retrouvait souvent d'autres jeunes gens à Ramallah ou à Jérusalem. On était en 1987, au début de la première intifada. Tout avait commencé quand quatre ouvriers avaient été renversés par un convoi militaire. Furieuse et lasse de toutes ces années d'occupation militaire, la population de Jérusalem, de Cisjordanie et des Territoires occupés était descendue dans la rue. Le mouvement de protestation s'était transformé en lutte armée, à coups de pierres et de cocktails Molotov d'un côté et de tanks de l'autre, créant une solidarité révolutionnaire entre les jeunes activistes.

De temps en temps, Miral demandait à ses camarades de Dar El-Tifel d'assurer ses cours d'anglais à sa place pour participer à une manifestation importante. Durant sa première année de lycée, qui coïncidait avec le commencement de l'intifada, trois pensionnaires seulement étaient allées manifester. Mais deux ans plus tard, au moment où l'intifada battait son plein, sept filles de Dar El-Tifel y prenaient désormais part.

Miral et ses camarades avaient à plusieurs occasions contourné les interdictions de Hind et quitté l'école clandestinement en se mêlant aux externes qui rentraient chez elles tous les jours. La plupart du temps, le gardien lisait son journal et ne les remarquait pas, ou feignait l'ignorance. À leur retour, les filles escaladaient le mur d'enceinte en son point le plus bas, à l'arrière du terrain entourant l'école, juste en face de l'hôtel *American Colony*. Miral aidait les plus hésitantes, avant de se hisser dessus avec agilité et de sauter de l'autre côté. Dès qu'elles s'étaient assurées que la voie était libre, elles filaient toutes jusqu'à l'entrée du dortoir où elles arrivaient généralement quelques minutes avant le dîner. Un soir, une des élèves de terminale était entrée en collision avec le professeur de maths en courant tête baissée dans le noir. En guise de punition, elle avait écopé d'une interdiction de sortir de l'école pendant un mois, mais gagné l'estime de ses camarades en refusant de dévoiler les noms des autres participantes.

*
* *

Organisées au jour le jour afin de ne pas alerter les autorités israéliennes, les manifestations commençaient par des chants patriotiques et des slogans contre l'occupation militaire, qui noyaient lentement mais sûrement la clameur montant des souks et des places de nombreuses villes de Cisjordanie. En dépit des interdictions, les manifestants agitaient le drapeau palestinien face à l'armée israélienne qui donnait l'assaut, en se prenant pour des *fedayin* dans les forêts jordaniennes. Quand la police et les soldats se mettaient à jeter des grenades lacrymogènes et à tirer des balles en caoutchouc, les jeunes gens répliquaient en lançant des pierres et se réfugiaient dans les petites rues. Certains utilisaient les bennes à ordures pour improviser des barricades et ralentir la progression de l'armée. D'autres envoyaient des cailloux avec leurs frondes ou allumaient des cocktails Molotov qu'ils jetaient de toutes leurs forces sur les Jeep et les blindés israéliens.

Il n'était pas rare que certains garçons plus courageux qui s'étaient approchés à quelques mètres des tanks se fassent couper la route par des tirs de mitraillette ou loger une balle dans la tête par des tireurs postés sur les toits des immeubles. Les plus intrépides étaient généralement, et malheureusement, les plus jeunes, des gamins qui sortaient à peine du lycée et qui portaient encore leur sac à dos quand on les retrouvait gisant dans une mare de sang.

Tout comme les boutiquiers, les artisans et les vendeurs ambulants, les habitants des quartiers où les escarmouches éclataient faisaient de leur mieux pour aider les manifestants. Ils les cachaient dans leurs maisons, donnaient les premiers secours aux blessés, leur montraient par où s'échapper et inventaient des stratagèmes pour empêcher les soldats d'arrêter ces jeunes rebelles, qui étaient nombreux à braver les gaz lacrymogènes asphyxiants sans masque ni foulard, ivres d'adrénaline, les yeux brûlants de haine.

Certains soldats israéliens étaient gênés à l'idée de pointer leurs armes sur de si jeunes cibles, conscients que leurs victimes avaient plus ou moins le même âge que leurs propres enfants, ou parfois que leurs camarades. Mais d'autres appuyaient sur la gâchette sans réfléchir, exécutant les ordres et réprimant leurs éventuels scrupules grâce à la conviction que la maxime *Mors tua, vita mea*, « Ta mort, c'est ma vie », constituait la meilleure philosophie, surtout dans les Territoires occupés, où la population n'accordait pas la moindre considération aux lois de l'État israélien.

*
* *

Après avoir remonté une ruelle en courant, Miral et quelques condisciples de Dar El-Tifel s'arrêtèrent sur une petite place tranquille. Le bruit des coups de feu diminuait progressivement.

— Bon Dieu ! dit-elle à ses camarades, toutes plus jeunes et moins expérimentées qu'elle. Ça devient difficile d'éviter les coups de matraque ou les balles, surtout dans un nuage de gaz lacrymogène. Ces dingues emploient de plus en plus la violence pour nous empêcher de manifester ! Mais ce qu'ils ne comprennent pas, c'est que la colère de notre peuple est alimentée par l'injustice et la marginalisation. C'est comme s'ils étaient sourds et aveugles : ils ne veulent rien entendre, rien voir. (Miral s'interrompit un instant avant d'ajouter un avertissement.) Courir dans les rues, ce n'est pas facile, mais rester debout dans une foule, c'est encore plus dur. Ne vous attardez jamais au milieu d'une manifestation, et ne vous éloignez pas les unes des autres. Ne faites confiance à personne et, dès que la police arrive, soyez les premières à vous enfuir.

Cet après-midi-là, avant de commencer ses devoirs, Miral s'était arrêtée pour boire un verre d'eau dans un café où elle vit à la télévision des images qui n'étaient pas près de lui sortir de l'esprit.

La rage déformait les traits de deux soldats israéliens qui cassaient le bras d'un jeune garçon aussi naturellement que s'ils graissaient leurs fusils. L'un des militaires arborait trois mots anglais sur son casque : « *Born to kill* ». Les soldats qui brisaient si violemment les os des lanceurs de pierres palestiniens étaient âgés d'à peine quelques années de plus qu'eux. Juste avant que leurs victimes ne se mettent à crier, deux rêves partaient en fumée en même temps : celui d'un État paisible désiré pendant deux mille ans et celui d'un peuple qui avait vu ses perspectives d'avenir détruites.

*
* *

Lorsque la première intifada éclata, les soldats israéliens comprirent qu'ils n'étaient pas préparés à gérer une révolte populaire. Durant les diverses guerres menées par l'État d'Israël, on ne voyait jamais l'armée dans les rues, mais, cette fois-ci, le gouvernement, pris par surprise, fit jouer à son armée le rôle de la police afin d'étouffer les protestations. Au fur et à mesure que les mois passaient et que les incidents se multipliaient, les autorités réagirent plus sévèrement, dispersant les foules de manifestants avec des gaz lacrymogènes et des tirs de balles en caoutchouc. Les barrages quittèrent les grandes places pour s'installer dans les petites rues les plus étroites, où les habitants ouvraient souvent leur porte à des jeunes en fuite qu'ils laissaient s'éclipser par la porte de derrière et se volatiliser dans les arrière-cours.

La première fois qu'elle avait été poursuivie, Miral avait cédé à la panique et s'était perdue. Faute de mieux, elle s'était jetée dans une benne à ordures pleine où elle était restée plusieurs heures sous les détritus, jusqu'à ce que les coups de feu, les cris et les sirènes s'éloignent et se taisent enfin peu à peu.

La fois suivante, elle n'eut pas autant de chance. Elle fonça tout droit dans un soldat israélien, qui lui attrapa fermement le bras et la traîna au marché aux légumes pour attendre l'arrivée de la Jeep qui devait les emmener au poste de police. Mais les femmes du souk abandonnèrent leurs étals remplis de menthe, de carottes et de tomates, pour s'approcher de Miral et du soldat. En quelques minutes, elles avaient encerclé l'homme et poussé Miral hors du cercle. Stupéfaite de se retrouver libre, elle partit en courant vers Dar El-Tifel sans demander son reste. C'est seulement alors qu'elle comprit ce que son arrestation aurait signifié. Bien qu'ébranlée par l'épisode, elle se sentit soulagée. Elle avait à peine franchi la grille de l'école qu'elle aperçut Rania qui venait à sa rencontre, les yeux bouffis de larmes. Une de ses camarades de classe lui avait rapporté la capture de sa sœur. Rania, qui avait peur que Miral ne lui soit enlevée comme sa mère, étreignit désespérément son aînée. Après une brève hésitation, elle menaça de tout raconter à Jamal si Miral n'arrêtait pas de participer aux manifestations.

3.

À Jérusalem, l'arrivée du printemps était magique. Les collines se couvraient de verdure, les arbres, de fleurs, et le parfum des herbes sauvages et des fruits exotiques des marchés envahissait l'atmosphère. Les Arabes comparent cette saison à une mariée, vêtue de vert et de rose, qui arrive en ville après s'être réveillée de sa torpeur hivernale. En rentrant à l'école après un week-end à la maison, Miral rapportait toujours quelque chose à ses amies. Aux premiers jours du printemps, elle offrit pendant la récréation des amandes douces et des cerises à un groupe de camarades assises sur un banc. L'une d'elles était Hadil, une fille toute menue aux traits doux et gracieux et au joli sourire accentué par deux fossettes, que Miral connaissait depuis qu'elles avaient six ans. Les deux adolescentes s'échangeaient souvent des romans et se moquaient de certains enseignants. Hadil imitait particulièrement bien le professeur de maths, avec sa façon très française de prononcer les *r* et ses perpétuels éternuements.

Miral fit signe à son amie de la rejoindre dans un endroit discret où elles pourraient parler seule à seule. Une manifestation étudiante à laquelle elle mourait d'envie de participer se préparait cet après-midi-là. Une vingtaine de filles devaient déjà y aller, et Miral demanda à Hadil de les accompagner. Les élèves partiraient une par une pour ne pas attirer l'attention et devaient se retrouver vers trois heures à la porte de Damas. Une des pensionnaires de Dar El-Tifel ayant déjà été arrêtée – à la première manifestation à laquelle elle avait participé –, les allées et venues des élèves faisaient l'objet de contrôles beaucoup plus stricts. Miral savait que plusieurs professeurs la soupçonnaient d'être l'une des instigatrices de ces rassemblements, sans avoir jamais pu le prouver. Même sa camarade Nissrine n'avait pas révélé son nom lors de son arrestation.

*
* *

Nissrine était la fille d'un marchand d'épices. Sa mère était morte quand elle avait dix ans. Son père l'avait inscrite dans l'école de Hind Husseini pour respecter les dernières volontés de son épouse. Les deux filles avaient le même âge et fréquentaient les mêmes cours sans être vraiment amies. Elles ne se connaissaient mieux que depuis que Nissrine avait exprimé le désir de participer aux manifestations étudiantes.

Le jour où elles étaient parties manifester ensemble, Miral avait perdu Nissrine de vue. Par la suite, elle avait appris que sa camarade avait rencontré un garçon pendant la marche. Tout sourires et plein d'entregent, il l'avait convaincue de le suivre, malgré les avertissements de Miral, qui lui avait pourtant enjoint d'éviter les contacts avec les inconnus. Sous prétexte de l'emmener en lieu sûr, le jeune homme avait pris Nissrine par la main et l'avait conduite à une fourgonnette de police. C'était en fait un agent des services secrets, dont l'arabe courant et sans accent était aussi trompeur que les sourires. Après avoir fourré leur prisonnière dans le car, les policiers lui avaient passé les menottes et avaient démarré. Elle avait essayé de rester calme même lorsque les cahots s'étaient faits plus violents, lui révélant qu'ils s'éloignaient de la ville. Au bout d'une vingtaine de minutes, qui lui avaient semblé durer une éternité, le véhicule s'était arrêté. Ils étaient en pleine campagne, mais on ne l'avait pas laissée sortir. Au contraire, le conducteur était passé à l'arrière, où elle s'était retrouvée face à six hommes.

L'interrogatoire avait commencé. Qui était-elle ? Une étudiante ? Si c'était le cas, où ça ? Que faisait-elle à la manifestation ? Avec qui était-elle venue ? Et surtout, qui était le chef de son groupe ?

Nissrine avait peur. L'angoisse qui lui serrait le ventre lui faisait aussi flageoler les jambes, et sa tête bourdonnait tellement qu'elle n'arrivait pas à penser. Elle avait répondu d'une voix hésitante, déclinant son identité et expliquant qu'elle étudiait à l'école Dar El-Tifel à Jérusalem. À ce moment-là, les policiers avaient échangé des coups d'œil interrogateurs, et le garçon qui avait piégé Nissrine avait lancé un bref signe mystérieux de connivence au plus vieux.

Remarquant leur manège, Nissrine s'était demandé ce qu'ils attendaient exactement d'elle. Il y avait tellement de filles à la manifestation. Pourquoi l'avaient-ils choisie, elle ? Bien qu'il s'agisse en fait d'une coïncidence, une vague d'angoisse et de paranoïa la gagnait. Son cœur battait à toute allure et, tandis qu'elle vomissait le contenu de son estomac, une pensée résonnait dans sa tête : ils l'avaient amenée là, au milieu de nulle part, pour une raison précise. Si elle ne parlait pas, elle ne rentrerait jamais chez elle. Alors qu'elle était décidée à mourir sur place et à refuser de divulguer la moindre information sur ses camarades, la camionnette avait inexplicablement fait demi-tour et repris comme par magie le chemin de Jérusalem. Peut-être était-ce parce que Dar El-Tifel avait été mentionné ? En tout cas, Nissrine avait dû passer trois mois en prison.

À l'orphelinat, les filles étaient très proches et se considéraient comme des sœurs. En dépit de quelques disputes mineures, Hind veillait à ce qu'elles se sentent membres d'une famille aux liens plus forts que ceux du sang. Miral était l'une des élèves les plus actives et les plus admirées, excellant à la fois dans ses études et dans l'organisation d'activités extrascolaires, mais, au-delà de son dévouement dans les camps de réfugiés, c'était à cause de son grand cœur et de sa passion pour la politique que les autres filles la considéraient comme leur leader.

De nombreuses pensionnaires venaient lui demander conseil pour résoudre leurs problèmes. Miral attachait pour sa part beaucoup d'importance aux opinions de Hadil, dont le caractère calme et serein était diamétralement opposé au sien. Si elle parvenait à pacifier Miral dans ses moments d'anxiété et trouvait toujours le mot juste, Hadil préférait rester silencieuse le reste du temps. Désireuse de voir son amie de toujours s'investir politiquement, Miral avait réussi à la persuader de se joindre à une manifestation l'après-midi.

En général, les marches prenaient de l'ampleur au fur et à mesure que les participants traversaient divers quartiers, dont les habitants les rejoignaient parfois spontanément. Mais ce jour-là, la police, prévenue d'une manifestation organisée tout spécialement à la mémoire de l'intellectuel Ghassan Kanafani, avait appris à l'avance le lieu de rendez-vous. Dès le début, les chars israéliens avaient encerclé la place al-Manara de Ramallah, où s'étaient retrouvés les étudiants de toutes les écoles et les universités de Cisjordanie.

Des tireurs étaient postés sur les toits des immeubles avoisinants et, dès qu'ils eurent repéré les premiers soldats, les jeunes contestataires commencèrent à lancer des pierres en psalmodiant : « Libérez la Palestine ! Les Israéliens dehors ! » Un nuage de gaz lacrymogène les enveloppa immédiatement. Des hurlements et des coups de feu fusèrent. La manifestation tournait au chaos. Miral prit instinctivement la fuite, courant le plus vite possible pour éviter d'être arrêtée, en essayant de ne pas lâcher la main de Hadil. Au bout de trois cents mètres, elle fut renversée par quelqu'un, et s'aperçut que Hadil lui était tombée dessus. En tentant de la redresser, Miral vit que ses mains étaient couvertes d'un épais liquide. Elle ignorait d'où il venait et laquelle des deux était blessée, jusqu'à ce qu'elle rencontre un trou dans le crâne de Hadil. Miral voulut crier, mais ne parvint à articuler aucun son : ils étaient prisonniers de sa gorge, comme dans un cauchemar. Personne ne saurait jamais si Hadil avait été tuée délibérément ou victime d'une balle perdue tirée par les snipers chargés d'éliminer un des chefs de l'intifada.

Le corps de Hadil était étendu sur le sol, les bras levés au-dessus de sa tête comme dans un effort désespéré pour éviter la balle tellement plus rapide qu'elle, qui venait de faucher sa jeune vie.

Miral entendait les sirènes des ambulances qui s'approchaient et les pas des soldats passant au peigne fin les rues du quartier. Incapable de trouver la force de bouger, elle restait clouée sur place à côté du cadavre. La mort venait de faire une entrée fracassante dans son existence, et elle sanglotait sans pouvoir s'arrêter, des larmes de désespoir, de rage, d'impuissance, et surtout de culpabilité.

Quand une main chaude lui enserra l'épaule, elle n'eut pas peur. Ils pouvaient l'arrêter, elle ne résisterait pas. Mais la voix qui s'adressa à elle n'était pas celle d'un soldat israélien. En se retournant, elle découvrit un grand type athlétique au teint pâle d'une trentaine d'années. Son regard sombre et intense était plein de bonté. En quelques mouvements décidés, il la remit sur pied, lui passa un bras autour des épaules et l'emmena à l'écart. Miral essaya de résister, mais il lui expliqua qu'ils devaient partir sur-le-champ, et que les membres de la Croix-Rouge s'occuperaient de récupérer la dépouille de Hadil.

— S'il vous plaît, lâchez-moi ! Je ne peux pas l'abandonner. Laissez-moi rester ici, je vous en supplie ! protesta-t-elle.

— Il faut qu'on s'en aille. Je t'emmène en lieu sûr, lui annonça l'homme d'un ton qui n'admettait pas la discussion.

Miral comprit qu'elle n'avait pas le choix.

Momentanément paralysée, elle ne sentait plus son propre corps, mais son sauveteur la serrait contre lui. Après avoir traversé la place, ils montèrent dans une voiture qui les conduisit directement à Jérusalem et les déposa dans la vieille ville, en face de la porte de Jaffa. Son compagnon la soutenait toujours. Il marchait vite, comme s'il connaissait par cœur le mystérieux dédale des ruelles pentues. Ils devaient avoir pénétré dans le quartier arménien : avant de s'évanouir, Miral entrevit la cathédrale Saint-Jean.

Lorsqu'elle reprit conscience, il faisait déjà sombre, mais une lueur rosée filtrait à travers une petite fenêtre. Une fois que ses yeux se furent accoutumés à la pénombre, elle distingua quelqu'un d'autre dans la pièce, un homme qui lisait, assis dans un fauteuil bas.

— Où suis-je ? Qui êtes-vous ? demanda-t-elle en essayant de se redresser.

— Enfin, tu es réveillée ! Vas-y doucement ! Tu es en sécurité, répondit son interlocuteur en posant son livre.

— Oh, mon Dieu, il est tard, presque minuit ! Il faut que je retourne à l'école. Ils vont être furieux contre moi ! Cette fois-ci, je vais me faire renvoyer, c'est sûr ! gémit Miral.

Encore trop faible, elle tenta à nouveau de se mettre debout, pour retomber immédiatement sur le canapé.

Au même moment, elle aperçut son reflet dans le miroir : à la vue de son visage tuméfié, de ses cheveux en bataille et de son uniforme poussiéreux et taché de sang, elle se souvint. L'angoisse et la panique la submergèrent à la pensée que c'était elle qui avait encouragé Hadil à participer à la manifestation. Elle allait devoir affronter la colère de tout le monde : la famille et les amis de Hadil, et ses professeurs. Désespérée, elle dit en pleurant à l'homme, sans même le regarder :

— Il faut que je parte, il faut que j'y aille tout de suite... Oh, mon Dieu ! Qu'est-ce que j'ai fait ? Hadil ! Hadil !

— Calme-toi, Miral. Ne t'inquiète pas pour ton école, je les ai déjà prévenus.

— Qu'est-ce que vous savez de mon école ? Qui êtes-vous ? Un espion ? cria Miral au bord de l'hystérie, élevant la voix comme pour essayer de se donner du courage.

Sur ce, une femme entre deux âges entra, portant des tasses et un récipient fumant. Le parfum du thé à la menthe envahit la pièce.

— Ne m'insulte pas ! s'écria l'homme en s'approchant de Miral. Mais tu as raison, nous ne nous sommes pas présentés. Je m'appelle Hani. Je t'ai vue à la manifestation, et c'est moi qui t'ai amenée ici.

— Lui, un espion ! s'indigna gentiment la femme. Il ne manquerait plus que ça. (Elle versa le thé dans les tasses.) Bois un petit peu. Ça te fera du bien... Tu es chez nous, maintenant.

— J'ai pris la liberté de jeter un coup d'œil à tes papiers, c'est pour cette raison que je sais que tu vis à Dar El-Tifel. J'ai appelé l'école et je leur ai tout raconté. C'était préférable, continua-t-il en sirotant son thé chaud.

Sa voix était douce et grave en même temps.

Honteuse de son comportement, Miral acquiesça :

– Vous avez bien fait… C'est parfait…

Dès que la jeune fille se sentit mieux, Hani appela un taxi et la raccompagna jusqu'à l'entrée principale de l'école. Pendant le trajet, ni l'un ni l'autre ne prononcèrent un seul mot. Miral repensait à la manifestation, à Hadil et à sa mort absurde, tandis que Hani s'absorbait dans la contemplation des murs de la vieille ville, puis des élégantes maisons de pierre blanche et rose du quartier de Cheikh Jarrah. Tout était si calme, alors qu'à quelques kilomètres de là, la population baignait dans une atmosphère de violence et de cruauté. Lorsque le taxi s'arrêta, Miral en sortit en articulant tout juste : « Merci » avant que Hani ne disparaisse.

*

* *

Les jours suivants, Miral, anéantie par la responsabilité de la mort de Hadil, sombra dans un état de désespoir intense. Quelques camarades, notamment Aziza, tentèrent de la consoler, mais les autres gardaient leurs distances comme pour lui manifester leur déception et leurs craintes.

Le corps professoral était également très perturbé. L'administration discutait des mesures à prendre vis-à-vis de Miral. Ayant enfreint toutes les règles et mis l'école en danger, elle avait de fortes chances d'être renvoyée. L'adolescente redoutait par-dessus tout d'être expédiée chez sa tante de Haïfa, ce qui l'obligerait à abandonner ses activités politiques, ses cours au camp de réfugiés de Kalandia et ses amis. Loin d'avoir amoindri son désir de prendre activement part à la lutte de son peuple, le décès de Hadil l'avait renforcé. Il lui était difficile de donner à ses professeurs une explication rationnelle à ce qu'elle était en train de vivre. Elle avait la sensation d'appartenir à cette partie de l'humanité qui, au lieu de se résigner à se soumettre aux circonstances, est déterminée à les changer. Même si elle savait qu'il lui serait dorénavant de plus en plus difficile de quitter l'école pour donner ses cours et aider les petits réfugiés à rêver, ses pensées revenaient toujours vers Khaldun. Ce garçon était trop agité, trop courageux et imprudent pour survivre dans ce monde-là.

Miral comprenait aussi à présent ce qu'Abdullah, son ancien professeur de gym, lui avait jadis confié : « Si tu veux appréhender ce conflit dans toute son ampleur, mesurer l'étendue de ses implications régionales et identifier ses acteurs les plus importants, tu dois commencer par tout apprendre à son sujet depuis le début. » Cette tirade qui ne représentait à l'époque rien d'autre pour elle que des mots abstraits et lointains lui semblait désormais prophétique.

En attendant la décision de l'école, Miral passait ses journées allongée sur son lit à regarder dans le vague. Elle devait se forcer à se nourrir et à se laver. Aziza lui apportait du yaourt et lui donnait la becquée en essayant de l'embrasser et de la caresser comme elles le faisaient lorsqu'elles étaient enfants. Ses mains familières relaxaient et réconfortaient Miral, mais en regardant son amie dans les yeux, elle se sentait souvent honteuse à l'idée qu'elle puisse y deviner son intention de continuer ses activités politiques. Miral lui demandait sans cesse des nouvelles des enfants du camp, et surtout de Khaldun. Quand Aziza lui rapporta qu'il était très inquiet à son sujet, Miral se rendit compte qu'il était temps d'agir. Elle avait déjà choisi la personne susceptible de l'aider dans cette voie : Hani.

Dans l'intervalle, l'administration de Dar El-Tifel avait tenu une réunion extraordinaire, pendant laquelle Miriam et les autres membres du conseil avaient voté à l'unanimité le renvoi de Miral. Elle était rendue directement responsable de l'agitation des élèves, d'avoir incité certaines à sécher les cours pour assister aux manifestations, remettant ainsi en question la sécurité de tous. L'affaire Hadil avait dépassé les bornes.

Hind intervint malgré tout pour s'opposer à cette décision, expliquant à l'assemblée que les filles avaient particulièrement besoin du soutien et de la compréhension du conseil en ce moment. Pour Hind, les élèves ne devraient pas être sanctionnées pour leur passion citoyenne. Elle se considérait personnellement responsable de ce qui était arrivé, et estimait donc que la décision finale lui incombait. Malgré les objections de Miriam sur l'impulsivité de Miral et le danger potentiel qu'elle représentait pour l'école, Hind ne fléchit pas et la convoqua dans son bureau.

— Sais-tu comment j'ai réussi à garder cet endroit ouvert ? En convainquant tout le monde que l'éducation est notre meilleur moyen de résister. As-tu la moindre idée du nombre de fois où nous avons dû tout recommencer à zéro ? Quand j'ai trouvé les premiers orphelins dans la rue, je n'avais que cent vingt-huit dinars en poche. En ce qui me concerne, vous êtes toutes mes enfants, et je vous aime beaucoup, toi en particulier. Ce qui vous différencie des gamins des camps de réfugiés, c'est que tout un éventail de possibilités s'offrira à vous dans le futur. Ne gaspille pas cette chance.

Hind proposa à Miral le choix entre deux lignes de conduite : soit elle s'engageait par écrit à ne pas quitter l'enceinte de l'école sans une autorisation expresse, soit elle faisait ses valises et partait immédiatement pour Haïfa, où son père avait accepté de l'emmener. Si elle restait à Dar El-Tifel, elle serait renvoyée sur-le-champ à la moindre violation du règlement.

Miral approuva d'un signe de tête, les yeux pleins de larmes. Elle essaya tout de même d'expliquer à Hind que la colère et le sentiment d'injustice qui croissaient en elle l'obligeaient à agir.

— On ne peut pas rester les bras croisés en attendant d'être libérés par d'autres. Ce n'est pas juste de laisser les jeunes des camps lutter seuls… On est appelées à jouer un rôle, nous aussi, plaida-t-elle.

— Tu as raison, Miral. Chacun d'entre nous fait ce qu'il peut pour la Palestine. En ce qui me concerne, je dois m'assurer que cette école ne ferme pas. Des milliers de familles comptent sur moi. De nombreuses filles seraient à la rue autrement, et je ne peux pas permettre une chose pareille. Il faut que tu te souviennes que la moindre activité politique de l'une d'entre vous peut sérieusement mettre en danger cet endroit. Bientôt, tu comprendras que tu disposes de nombreux moyens de t'impliquer. Notre futur État aura besoin de jeunes femmes astucieuses et intelligentes, pas de martyres.

Elles se dévisagèrent longuement. Le regard sévère de Hind trahissait l'amour qu'elle ressentait pour sa filleule rebelle, alors que celui de Miral brillait d'une fierté impatiente.

4.

Trop bouleversée par la mort de son amie pour se souvenir de la localisation exacte de la maison où Hani l'avait emmenée, Miral était néanmoins sûre d'arriver à trouver quelqu'un qui la lui indiquerait. Elle se rendit dans le quartier arménien – l'un des plus fascinants de la vieille ville, en dépit des blessures que lui avaient infligées les rudes combats de 1948 –, et essaya d'obtenir des informations d'un groupe d'enfants jouant au ballon sur une place illuminée par le tiède soleil du matin.

— Bien sûr qu'on le connaît, répondit le plus âgé. Mais tu es qui ? Et qu'est-ce que tu lui veux ?

— Dis-lui que Miral le cherche. Il sait qui je suis.

Le garçon donna un coup de pied dans son ballon, qui rebondit sur la pierre lisse, et posa sur elle le regard scrutateur d'un adulte.

— Attends-moi ici. Je vais l'appeler, fit-il en s'éloignant, les mains dans les poches.

Son pantalon trop grand lui donnait une allure comique.

Miral s'abandonna au spectacle des toits blancs de Jérusalem. « Mon Dieu, j'aime cet endroit autant que je le déteste », pensa-t-elle.

Peut-être cette ville deviendrait-elle un jour la capitale de deux États, l'un israélien, l'autre palestinien. Miral avait beau être née à Haïfa, en admirant le dôme du Rocher qui brillait sous les rayons du soleil, elle eut envie de se fondre avec sa ville d'adoption.

Au bout de quelques minutes, le garçon revint avec Hani, qui parut à Miral plus mince et bien plus grand que dans ses souvenirs. Il avait des cheveux bruns ébouriffés et portait un jean et un pull gris. Son sourire radieux démentait son regard mélancolique.

— On dirait que tu t'es très bien remise, dit-il en lui serrant la main. Je suis content. Tu as pris ton petit déjeuner ? Suis-moi, je connais un restaurant près de la porte de Damas qui sert un excellent houmous.

— Non, merci. Je ne veux pas te déranger. J'ai juste besoin que tu me consacres cinq minutes pour te parler de quelque chose d'important.

— Allons d'abord faire une petite promenade, dans ce cas. Mais nous discuterons mieux l'estomac plein.

La vieille ville était en effervescence, fourmillant de touristes venus pour Pessah et Pâques. La journée s'annonçait douce, et une agréable brise fraîche caressait les collines sinueuses de Judée.

— Alors, ce sujet important ? demanda Hani.

— Eh bien, voilà : il s'agit d'une de mes connaissances, un garçon du camp de Kalandia, quelqu'un de très intelligent, qui s'exprime très bien. J'ai lu une de ses nouvelles, que j'ai trouvée très prometteuse, enfin, s'il a l'opportunité d'aller plus loin. On lui a attribué une bourse pour étudier à Damas, mais je ne crois pas qu'il l'acceptera, pour ne pas abandonner l'intifada. Il est toujours le premier à lancer des pierres ou à se servir de sa fronde contre les chars israéliens. J'ai peur qu'il ne lui arrive malheur à la longue.

Miral s'interrompit, et ils échangèrent un bref regard. Hani semblait doué d'une singulière faculté de déchiffrer ses semblables. Il se remit lentement à marcher.

— Qu'est-ce qui te fait dire que je peux aider ton ami ? s'enquit-il d'une voix étouffée.

— J'ai remarqué ta façon de bouger. Même en plein milieu des affrontements, tu avais l'air sûr de toi. Tu pourrais lui parler, s'il te plaît ? Il a besoin de quelqu'un qui joue le rôle d'un père. Le sien a été tué il y a des années.

— Tu l'aimes ?

— Mais non ! Quelle idée ! se défendit-elle en rougissant.

— Comment s'appelle ce garçon ?

— Khaldun.

Hani sourit en levant les yeux au ciel.

— Quoi ? Tu le connais ?

— Miral, il faut qu'on se fasse confiance, toi et moi. Et si on veut continuer à parler de sujets de ce genre, on doit apprendre à se connaître un peu mieux. Viens, je t'emmène dans un endroit plus sûr, conclut-il en tournant dans une petite rue sombre.

Ils pénétrèrent dans un café occupant le coin d'un immeuble bas, constitué d'une unique grande pièce emplie de fumée jusqu'au plafond. Plusieurs vieux messieurs inhalaient lentement d'interminables bouffées de leurs narguilés, tandis que les clients plus jeunes buvaient du café à la cardamome ou du thé à la menthe. Sur un vaste comptoir orné de carreaux de céramique rouges, jaunes et verts trônait un gros plateau d'argent couvert de pâtisseries orientales. Derrière le bar, deux jeunes gens préparaient les boissons. Hani était apparemment un habitué de l'endroit : tout le monde le salua d'un signe de tête ou d'un sourire, et le propriétaire lui serra la main.

Miral et Hani s'assirent à une table un peu en retrait.

— Tu es très populaire ici, à ce que je vois. Ce ne serait pas mieux de parler dehors, à l'air libre ?

— Quelle méfiance ! C'est bien d'être circonspect par les temps qui courent, mais tu peux te détendre, maintenant, répondit ironiquement Hani en posant sa main sur la sienne. On peut faire confiance aux gens d'ici, ce sont mes amis et mes camarades.

— Tu appartiens au Front populaire de libération de la Palestine ? interrogea Miral tout bas.

Il la regarda droit dans les yeux.

— Oui, Miral, je suis l'officier du FPLP responsable de Jérusalem, son secrétaire, et je connais bien Khaldun. Son père était l'un de nos meilleurs hommes, et il aurait été très fier de son fils. Je ne savais pas qu'il aimait écrire. Je l'ai vu à l'œuvre une fois, pendant un raid de l'armée israélienne sur le camp.

Miral sourit. Quelle chance elle avait eue de trouver Hani !

— Super ! De quelle partie de Palestine viens-tu ? Ton accent est un mélange de celui de Jérusalem et d'autres coins.

Il réfléchit un instant, comme si Miral lui avait posé une question difficile.

— Je suis né au Liban. Ma famille et moi sommes chrétiens. En 1948, mes parents ont fait partie des réfugiés palestiniens qui ont dû quitter leurs terres et leur maison à Jaffa. Nous avons réussi à revenir à Jérusalem via la Jordanie quelques mois après la guerre de 1967, et maintenant nous sommes des réfugiés dans notre propre pays. Désormais, je ne crois plus qu'à notre cause, qu'à l'insurrection populaire. Tu sais ce que veut dire le mot *intifada*, Miral ?

— Bien sûr. Ça signifie relever la tête et se révolter pour garder sa dignité.

— C'est ça.

Il avait la même expression mélancolique qui l'avait frappée la première fois. Miral continua :

— J'ai peur à l'idée de tout ce sang qui va couler. Et même par la suite, Dieu seul sait combien de sacrifices nous devrons encore faire.

Depuis la mort de Hadil, Miral ressentait le besoin de parler politique avec un adulte. Hani n'était son aîné que d'une dizaine d'années, mais elle sentait en lui une grande autorité.

— Évidemment, ce ne sera pas facile, Miral. Ni pour nous ni pour eux. Ils ont construit leur bonheur sur notre malheur, notre diaspora, et ça ne les mènera nulle part. Nos destins sont étroitement imbriqués à présent. Beaucoup d'entre nous seront obligés de quitter le pays, certains mourront, mais la communauté internationale finira par forcer les Israéliens à s'asseoir avec nous à la table des négociations.

C'était exactement ce que Miral souhaitait entendre.

— J'aimerais en faire davantage. C'est frustrant, ce que je vois au quotidien au camp de réfugiés et dans les villages, toutes ces humiliations perpétuelles, tous ces postes de contrôle… Aller trois fois par semaine enseigner l'anglais aux enfants, ça ne me suffit plus. Je suis en colère, et j'ai envie que le monde entier sache ce qui arrive ici.

Hani se passa la main dans les cheveux pour repousser sa frange et prit une profonde inspiration.

— Miral, tu es jeune, mais cette lutte oblige ta génération à grandir très vite. Tu dois bien réfléchir avant de prendre une décision pareille. Si tu choisis de t'engager dans cette voie, tu ne pourras pas revenir en arrière. Et comment vas-tu concilier tout ça avec tes études ?

Miral parut peser sa réponse un moment, comme si elle tentait de mieux comprendre ses propres élans.

— Je sais que ça ne sera pas simple, et qu'après mon bac ce sera encore pire. J'ignore même si je pourrai rester à Jérusalem, mais, pour l'instant, j'estime que notre lutte est cruciale et je veux y prendre part.

Hani considéra la déclaration de Miral, qu'il trouva sincère et sans affectation. Pour lui, il était clair que la jeune fille n'évacuait pas simplement un excès de passion. En même temps, il craignait de lui donner trop d'espoir. Il avait déjà vu tant de jeunes gens à qui la lutte avait été fatale ou qui avaient fini dans les prisons israéliennes.

— Très bien. Comme tu le sais sûrement, tu vas devoir te tenir particulièrement bien informée au niveau politique, et j'aimerais que tu repenses au moins un peu à tout ça. Préviens-moi quand tu auras pris ta décision. Et pour Khaldun, je vais consulter l'organisation. On va essayer de le sortir du camp. On se revoit dans une semaine, d'accord ? Je te contacterai par l'intermédiaire d'une fille de l'école.

En son for intérieur, Miral savait qu'elle n'avait pas besoin d'une minute de plus, car sa décision était prise, mais elle trouva raisonnable de se laisser quelques jours de réflexion. Ils se dirent au revoir devant un mur de pierre blanche. Hani resta sur place quelques instants pour la regarder s'éloigner et se mêler gracieusement à la foule revenant du souk ou rentrant dans les villages. En reprenant la direction du quartier arménien, il fit le bilan des qualités de sa future recrue. Elle ferait une bonne politicienne. Bien sûr, elle était un peu nerveuse et impulsive, mais, avec un brin d'entraînement, elle apprendrait à se contrôler.

Miral ne pouvait s'empêcher de se remémorer les paroles de Hani et ses yeux sombres, qui lui donnaient l'impression de lire au plus profond d'elle-même. Ils partageaient une passion pour la politique et un engagement social dans les camps de réfugiés, et admiraient tous les deux l'aile gauche de l'OLP et sa rigueur morale. Hani restait toutefois critique vis-à-vis de l'intransigeance de la gauche, particulièrement au sujet des négociations de paix avec Israël.

Sur le chemin de Dar El-Tifel, Miral se sentit plus sereine, plus solide. Mais surtout, elle se rendit compte qu'elle était physiquement attirée par le jeune homme. En rentrant chez elle, le week-end suivant, elle traversa le quartier arménien et pénétra dans la vieille ville par la porte d'Hérode. Elle avait le sentiment d'aborder une nouvelle phase de son existence, pleine d'énergie et d'enthousiasme, et, en franchissant la porte, elle considéra à nouveau son choix, sachant qu'elle devrait le vivre en secret.

Je ne reviendrai pas en arrière, se promit-elle.

5.

L'homme fixait intensément Khaldun. Il venait de lui faire une de ces propositions qui pouvaient changer le cours d'une vie. Le jeune garçon regarda autour de lui : la baraque où il avait passé les trois dernières années, les sentiers boueux, les ordures, les enfants qui se poursuivaient au milieu des égouts à ciel ouvert. Que lui restait-il encore à faire ici ? Évidemment, c'était sa maison, son pays, mais c'était aussi l'enfer. Quel futur l'attendait dans ce trou ? Il grandirait dans cette cabane, il y deviendrait vieux, et peut-être y mourrait-il prématurément, pour des raisons sans importance, alors qu'il voulait être utile, jouer un rôle. Il sentait l'adrénaline couler dans ses veines. Oui, il avait envie de jouer au football quand cela lui chantait et de combattre pour de bon un jour. D'un signe de tête, il accepta l'offre.

L'homme lui donna une bourrade dans le dos.

– À la bonne heure ! Alors, c'est d'accord. Débrouille-toi pour être là à sept heures demain matin, dit-il avant de s'éloigner tranquillement.

Khaldun pensa à Miral, et à la dernière fois qu'il l'avait vue, remontant le sentier en direction de Jérusalem. C'était la seule personne à qui il aurait aimé parler avant son départ. Cette nuit-là, allongé sur son matelas, il se souvint des histoires que les anciens du camp racontaient au sujet de Deir Yacine et de Sabra et Chatila, evoquant les corps mutilés entassés qui se décomposaient au soleil. Il songea à son père, mort au Liban – Khaldun ne savait même pas où il était enterré –, et se demanda un instant si Miral n'avait pas raison pour la bourse d'études à Damas. Au moins, il pourrait vivre dans une maison, une vraie. Mais il se rappela ses amis et ses voisins du camp et le cruel destin qui les unissait. Il ne serait pas digne de sa famille s'il ne combattait pas comme son père, son grand-père et son arrière-grand-père. Quand il s'endormit cette nuit-là, il était certain d'avoir fait le bon choix.

*
* *

Saïd s'était réveillé en espérant que Khaldun aurait le temps de lui apprendre à fabriquer une fronde. Il avait attendu une demi-heure à l'endroit où son copain jouait d'habitude au ballon avec les autres, mais, comme il ne se montrait pas, Saïd décida de rentrer en donnant un coup de pied dans chaque canette et chaque bouteille qu'il rencontra en chemin. La mère de Khaldun étendait le linge sur une corde élimée devant chez elle.

— Bonjour. Vous savez où je peux trouver Khaldun ? Il est pas au terrain de foot.

En entendant le nom de son fils, la femme tressaillit. Elle suspendit méticuleusement un drap usé sur la corde avant de se retourner vers le petit garçon.

— Bonjour, Saïd. Khaldun n'est pas là. Il est parti étudier à Damas et il n'a pu dire au revoir à personne parce qu'il a dû partir ce matin à l'aube, mais il m'a chargée de te donner quelque chose.

Saïd regarda la femme disparaître derrière le panneau de tôle ondulée rouillée qui lui servait de porte d'entrée. Quelques instants plus tard, elle réapparut avec un sac en plastique. Après l'avoir remerciée, Saïd le prit et s'éloigna d'un pas lent. Dès qu'il eut atteint le coin de la ruelle, il s'assit sur un rocher pour ouvrir le sac. À sa grande surprise, il y découvrit le pantalon militaire que Khaldun portait toujours, celui qui avait appartenu à son père. Le sac contenait également un autre paquet, enveloppé dans du papier journal. À la vue de la fronde, Saïd fut profondément touché.

Il courut rejoindre les autres enfants pour jouer au foot, les yeux brillants de larmes.

*
* *

Miral avait passé toute la matinée à penser à la manifestation qui devait avoir lieu l'après-midi même à Ramallah. Elle décida de faire d'abord un rapide aller et retour au camp de Kalandia pour distribuer des livres aux enfants et, avec un peu de chance, dire bonjour à Khaldun. Au déjeuner, elle annonça qu'elle ne se sentait pas bien et qu'elle allait s'allonger un moment. Elle fonça dans sa chambre enlever son uniforme, descendit les escaliers en trombe, traversa le parc pendant que les professeurs étaient encore en train de manger et escalada le mur.

Elle courut jusqu'à la porte de Damas, d'où partaient les bus pour les Territoires occupés. Quand elle atteignit enfin le sentier menant au camp, elle aperçut Saïd qui jetait des pierres avec une fronde sur une épave de voiture, sous le regard admiratif d'une brochette de garçons d'âges divers. En se rapprochant, elle s'aperçut qu'il portait le pantalon de Khaldun, même s'il avait dû beaucoup retrousser le bas et nouer une corde à la taille. Sa petite stature contrastait avec les mouvements sérieux et quasi militaires avec lesquels il manipulait la fronde.

Miral dit bonjour à Saïd dès qu'elle eut rejoint le groupe. Il visait avec concentration la seule portion de pare-brise encore intacte dans un enchevêtrement de métal qui avait dû être une Jeep. La voix de sa visiteuse le fit sursauter et il tira à côté, atteignant un de ses camarades dans le dos. Tout le monde, y compris Miral, éclata de rire, sauf Saïd, qui piqua un fard.

Quand ils furent tous calmés, elle se tourna vers lui.

— Pourquoi Khaldun t'a-t-il passé son pantalon ? Tu as gagné un pari ?

— Il me l'a offert avant son départ pour Damas. Mais je l'ai pas vu. C'est sa mère qui me l'a donné.

— Damas ?

— Oui, il est parti très tôt ce matin, et il a pas eu le temps de dire au revoir. Tu dois en savoir plus que moi, non ? C'est toi qui le poussais tout le temps à aller là-bas.

Ne sachant pas si elle devait révéler qu'elle ignorait tout de la décision de Khaldun et qu'elle doutait qu'il soit vraiment parti à Damas, Miral décida de donner le change :

— Bien sûr que j'étais au courant ! Simplement, je ne pensais pas que ce serait si rapide. Tu pourrais m'emmener chez sa mère ? lui demanda-t-elle en essayant de cacher sa surprise et sa satisfaction.

Elle remercia mentalement Hani, qui semblait avoir réussi là où elle avait échoué.

*

* *

Arrivée devant la masure de Khaldun, Miral attendit que Saïd s'éclipse pour frapper. Quand la porte s'ouvrit, Miral se présenta aussitôt.

— Bonjour, on ne s'est jamais rencontrées, mais je suis une amie de Khaldun, une des filles de Dar El-Tifel. Et je... j'aimerais savoir comment vous allez... et comment s'est passé le départ de Khaldun.

— Tu dois être Miral. Entre, et assieds-toi, lui proposa son interlocutrice en indiquant une chaise paillée.

Miral fut surprise que la mère de Khaldun connaisse son nom. Elle apprécia tout de suite cette femme, dont le visage au regard triste s'éclaira d'un joli sourire.

— Khaldun vous a parlé de moi ? s'étonna Miral en s'installant.

— Il m'a prévenue qu'une belle demoiselle passerait peut-être prendre de ses nouvelles. Tu veux du café, mon petit ?

Miral fit signe que oui et son hôtesse se leva pour le préparer. Elle versa dans une petite casserole deux cuillères de café à la cardamome et une de sucre, auxquelles elle ajouta de l'eau, puis fit chauffer la mixture en la remuant doucement.

Tout en parlant, Miral la regardait faire.

— Je me doutais que ce moment arriverait, mais son départ m'a quand même prise de court. Votre fils est un garçon formidable. J'espère juste qu'il va vraiment étudier à Damas et qu'il ne s'arrêtera pas au Liban avec le reste de l'OLP. Est-ce que je peux venir vous voir de temps en temps pour savoir comment il va ?

– Bien sûr, viens quand tu veux. J'ai accepté que mon fils aille vivre loin de moi pour qu'il ait de meilleures perspectives d'avenir. Il t'a laissé une lettre, en me demandant de ne pas l'ouvrir. Je devine à la façon dont il parle de toi qu'il t'estime beaucoup.

Elles burent leur café en silence, assises devant la cabane. Toutes deux savaient qu'il était impossible de faire changer d'avis Khaldun quand il avait pris une décision. Dans les yeux de sa mère, Miral lisait la tristesse d'une perte immense, et en même temps la résignation de quelqu'un qui n'a jamais eu le choix.

– Il faut que j'y aille, annonça Miral dès qu'elle eut fini son café. Je suis ravie de vous avoir rencontrée.

Elles s'embrassèrent affectueusement.

– Khaldun avait raison. Tu es une fille intelligente, et très jolie aussi, la complimenta la réfugiée en lui tendant une enveloppe jaune.

Comme il se faisait déjà tard, Miral décida de rentrer à Dar El-Tifel sans passer par Ramallah, pour minimiser les chances que ses professeurs découvrent son absence. Mais alors qu'elle escaladait le mur pour retomber dans l'enceinte de l'école, elle aperçut une forme assise sur un banc à quelques mètres d'elle, qui lui faisait signe d'approcher. C'était Hidaya, la fille adoptive de Hind.

– Je parie que tu viens d'une marche de protestation, comme d'habitude. Tu sais combien ma mère t'apprécie, et moi aussi, alors je ne lui dirai rien, mais, si j'étais toi, la prochaine fois, je n'irais pas.

Hidaya avait toujours été très gentille avec Miral et Rania. Consciente de sa chance d'avoir grandi à l'école en étant personnellement élevée par Hind, elle avait par ailleurs beaucoup d'affection pour les deux sœurs.

– Non, je suis juste allée au camp de Kalandia, je te jure. Je voulais voir un garçon, Khaldun. Tu t'en souviens peut-être : Maman Hind lui avait obtenu une bourse à Damas. Mais de toute façon, je suis arrivée trop tard.

— Il est déjà parti en Syrie ? Hind m'a dit que comme il avait refusé la bourse, elle l'attribuerait à une des filles de l'école.

— Je n'en sais rien. Sa mère m'a donné une lettre. Peut-être qu'elle dit où il se trouve maintenant, expliqua Miral en sortant de son sac l'enveloppe jaune sur laquelle Khaldun avait simplement écrit : « Pour Miral ». J'ai peur qu'il n'ait fait le mauvais choix, poursuivit-elle. C'est quelqu'un de très intelligent, mais aussi de très impulsif. Il est trop jeune pour choisir avec discernement, et il flirte souvent avec la tragédie.

Hidaya jeta un coup d'œil à l'école, au jardin bien entretenu et au terrain de sport. Cet endroit était toute sa vie, et elle s'y était dédiée corps et âme. C'était son point d'attache, son oasis au milieu d'une terre dévastée.

— Les garçons intelligents sont ceux qui ont l'impression de porter les plus lourds fardeaux, parce qu'ils sont capables de comprendre. Quelquefois, ce n'est pas vraiment un privilège. Va dans ta chambre, maintenant, et souviens-toi de ce que tu as promis à Maman Hind.

Profitant du fait que ses camarades étaient dans la cour pour s'isoler, Miral s'assit sur son lit et ouvrit l'enveloppe. Quoique un peu tremblante, l'écriture était élégante à sa manière.

Chère Miral,

Quand tu liras cette lettre, je serai loin. Mais je ne pars pas pour toujours. Un jour, je reviendrai dans mon pays en homme libre. Je cultiverai les champs de mon village et je reprendrai mes études. Je n'ai pas l'intention de m'enfuir. Bien sûr, je pourrais, mais je n'en ai pas envie. Je ne suis qu'un gosse, c'est vrai, mais j'ai l'impression d'être adulte. Comme tu le sais, la vie dans les camps de réfugiés n'est pas normale : on y apprend à grandir en lançant des pierres, pas en lisant des livres. Le passé me réveille toutes les nuits, et je reste allongé à transpirer et à ressasser ma colère. Ici, je suis seul, mais là où je vais, il y aura d'autres garçons comme moi. Je ne veux pas devenir un héros. Juste un soldat combattant pour un pays qui n'existe pas, mais qui est le mien.

Qu'est-ce que je peux faire de ma vie, du temps dont je dispose, de mon avenir ? C'est la question que je me suis posée pendant mes nuits d'insomnie au camp, et c'est seulement maintenant que je crois avoir trouvé la réponse : je peux me tenir prêt à faire mon devoir, à me battre pour ce en quoi je crois, même si ça doit me coûter cher.

Je voudrais te remercier d'avoir été la seule personne à avoir apporté un peu de joie à mon existence. Tes sourires me tiendront compagnie pendant ce voyage difficile.

À bientôt,

Khaldun.

*

* *

Une importante manifestation regroupant Palestiniens et Israéliens était prévue quelques jours plus tard. Miral, qu'une grippe et l'interdiction de Hind et d'Hidaya avaient empêchée de s'y rendre, somnolait dans son lit quand elle entendit une voix l'appeler.

— Miral, tu es réveillée ?

Hind était debout dans l'embrasure de la porte, ses cheveux blancs noués sur la nuque, l'air très calme comme toujours. Encore assommée par le sommeil et les médicaments et surprise de la trouver là, Miral sourit faiblement. Puis elle se souvint de la manifestation et de son interdiction d'y participer, et son visage s'assombrit.

— Je sais que tu es en colère contre moi, commença Hind en s'asseyant au bord du lit. Et je sais aussi combien tu avais envie d'aller là-bas. C'est pourquoi je suis venue te dire que tout s'est bien passé. Malgré quelques incidents mineurs, la manifestation est restée plutôt paisible en général.

Miral ne put réprimer un sourire de satisfaction.

— Il y a eu un grand nombre de participants. Beaucoup d'étrangers, et surtout de nombreux pacifistes israéliens, qui ont défilé côte à côte avec les Palestiniens, entonné les mêmes slogans, chanté les mêmes chansons, dansé sur la même musique. Si je ne t'ai pas laissée y aller, Miral, c'est parce que je veux te protéger, et protéger l'école. Quand tu auras ton bac et que tu partiras, tu seras libre de faire ce que tu crois être juste, et, d'ici là, j'espère que la situation aura changé et que les filles intelligentes comme toi n'auront plus besoin de jeter des pierres.

Miral observa Hind. Elle avait beaucoup vieilli ces deux dernières années, et paraissait plus fragile, même si la fierté des Husseini et la force séculaire qu'elle avait héritée d'eux brillaient toujours dans ses yeux.

6.

Khaldun était sur la route depuis deux jours, dissimulé dans un camion transportant des oranges en compagnie d'un garçon de deux ans plus âgé. Secoués à cause des nids-de-poule, ils parlaient à peine, mais se souriaient timidement à chaque fois que leurs regards se croisaient. Khaldun avait découvert une petite fente entre les plaques de métal recouvrant les flancs du camion et, à travers cette minuscule ouverture, il entrevoyait le paysage. Ce fut d'abord une succession interminable de vergers, de villages perchés sur des collines et de prairies où paissaient les moutons. La végétation disparut petit à petit, laissant place à de l'herbe brûlée et à un paysage rocailleux et désolé. Lui aussi aurait peut-être un jour un bout de terrain à cultiver, mais, pour l'instant, il était simplement heureux de ne pas devoir se réveiller le lendemain matin dans ce misérable camp de réfugiés.

Un peu plus loin, le camion marqua brutalement l'arrêt, envoyant valser Khaldun la tête la première dans un monceau d'oranges. Quand il se releva, son compagnon de route éclata d'un rire moqueur à la vue du jus orange vif qui lui dégoulinait sur le front. Khaldun lui fit signe de ne pas faire de bruit, comme le leur avait enjoint le chauffeur en cas d'arrêts impromptus. Dehors, ils entendirent des voix qui parlaient hébreu. Ils devaient être arrivés à la frontière. Les deux garçons avaient été cachés tout au fond du camion, près de la cabine du conducteur, dans un espace recouvert de planches, elles-mêmes dissimulées sous une épaisse couche d'oranges. Presque allongés, ils disposaient de très peu de place pour bouger. Si un soldat avait jeté un rapide coup d'œil dans leur direction, il n'aurait pas pu les voir, mais les aurait sûrement repérés en cas d'inspection plus détaillée. La porte arrière du camion était ouverte et des oranges avaient dû s'en échapper. Khaldun entendit d'ailleurs le chauffeur se plaindre de sa cargaison. Instinctivement, il ramassa quelques fruits qu'il utilisa pour boucher la petite ouverture à l'intérieur de la paroi. L'autre jeune homme fit la même chose de son côté. Un soldat israélien passa sa main tout le long du bord de la bâche couvrant le camion. Au bout de quelques minutes, les deux passagers entendirent le son de la porte arrière qui se refermait et du moteur qui démarrait, et poussèrent un soupir de soulagement.

Le camion atteignit enfin le port d'Acre, où il se gara dans la soute d'un cargo à destination de Chypre.

*
* *

Khaldun sentait le navire tanguer. Il avait envie de sortir de ce camion pour monter sur le pont voir l'océan et se remplir les poumons de son odeur. Cela faisait plus de deux jours que son compagnon de voyage et lui n'avaient guère vu que des oranges. Il adorait ce fruit au parfum délicat et au goût particulier. C'était le symbole de son pays et, un jour, il posséderait peut-être une grande orangeraie. Mais, pour l'heure, dans la chaleur de la cale, les oranges empestaient. Une vague enfla, et le bateau se remit à tanguer. Sentant le peu qu'il avait dans l'estomac lui remonter dans la gorge, Khaldun combattit la nausée en essayant de penser à quelque chose de beau. C'était impossible : les relents d'oranges pourries le rendaient trop malade. « Je me demande quand j'aurai mon premier fusil », se dit-il pour tenter de s'échapper de cette situation. Une petite barbe désordonnée avait envahi son visage, durcissant encore ses traits. Tout bien considéré, il était content : le surlendemain, il ne serait plus un réfugié, mais un partisan, peut-être même un guerrier, impliqué dans un combat qui le ramènerait tôt ou tard en libérateur en Palestine. En fin de compte, il avait choisi de ne pas fuir, de ne pas partir étudier les mathématiques à Damas ou travailler au Koweit pour des magnats du pétrole. Au Liban, il allait apprendre et suivre un entraînement.

— Une nouvelle guerre viendra et, cette fois, elle ne durera pas six jours, murmura-t-il, même si personne ne pouvait l'entendre à travers le grondement des moteurs qui noyait tous les autres sons.

Le navire débarqua sa cargaison d'oranges et de désespoir dans le port d'une petite ville au sud du Liban. Les fruits, bien mûrs après la longue traversée, finiraient pressés par de rutilantes machines d'acier et vendus aux quatre coins du globe. Quant aux deux garçons, ils étaient destinés à alimenter un appareil d'un autre genre, une machine de guerre qui en ferait des hommes en quelques mois, transformant leur rancœur en haine, leur excitation en courage, leur adolescence en audace et leur douceur en résolution. Khaldun alluma une cigarette dans l'espoir de se débarrasser du goût amer des oranges. La lune éclairait la mer d'une longue traînée lumineuse qui ressemblait à un pont enjambant les ténèbres.

*

*   *

— Pour commencer, je veux que vous gardiez tous à l'esprit qu'il y a une grande différence entre la violence que notre peuple est contraint d'utiliser pour obtenir le pays qui lui revient de droit et des massacres comme ceux de Deir Yacine et Sabra et Chatila. Si vous comprenez ça, vous êtes déjà sur la bonne voie. Je sais que vos foyers vont vous manquer. Mais regardez de l'autre côté de la mer – là, c'est Acre, et derrière, Haïfa – et vous vous sentirez plus près de chez vous.

En dépit de la gentillesse de son entrée en matière, l'instructeur militaire n'avait aucune intention de se montrer indulgent avec le groupe de jeunes garçons, presque tous mineurs, qui s'étaient rassemblés pour la première fois sur le terrain d'entraînement. Khaldun regarda autour de lui. Sans uniformes, sans armes, plus penauds qu'orgueilleux, ils avaient l'air davantage prêts à faire une balade en bateau qu'à se battre.

À la fin de son petit discours, l'instructeur fit signe à Khaldun, dont les camarades s'égaillaient vers la tente servant de mess.

– Tu dois être le fils de Khaled. J'ai insisté pour m'occuper de toi personnellement, tu sais. J'étais aux côtés de ton père quand il a été tué. C'était un des hommes les plus courageux que j'aie jamais rencontrés. Si on avait eu mille combattants de sa trempe à l'époque, on boirait notre café sur le front de mer à Tel-Aviv à l'heure qu'il est. Tu as ses yeux... Espérons que tu aies aussi son courage. Si c'est le cas, tu pourras bientôt le montrer. Maintenant, tu ferais mieux d'aller manger, parce qu'il ne restera bientôt plus de soupe, même pas en rêve.

Khaldun se maudit de n'avoir rien répondu, de ne pas avoir demandé comment son père était mort. En même temps, il se sentait empli d'un sentiment de libération. Il était peut-être aussi mal habillé et mal nourri que les autres jeunes, mais il avait l'impression d'être différent. Il était le fils de Khaled, le fils d'un héros. Un combattant légitime.

7.

Déjà installé à une table, Hani buvait du café à la cardamome en lisant *Al-Quds*. À son expression, Miral devina que les nouvelles n'étaient pas bonnes. Elle s'immobilisa pour l'observer de loin quelques instants. Il respirait à la fois le calme, le charisme et la dignité. Les clients du café s'approchaient pour lui dire bonjour, et surtout pour entendre ses opinions.

Son regard croisa celui de Miral, à qui il fit signe d'approcher.

Avant qu'elle n'ait eu le temps de s'asseoir, il lui demanda en souriant :

— Tu t'es déjà décidée ?

— Eh bien, toi aussi, tu étais plutôt rapide, l'autre jour. Tu sais de quoi je parle. Autrement, je ne serais pas revenue. Je veux jouer un rôle ! J'en ai assez de rester là à regarder les autres en me tournant les pouces. Tu as vu ce qui se passe à Gaza ? Il y a eu cinq morts rien qu'hier, commenta-t-elle d'une voix ferme, prononçant enfin tout haut les mots qu'elle s'était si souvent répétés dans sa tête.

— Oui, je suis en train de lire un article là-dessus. Malheureusement, on voit tous les jours les comptes-rendus des mêmes crimes, pas seulement à Gaza, mais aussi à Jénine, Naplouse et dans beaucoup d'autres villes palestiniennes. Le plus dérangeant là-dedans, c'est que ces événements ont lieu dans l'indifférence la plus totale de la communauté internationale. Les autres pays sont trop occupés avec leur économie ou les débats au sujet de la corruption de leurs gouvernements pour y prêter attention. En attendant, Miral, j'ai besoin que tu fasses quelque chose d'urgent pour moi. Tu te sens d'attaque ?

— Bien sûr, répondit-elle sans hésiter.

Hani sourit et plia son journal.

— Allons faire un tour !

Dès qu'ils furent dehors, il se remit à parler.

— Je voulais te dire que Khaldun est déjà à Beyrouth, où il va étudier et suivre un entraînement.

Sans penser aux conséquences, Miral se jeta à son cou et l'embrassa sur la joue. Ils passaient devant la porte de Damas, et les autres piétons les dévisagèrent, scandalisés. Hani se détacha doucement de Miral et la prit par le bras.

— Le couvre-feu vient d'être suspendu dans un des camps de réfugiés près de Ramallah. Nous irons bientôt aider les fermiers à ramasser leurs olives avant qu'elles pourrissent.

L'expression surprise et déçue de Miral sembla l'amuser, et il ajouta :

— Écoute, ce que tu vas faire est extrêmement important. C'est comme ça que notre peuple vit. Le moindre petit geste compte. Mais il faut d'abord que je te présente au reste du groupe.

La réunion avait lieu dans un vieil appartement du quartier arménien, près de la porte de Jaffa. C'était la partie la plus élevée de la vieille ville, qui offrait une vue sur les toits, rouges à l'ouest et blancs à l'est, avant de descendre vers l'esplanade des mosquées. Le clocher de la cathédrale Saint-Jean se dressait majestueusement au-dessus d'un ensemble de bâtiments plus bas et des frondaisons luxuriantes des jardins publics, lieu de rendez-vous de prédilection des jeunes gens du quartier. Les propriétaires d'une boutique située de l'autre côté de la rue surveillaient l'appartement de près. Dès qu'ils apercevaient la police, ils avertissaient le groupe en accrochant un chiffon blanc à leur porte pour signaler que l'endroit devait être évacué sans tarder.

Dans la pièce près de l'entrée, une dizaine de personnes s'affairait, photocopiant ou polycopiant des tracts. Dans la suivante, plus vaste et plus confortable, six autres étaient en pleine discussion, assis à une grande table en bois, au milieu des volutes de fumée de cigarette qui stagnaient sous la voûte du plafond de pierre.

L'un d'eux, un jeune homme nommé Ayman, parla le premier.

– Voilà notre secrétaire ! dit-il en montrant Hani du doigt. On se demandait comment trouver un moyen de mettre en contact sans danger les chefs locaux de l'intifada avec les hommes de l'OLP à l'étranger.

Avant de répondre, Hani fit signe à Miral de s'approcher.

– Il faut aussi que nous trouvions d'autres canaux pour envoyer et recevoir des messages. Comme les anciens ne sont plus sûrs, nous avons besoin de têtes inconnues des services secrets. Je vous présente Miral, une nouvelle camarade.

Miral les salua. Leurs sourires lui signifièrent qu'elle faisait déjà partie du groupe, et ils l'invitèrent à prendre place autour de la table. La cellule étant clandestine, leurs réunions se tiendraient de temps en temps dans d'autres appartements, parfois même dans des parcs. Miral en serait informée directement, soit par Hani, soit par Jasmine, une fille de son quartier.

Hani commença à passer devant l'école un jour sur deux, arrivant toujours à la même heure, juste après la fin des cours. Il se postait discrètement derrière un grand arbre près de la grille à l'arrière du campus. Quand Miral l'y rejoignait, ils n'échangeaient que quelques mots pour ne pas être remarqués du gardien. Hind se doutait bien de quelque chose, mais pensait que Miral se laissait juste emporter par le tourbillon de l'adolescence. La jeune fille faisait très attention à ne pas se faire prendre. Elle paraissait constamment distraite et semblait avoir perdu sa gaieté et sa vivacité habituelles. Ses notes n'étaient plus aussi spectaculaires que par le passé, mais elle essayait de se comporter comme d'habitude, au moins avec les plus jeunes pensionnaires. Les soirs où elles lui demandaient de leur raconter une histoire avant de dormir, Miral se plantait au milieu de la pièce en les invitant à poser leur tête sur l'oreiller et à fermer les yeux. Elle les régalait d'un conte des *Mille et Une Nuits*, où un roi tuait ses épouses l'une après l'autre pendant leur nuit de noces par peur d'être trahi, jusqu'à ce qu'une jeune femme appelée Schéhérazade obtienne son salut en le captivant soir après soir avec un nouveau récit. C'était son moment préféré de la journée.

Même si elle ne laissait rien paraître, Hind, qui la connaissait trop bien, sentait qu'elle feignait d'obéir aux règles. Comme Miral risquait le renvoi à la moindre incartade, la directrice fermait les yeux. Elle l'aimait trop et, surtout, elle croyait en sa filleule, qui, comme tous les jeunes de sa génération, était obligée de grandir trop vite.

*

* *

Miral tint sa promesse et retrouva Hani pour l'accompagner au camp de réfugiés près de Ramallah. Cette expédition tombait un week-end qu'elle passait chez son père, à qui elle dit simplement qu'elle allait voir une amie pour la journée.

— As-tu déjà lu *Palestinien sans patrie*, d'Abou Iyad ? lui demanda Hani alors qu'ils montaient dans la voiture. C'était l'un des esprits les plus éclairés de notre peuple. Il est mort assassiné par le Mossad[1].

Tandis qu'ils roulaient, secoués par les nids-de-poule, Miral donna libre cours à la colère qui bouillait en elle depuis sa dernière visite à Kalandia.

— Les affrontements que j'ai vus m'ont convaincue qu'enseigner l'anglais aux enfants ne suffit pas. Je suis d'accord pour aider les fermiers avec leurs récoltes, mais je veux en faire plus. Je parle d'une véritable riposte, d'une réponse appropriée, qui ferait beaucoup de bruit dans l'autre camp. Enfin, Hani, vous tous qui appartenez au Front populaire, vous êtes censés être des hommes d'action, pas des beaux parleurs !

Concentré sur sa conduite, Hani essayait d'éviter un maximum d'ornières sur la portion d'asphalte divisant ces collines que l'on se disputait si âprement.

— Miral, il faut que tu te mettes dans la tête que le but de cette lutte n'est pas de nous permettre d'évacuer notre rage,

---

1. Une des trois agences israéliennes de renseignements avec Shin Bet (sécurité intérieure) et Aman (sécurité militaire). Le Mossad est chargé du renseignement, des opérations spéciales et de la lutte antiterroriste.

mais de nous libérer de l'occupation. Je comprends ton enthousiasme et je l'apprécie. Je sais que tu es une fille courageuse, peut-être même un peu trop, et, crois-moi, tu vas être très utile au FPLP et à la cause palestinienne. En revanche, il n'y a aucune chance pour que je t'autorise à rejoindre la faction armée de notre mouvement, tu es beaucoup trop impulsive pour ça. Au lieu de te battre, tu travailleras à l'intérieur de la structure politique. Nous avons besoin de perspectives nouvelles, d'individus intelligents qui pourront aider notre peuple à prendre conscience des problèmes et à les comprendre. L'ignorance est un piège dans lequel il n'est que trop facile de tomber. J'ai décidé que tu servirais de messagère à notre branche chargée de l'organisation. Tu verras, c'est une mission très excitante. Et je veux aussi que tu assistes aux réunions hebdomadaires de la section pour t'imprégner de ce qui s'y dit.

Il posa sa main sur la sienne. Sa chaleur procura à Miral une plaisante sensation de trouble. Hani était lui aussi décidément sous le charme de la jeune fille, de sa fraîcheur, de ses silences et de l'expression de défi qu'il voyait parfois traverser son regard. Il estimait que son impatience de participer à la lutte serait très utile, à condition d'être convenablement canalisée.

En arrivant au camp, ils avisèrent un groupe de paysans et de garçons et de filles plus jeunes qui s'activaient à ramasser des olives. Perchés dans les arbres, certains détachaient les grappes, pendant que les femmes les mettaient dans des caisses ou les rassemblaient sur des feuilles de plastique étalées à même le sol. Miral et Hani se joignirent à eux et s'attelèrent à la tâche. Au bout de quelques heures, Miral avait terriblement mal aux bras et aux jambes. Hani lui tendit une bouteille d'eau en lui proposant de s'arrêter une ou deux minutes. Comme la première matinée de récolte se terminait, ils furent invités à un déjeuner avec les fermiers. Disposé sur un tapis bleu et rouge entouré de coussins en laine et déplié à même le sol à l'arrière de la ferme, le repas se composait de brochettes d'agneau grillé, de riz au safran, de légumes sautés et de salade. Alors que les autres s'asseyaient pour se restaurer, Hani s'éloigna en direction d'une petite maison isolée, chargé d'une assiette bien remplie et d'une carafe de limonade. Miral aperçut un homme d'une trentaine d'années qui parlait avec lui en dévorant le contenu de l'assiette. Bien que n'ayant aucune idée de son identité, elle supposa qu'il se cachait dans la petite baraque.

À son retour, une demi-heure plus tard, Hani s'assit à côté de Miral, qui mâchait un morceau d'agneau. Remarquant une mèche de cheveux lui tombant sur le visage, il l'écarta affectueusement avec un sourire, en rapprochant son visage du sien. Comme les battements de son cœur s'affolaient, Miral baissa les yeux pour dissimuler sa gêne. Mais le reste du groupe, absorbé par la conversation et les plaisanteries qui fusaient, n'avait rien remarqué. Hani se pencha à nouveau vers elle pour lui proposer autre chose à manger, mais, cette fois, la jeune fille, qui venait de s'apercevoir de l'heure tardive, sauta sur ses pieds en s'exclamant : « Oh, mon Dieu ! Il faut que je parte ! » Voyant qu'elle craignait que son père ne commence à s'inquiéter, Hani proposa de la raccompagner chez elle sur-le-champ. Arrivés à Jérusalem, ils laissèrent la voiture dans un parking à l'extérieur de la vieille ville, puis traversèrent le souk à pied jusqu'à l'endroit où ils devraient se séparer. Emplis d'un bonheur qui se passait de mots, ils marchaient main dans la main, presque enlacés, et échangeaient des regards pleins de compréhension mutuelle et de désir en se frayant un chemin à travers la foule qui redescendait vers les villages aux alentours de Jérusalem. Au milieu de ce tohu-bohu, Miral ne remarqua pas son père, qui achetait du café à un marchand. Stupéfait et incrédule, Jamal regarda sa fille passer. Dans sa colère, il oublia son café et la rattrapa.

— Qu'est-ce que tu fais là, Miral ? Et qui est cet homme ? Non, attends, je ne veux rien savoir, dit-il en l'empêchant de répondre d'un geste de la main. Tu viens avec moi immédiatement, cria-t-il en la tirant par le bras.

Hani essaya de s'expliquer, offrant ses plus plates excuses, mais rien n'est plus obstiné qu'un père furibond qui croit protéger sa fille.

Le jeune homme suivit un moment des yeux Miral, que Jamal entraînait le long de la Via Dolorosa. *Quel nom parfaitement approprié !* pensa-t-il avant de reprendre le chemin de son appartement.

Miral, qui s'était retournée un instant, vit qu'il avait disparu. Elle avait peur que cet épisode ne marque la fin de leur relation.

— Qu'est-ce que tu fabriquais, nom d'un chien ? C'est ce que j'aimerais savoir ! Tu es devenue folle ?

Son père la pressait d'un torrent de questions, moins pour obtenir des réponses que pour exorciser sa peur et sa colère.

— Qu'est-ce que tu faisais avec ce type ? Tu sais qui c'est, au moins ?

Alors que Jamal continuait à vociférer en la poussant devant lui, Miral trouva la force de riposter :

— C'est un de mes amis, papa. Quelqu'un de bien. Ce n'est pas un péché d'avoir des activités politiques. Hani est un véritable patriote !

Jamal n'avait jamais entendu la voix de sa fille vibrer d'une telle fierté.

— Un patriote ? répondit-il en ouvrant la porte d'entrée. Tu ne sais pas de quoi tu parles ! Depuis quand tu le connais ?

— C'est un ami de Jasmine. Je l'ai rencontré par hasard…

Mais avant qu'elle n'ait eu le temps de finir sa phrase, Jamal la gifla.

— Ne me regarde pas dans les yeux en mentant ! tonna-t-il. Tu me prends pour un idiot ? Maintenant, écoute-moi bien. Tu es trop jeune pour comprendre le pétrin dans lequel tu t'es fourrée, alors, avant que tu ne fasses une bêtise irréparable, je t'interdis de revoir ce type ! Tu m'entends ? J'ai déjà vécu ce genre de situation. Notre famille a été détruite par la même chose. Ma sœur a passé dix ans en prison avant d'être jetée hors du pays. Elle ne reverra jamais sa patrie. Je ne veux pas de ça pour toi. La violence n'est pas la solution.

— Tu ne comprends rien à rien parce que tu t'es caché toute ta vie dans une mosquée.

Les mots étaient sortis automatiquement de la bouche de Miral. Voyant à quel point elle avait blessé son père, elle se rétracta : « Je ne le pensais pas, papa. »

Mais un océan de déception les séparait subitement. Jamal était bouleversé. Miral ne l'avait jamais vu dans un état pareil, et les mots restèrent coincés dans sa gorge tandis que les larmes dégoulinaient sur ses joues.

Humiliée et troublée, elle ne pouvait empêcher ses pensées de revenir aux événements des dernières semaines. C'étaient les plus intenses de son existence, et elle ne pouvait pas envisager de reprendre sa vie d'avant comme si de rien n'était. Il fallait qu'elle trouve un système pour communiquer avec Hani et poursuivre ses activités politiques.

Miral passa la journée au lit sans toucher la moindre nourriture ni parler à personne. Rania tenta de la distraire en lui racontant des blagues, avant d'énumérer les sacrifices que leur père avait faits pour elle, dans le but de rappeler à sa sœur combien il l'aimait. Mais c'est en voyant les yeux larmoyants de Jamal, qui avait pleuré en privé, que Miral changea d'attitude. C'était la première fois qu'il lui imposait quelque chose ou la traitait de manière autoritaire. Cette pensée accrut encore sa tristesse et sa colère. Elle savait qu'elle ne renoncerait à Hani et à ses idéaux pour rien au monde. Plus que jamais convaincue du bien-fondé de ses actions, elle comprit qu'elle allait désormais devoir tromper non seulement les autorités scolaires, comme si ce n'était pas suffisant, mais aussi Jamal.

Elle décida de recourir à la ruse. Les jours suivants, elle s'efforça de paraître calme, pour que l'administration de Dar El-Tifel la croie prête à se plier à ses règles. À la première occasion, elle retrouva malgré tout Hani dans un café du quartier arménien. Ensemble, ils convinrent d'une série de précautions destinées à éviter de futurs incidents. Ils se retrouveraient moins fréquemment – jamais en public – et communiqueraient Via Jasmine.

— Je n'ai pas envie d'arrêter de te voir. Je ne peux pas. Si tu veux, je parlerai à ton père, proposa Hani.

— Non, non. Pour l'instant, il vaut mieux attendre. Peut-être plus tard… Je ne veux pas non plus qu'on arrête de se voir.

Leurs regards s'accrochèrent l'un à l'autre, et il la serra dans ses bras.

— Je comprends pourquoi ton père s'inquiète. Nous sommes tous des cibles. Les services secrets du Shin Bet ne se bornent pas à regarder ce qui se passe sans rien faire : tous les jours, ils arrêtent un de nos camarades, voire plus. Toi aussi, tu dois faire attention. Ne garde pas de tracts ou d'autres pièces à conviction chez toi. Malheureusement, le jeune homme qui était notre contact avec l'OLP en Jordanie a disparu. Il est parti il y a deux jours et n'est jamais arrivé. Comme personne ne sait où il est, j'ai bien peur qu'il n'ait été arrêté.

– Peut-être qu'il est passé dans la clandestinité pour un temps. Je ne veux pas te paraître naïve, mais on devient tous paranoïaques.

– J'espère que tu as raison, *habibti*[1], mais comme William Burroughs l'a dit un jour : « La paranoïa, c'est parfois juste connaître tous les faits. » Le gros problème est que notre agent transportait des documents, dont un rapport détaillé de nos activités et une liste complète des opérations que nous avons menées ces trois derniers mois. La dernière fois qu'il a été vu, il essayait de passer en Jordanie par le pont Allenby.

Miral frissonna en remarquant à quel point la voix de Hani était tendue. Avant de retourner sur le campus de Dar El-Tifel, elle se débarrassa de tous ses tracts en les brûlant dans la baignoire, et cacha ses livres dans un conduit en face de chez elle.

---

1. « Ma chérie ».

8.

La semaine suivante fut calme. Miral ne vit Hani qu'une fois. Elle livra des tracts imprimés sur les presses clandestines du FPLP à divers bazars à l'extérieur de la vieille ville, où d'autres activistes du groupe devaient les récupérer pour les distribuer. Quand vint le week-end, Miral rentra chez son père comme d'habitude. Leur relation semblait pacifiée. Au tréfonds de lui-même, Jamal était inquiet, notamment quand il croisait le regard énigmatique de sa fille, mais il avait décidé de faire profil bas, pour l'instant du moins. Tout en préparant un déjeuner digne d'une grande occasion, il observa avec attention Miral, qui paraissait extrêmement nerveuse. Ignorant s'il devait attribuer cet état à l'approche de ses examens ou à de nouvelles cachotteries, il résolut de ne lui en parler que le lendemain pour ne pas troubler l'atmosphère harmonieuse qui régnait temporairement chez lui.

Ce soir-là, Miral s'endormit heureuse à l'idée de revoir Hani le jour suivant. Ils devaient se retrouver à l'église du Saint-Sépulcre, où ils s'étaient laissé des messages les semaines précédentes, dissimulés sous une pierre noire derrière l'autel de la chapelle copte. Hani lui manquait au-delà de toute expression.

Le lendemain matin, Jasmine vint chez elle l'avertir que tout le monde l'attendait à une manifestation décidée à la dernière minute par le mouvement. Après avoir demandé à Rania de la couvrir, Miral partit aussitôt. Dès son arrivée, elle arpenta la foule à la recherche du groupe du FPLP.

Hani se trouvait au milieu. Il avait le visage en grande partie couvert d'une écharpe rouge, mais Miral reconnut ses yeux. Jamais elle n'avait vu un regard aussi intense et profond. Un frisson d'excitation la parcourut. Hani aussi paraissait agréablement surpris. Ils s'enlacèrent au milieu de la foule qui se pressait autour d'eux en hurlant des slogans, et se laissèrent emporter par cette masse multicolore comme des branches ballottées au gré d'une rivière en crue. Hani et Miral se tenaient par la main quand ils entendirent les premières bombes lacrymogènes fendre l'air en sifflant. Une partie de la foule se mit à courir dans tous les sens, tandis que quelques manifestants plus jeunes jetaient des pierres et lançaient des billes avec des frondes. D'autres improvisèrent des barricades avec des poubelles et mirent le feu aux pneus des voitures. Certains militants du FPLP porteurs de cocktails Molotov commencèrent à les allumer et à les envoyer sur les chars israéliens. Miral eut une poussée d'adrénaline. Cette fois, à la différence du jour de l'attaque dans le camp de Kalandia, elle n'avait pas peur. Elle n'éprouvait rien d'autre que l'immense ressentiment qui coulait dans ses veines. Indifférente au gaz lacrymogène, elle respirait normalement. Elle s'approcha d'un jeune manifestant qui distribuait des cocktails Molotov pour lui en demander un. L'engin à peine allumé, elle courut vers les Israéliens et le jeta dans leur direction.

En se retournant, Miral aperçut Hani. Il avait l'air choqué et déboussolé et ses yeux tristes reflétaient autre chose que son habituelle mélancolie. Il s'avança vers Miral et l'empoigna par-derrière pour essayer de l'éloigner du danger.

– On s'en va tout de suite, ordonna-t-il en la tenant serrée contre lui. Ce n'est pas un endroit pour toi. On n'est pas comme eux, Miral. Tout ça ne nous mènera nulle part.

Miral le regarda avec stupéfaction.

– Qu'est-ce que tu dis ? Ce n'est pas ce que tu voulais ? La lutte se durcit au fur et à mesure que la colère des gens augmente. C'est la seule voie possible, maintenant. On ne peut plus faire demi-tour.

En désespoir de cause, Hani l'emmena de force. Lorsqu'ils eurent presque fini de remonter la foule de manifestants à contre-courant, il baissa son écharpe et se tourna vers elle.

— Il faut que tu m'écoutes, Miral. Toute cette violence n'a plus de sens. Ils nous sont militairement supérieurs et, quoi que nous fassions, le déséquilibre des forces nous conduira à la barbarie. J'ai peur de ce que nous pourrions devenir. Si nous répondons à chacune de leurs attaques par plus de violence, nous allons finir par déclencher le mécanisme classique du « serpent qui se mord la queue » et nous deviendrons tous prisonniers de sa logique d'échec. Nous devons les obliger à s'asseoir à la table des négociations, mais, en attendant, il faut trouver d'autres moyens de riposter.

Consternée et furieuse, Miral répliqua :

— Qu'est-ce que tu proposes ? Qu'on se rende ? Qu'on creuse un terrier et qu'on vive comme des lapins ? Tu me fais peur quand tu parles comme ça. Je ne te reconnais pas.

— Les arrestations des jours derniers m'ont convaincu qu'une lutte violente aboutira seulement à jouer en la faveur des Israéliens qui ne veulent pas négocier : les colons, par exemple, ou la droite religieuse et la droite orthodoxe. Tu ne comprends pas ? C'est une stratégie politique qu'ils utilisent pour nous discréditer, pour que *nous* apparaissions aux yeux du monde comme les attaquants, et que ce soient *eux* qui se retrouvent en position défensive. Notre espoir réside dans la portion de la société israélienne qui est de plus en plus en faveur de la paix. Penses-y, et tu verras que nous devons nous orienter vers des voies qui donneront des résultats rapides. Notre peuple ne peut pas continuer comme ça. Il faut laisser la place à la négociation, et arriver à un compromis politique, c'est crucial. La violence est un piège que nous nous tendons stupidement à nous-mêmes. Nous devons réagir avec notre tête, pas avec nos tripes. Nos deux peuples se battent pour le même petit bout de terre. Ils ont tous les deux leurs raisons, et ce sont tous les deux des victimes. Eux ont subi l'Holocauste, et nous souffrons du fait que le monde s'en soit senti coupable et nous ait utilisés comme des pions dans les négociations.

Miral le regarda en silence. Elle n'avait rien à répondre. Tout en sentant que ses mots contenaient un fond de vérité, elle espérait que Hani était juste en train de se défouler.

— La vérité est toujours dérangeante, surtout quand elle est dite à voix haute. Tu ne devrais pas parler comme ça en public, Hani, pas par les temps qui courent. C'est trop dangereux. Tu pourrais être mal compris, et tu sais qu'il ne faut pas grand-chose pour être classé dans la catégorie des traîtres.

Hani n'avait plus envie de parler, lui non plus. Il rapprocha son visage de celui de Miral, si près qu'il sentait sa chaleur. Leurs lèvres se rejoignirent en un baiser passionné. Sans être le premier, c'était le plus désespéré. Abolissant le temps et l'espace, il effaça le goût âcre du gaz lacrymogène et la confusion qui les entourait. Accrochés l'un à l'autre, ils s'éloignèrent en direction de la vieille ville.

*
* *

Mois après mois, au fur et à mesure que le conflit s'amplifiait, les divisions entre les différentes factions palestiniennes s'accusaient. Les objectifs des négociations de paix secrètes rejoignaient en effet largement les aspirations de la société civile. Mais pour les groupes d'extrême gauche ou religieux, c'était une concession, un compromis, voire une trahison. Hani avait particulièrement peur des collaborationnistes, les espions qui divulguaient des informations aux Israéliens en échange d'un peu d'argent ou d'un permis de travail. À cause d'eux, la suspicion régnait en maître. Tout le monde devait se montrer très prudent : on ne pouvait faire confiance à personne. Il ne fallait pas parler au téléphone à cause des écoutes, et chaque document devait être brûlé après lecture. Pour lui, tout le monde était un espion en puissance, et l'ennemi profitait des faiblesses de chacun pour l'attirer dans ses pièges. Toutes les semaines, des tracts énumérant le nom des indicateurs apparaissaient. Ils étaient alors mis au ban de la société palestinienne avec leur famille.

Depuis 1948, les services secrets israéliens avaient constamment perfectionné leurs stratégies pour endiguer la vague de protestations. L'agitation ambiante n'était pas le moins du monde affaiblie par les méthodes traditionnelles de répression. De plus, le considérable écho des médias internationaux, notamment la télévision et la presse quotidienne, qui passaient au crible le moindre événement survenant dans les Territoires occupés, était une source de gêne croissante pour le gouvernement israélien. Tout cela poussait les autorités à développer de nouvelles techniques pour écraser la révolte, en laissant filtrer le moins possible d'informations à l'extérieur du pays. La plus meurtrière d'entre elles était certainement le recours généralisé aux tireurs d'élite, postés aux endroits les plus sensibles et chargés d'empêcher tout rassemblement de jeunes gens dans la rue. Comme un semblant de tranquillité et de coexistence pacifique devait à tout prix émaner de la capitale, Jérusalem, les soldats étaient présents en permanence au coin de chaque ruelle de la ville et le long des routes y conduisant. Les chefs de la résistance palestinienne avaient adapté leur mode de fonctionnement en conséquence, changeant les points de rendez-vous de leurs marches et évitant les zones découvertes comme les places publiques.

Le système le plus sournois développé par les Israéliens consistait à utiliser les commerçants arabes, en particulier les coiffeurs et les esthéticiennes, pour recruter des informatrices et des mouchardes parmi leur jeune clientèle féminine. Les propriétaires des boutiques étaient menacés de perdre leurs patentes ou de fermeture forcée à cause d'une subite augmentation de leurs impôts. Ils coopéraient donc et, avec leur complicité, leurs clientes étaient droguées, puis prises en photo dans des poses obscènes sous l'influence des narcotiques. Quelques jours plus tard, la victime était attirée à la boutique sous prétexte d'y avoir oublié un objet personnel. Des agents du Shin Bet l'y attendaient pour lui montrer les photos et, sous peine de les publier et de déshonorer la demoiselle et sa famille, l'obligeaient à espionner des membres de la résistance. Les malheureuses devaient parfois même marquer les voitures de ces derniers avec un liquide phosphorescent. Visible seulement par les machines à rayons X dont étaient équipés les hélicoptères militaires, cette substance rendait les véhicules et leurs passagers vulnérables à des frappes de missile mortelles.

Pendant la première intifada, cette technique fut utilisée pour transformer des dizaines de filles en informatrices. Quelques mois plus tard, l'une d'entre elles eut le courage de raconter son expérience à l'un des leaders de la résistance, avec qui elle sortait depuis quelque temps. Sachant que l'affaire allait devoir être rendue publique, cet homme lui demanda d'abord sa main pour sauver son honneur, avant de faire imprimer et distribuer dans tous les quartiers arabes de la ville des tracts demandant aux victimes de tels chantages de ne pas collaborer et de contacter la résistance. Les jours suivants, un grand nombre de jeunes femmes, essentiellement des étudiantes vivant à Jérusalem et dans les environs, se dénoncèrent. Celles qui avouaient se voyaient garantir la confidentialité et le pardon. Des jeunes résistants les épousaient pour préserver leur réputation quand les photos seraient publiées. Dans les cas les plus délicats, elles étaient envoyées vivre ailleurs pour éviter les représailles. Ce réseau de solidarité fit intervenir tous ceux qui avaient de près ou de loin été mêlés aux troubles et permis à la première intifada de continuer jusqu'en 1992, en dépit de la sévère répression israélienne.

Les boutiques des commerçants ayant pris part au chantage furent brûlées, leurs noms rendus publics, et ils furent bannis de la ville. Ceux dont la coopération avait conduit à la mort d'un leader de la résistance furent jugés et exécutés, mais on épargna ceux qui bénéficiaient de circonstances atténuantes. En revanche, ils durent s'excuser publiquement et aller raconter leur histoire dans les écoles pour informer les élèves des dangers qui les guettaient.

Si la population se montrait profondément hostile à la police secrète et à l'armée, elle méprisait plus encore les Palestiniens qui collaboraient.

Les événements liés à l'intifada ne pouvaient pas à proprement parler être qualifiés de guerre, mais plutôt de conflit viscéral entre deux peuples, opposant d'un côté une armée surentraînée et de l'autre une foule de jeunes gens suivant davantage leur instinct qu'une quelconque stratégie militaire. La haine réciproque des différents acteurs compensait le manque de perspectives de cet affrontement et servait de cadre à leur obsession mutuelle et tenace pour la même terre. Hani craignait qu'en attendant la résolution probablement encore lointaine du conflit, son peuple ne se radicalise et ne tombe sous la domination des pays limitrophes ayant des comptes à régler avec Israël.

*
* *

Miral soupçonnait certaines filles de son école d'être victimes de chantage. De fait, elle avait remarqué que deux d'entre elles ne prenaient plus part aux manifestations. Elles s'étaient isolées, même en classe, mangeaient moins et paraissaient déprimées. Miral décida d'expliquer à ses camarades comment il convenait de se conduire quand on vous faisait chanter et organisa des réunions au pied levé. Les deux jeunes filles – ainsi qu'une troisième, plus douée pour la dissimulation – pâlirent en entendant ses propos. Quelques jours plus tard, elles avouèrent toutes les trois.

Une autre élève éveillait aussi particulièrement les soupçons de Miral. Petite, jolie et ambitieuse, Fadia avait une peau délicate, les yeux clairs et les cheveux raides. Elle n'avait jamais reconnu avoir collaboré avec les Israéliens, mais Miral ne lui faisait pas confiance, alors qu'elles étaient dans la même classe et que Fadia s'était toujours montrée charmante avec elle.

Malgré la réelle pauvreté de sa famille, Fadia était l'une des plus élégantes de l'école et, quand elle quittait le campus l'après-midi, elle rapportait toujours un petit cadeau à Miral : des bonbons, un carnet ou une glace.

Un jour, pendant une manifestation, une amie confia à Miral une liste de collaboratrices. Étant donné la délicatesse de la situation et le soin que l'on mettait à ne déshonorer personne, ces listes contenaient rarement des erreurs. À côté des noms des trois élèves de Dar El-Tifel qui avaient avoué, Miral reconnut celui de Fadia, et comprit enfin la raison de toutes ses attentions, de ses cadeaux et de ses sourires forcés. À son avis, cette fille aux dehors ambitieux n'avait même pas été victime d'un chantage, mais s'était portée volontaire pour collaborer en échange d'un peu d'argent. Miral se sentit menacée : Fadia pouvait divulguer son nom aux Israéliens n'importe quand. Si elle ne l'avait pas encore fait, c'était sans doute parce qu'elle attendait autre chose, probablement de rencontrer les chefs de la résistance avec lesquels Miral s'était liée d'amitié.

Miral décida qu'elle n'avait qu'une option : prendre ses distances, mais en douceur, afin d'éviter d'éveiller les soupçons de sa camarade et de l'empêcher de donner son nom au Shin Bet. Fadia lui demanda plusieurs fois de l'accompagner à des manifestations, et Miral répondit qu'elle ne voulait plus y participer, prétextant que le moment était venu pour elle de penser à son avenir. Quand elle eut compris que Miral se méfiait et qu'elle n'arriverait pas à lui soutirer d'autres informations, Fadia s'éloigna peu à peu. Elle savait que la partie était terminée et qu'elle serait la première soupçonnée si quoi que ce soit arrivait à Miral. Fadia concentra donc son attention sur quelqu'un d'autre, et demanda à changer d'établissement à la fin de l'année scolaire.

9.

En apparence, Miral menait une vie normale et rentrait chez son père tous les week-ends, mais en réalité, elle vivait deux existences parallèles : sa vie normale de lycéenne, où elle consacrait la majeure partie de son temps à étudier et où sa seule distraction consistait à raconter des histoires aux benjamines de l'école le soir, et sa vie secrète, liée à Hani et à l'intifada. Miral pensait à chaque instant à lui, à leurs moments ensemble et à leur amour naissant. Dès qu'ils en avaient l'occasion, ils se retrouvaient chez le jeune homme et passaient des heures à bavarder et à s'enlacer. Au fur et à mesure que la passion montait, Miral découvrait les secrets de l'amour. Hani était très doux. Les voiles de l'innocence et de l'enfance s'écartaient progressivement, et la jeune fille se sentait de plus en plus consciente de son corps. Sa lecture avide de pamphlets politiques et de journaux élargissait aussi son horizon intellectuel. Elle allumait de plus en plus la télévision pour regarder les informations, au grand dam de sa sœur qui ne jurait que par les films d'action. Pour se faire pardonner, elle emmenait parfois Rania chez Hani, où ils s'allongeaient tous les trois sur le toit pour regarder le coucher du soleil.

Miral avait le sentiment d'avoir enfin réussi à échapper à l'autorité des autres et d'être en mesure d'effectuer ses propres choix. En dormant à la maison plus souvent en semaine, elle aurait peut-être encore davantage de liberté de mouvement qu'à l'école. Il lui était en effet de plus en plus difficile d'inventer de nouvelles excuses pour quitter le pensionnat.

D'une certaine manière, le temps avait inversé les rôles entre Miral et Rania. Durant leurs premières années à Dar El-Tifel, Miral avait couvé sa cadette, envers qui elle s'était presque comportée en mère. Mais depuis que Miral était devenue l'une des filles les plus politiquement actives de l'école, c'était Rania qui avait repris ce rôle protecteur, couvrant son aînée vis-à-vis des professeurs tout en essayant de la dissuader de s'exposer trop fréquemment au danger. Au fil des ans, les différences de caractère des deux sœurs étaient devenues plus visibles. Rania, qui se montrait de plus en plus intolérante vis-à-vis de la vie scolaire et de ses règles, détestait étudier, et désirait aller vivre à Haïfa chez sa tante avant de se marier. Miral essayait de la convaincre de continuer ses études. Depuis qu'elle avait observé sa sœur donner des cours de mathématiques aux enfants du camp, elle lui trouvait un véritable talent pour l'enseignement. « La connaissance, c'est la liberté », lui rappelait-elle, employant les mêmes mots que leur père dans l'espoir de la convaincre. De son côté, Miral aimait les études autant que ses activités clandestines, estimant que ces deux passions lui permettraient de s'émanciper. Toutes ses conversations tournaient autour de l'histoire et de la politique. Rania, qui adorait la musique pop sur laquelle on pouvait danser, trouvait sa sœur barbante. Miral n'écoutait que les chants patriotiques de chanteuses jordaniennes ou libanaises. Souvent utilisés en fond sonore pour les images des manifestations de l'intifada à la télévision, ces hymnes l'émouvaient.

Rania portait de préférence des robes ou des jupes, et vouait une véritable passion aux chaussures à hauts talons de couleurs vives. Miral, elle, aimait les jeans serrés, les tee-shirts larges et les baskets, qu'elle remplaçait par des sandales en été. Malgré leurs fréquentes disputes et leurs points de vue radicalement opposés sur presque tous les sujets, elles s'aimaient.

*

* *

Le week-end, durant leurs dîners familiaux, Jamal et Rania aimaient discuter de leurs activités de la semaine précédente.

Un soir, Rania décrivit les nouvelles brassières qu'elle avait vu ses amies porter, qui lui donneraient à coup sûr l'air plate comme une limande, avant de parler de ses projets pour l'été suivant. Miral écoutait distraitement, le regard vide, l'appétit en berne. Hani s'éloignait de plus en plus du parti et tout le monde s'en plaignait auprès d'elle. Il abandonnait ses anciens principes et prêchait la modération, alors qu'une centaine d'arrestations venaient d'avoir lieu dans la vieille ville, semant la panique dans leur groupe. Ce n'était plus qu'une question de temps avant qu'il ne soit arrêté lui aussi… et le tour de Miral allait peut-être venir…

— Qu'est-ce qui ne va pas, ma chérie ? s'enquit son père en lui caressant les cheveux.

Miral resta muette quelques secondes en se creusant la tête pour trouver les mots qui n'alarmeraient pas Jamal. Elle décrivit finalement ce qu'elle avait vu lors de sa dernière visite au camp de réfugiés. Jamal la dévisagea avec une inquiétude croissante.

— Tu comprends, papa, notre peuple ne peut pas continuer à pourrir dans les camps. Quel avenir ces enfants se préparent-ils ? Le monde s'en moque, et nous sommes confrontés à l'injustice et à l'arrogance de l'occupation militaire. Tu vois, pour les enfants des camps de réfugiés, les Israéliens sont soit des soldats, soit des colons. C'est le seul visage du pays qu'ils connaissent.

Jamal regarda par la fenêtre le ciel bleu clair qui dominait Jérusalem.

— Miral, je sais ce que tu ressens, mais nous devons trouver des moyens de nous faire entendre sans recourir à la violence. Nous n'obtiendrons pas ce qui nous revient de droit avec des pierres ni même des fusils, et nous risquons de déclencher un engrenage qui sera très difficile à enrayer. En attendant, j'aimerais que tu passes plus de temps à penser au lycée et à tes examens.

Pour l'instant, Miral avait bien d'autres sujets en tête que son bac. Plus tard dans la soirée, elle marchait dans les rues de la vieille ville pour se rendre à une réunion de sa section du FPLP, inhalant l'odeur des épices orientales si intensément parfumées du souk, envoûtée par la cité et par la mystérieuse force qui en émanait. Se remémorant les pitreries de Khaldun comme si elles dataient de la veille, elle se demanda quand il donnerait des nouvelles. D'ailleurs, elle avait promis de lui écrire. Elle pensa aussi à la gratitude des paysans des environs de Ramallah, ces gens simples et fiers, déterminés à préserver leurs traditions et leur culture malgré les humiliations constantes. Dès qu'elle aperçut Hani, son visage s'éclaira. Il s'approcha et l'embrassa sur le front en lui murmurant à l'oreille que la section était sous surveillance et qu'il n'y aurait plus de réunions, avant de lui enjoindre de rentrer chez elle et d'attendre qu'il la contacte.

*

* *

Le lendemain, à trois heures du matin, quelqu'un cogna violemment à la porte d'entrée. Miral comprit sur-le-champ ce qui se passait : elle avait entendu des camarades du FPLP parler de visites semblables. Surpris et encore à moitié endormi, Jamal alla répondre.

— Police ! Ouvrez ! (Un homme en civil agita un badge brillant sous le nez de Jamal.) Où est votre fille Miral ? Il faut qu'elle vienne avec nous. Voici le mandat, ajouta-t-il en tendant à Jamal une feuille de papier.

— Pourquoi voulez-vous lui parler ? Qu'est-ce qu'elle a fait ? Vous devez vous tromper, bredouilla Jamal d'une voix enrouée par l'anxiété.

— Il n'y a pas d'erreur. Nous avons un mandat détaillé. Votre fille doit nous suivre pour être interrogée. Maintenant, allez l'appeler… Nous sommes pressés, continua l'homme en pénétrant dans le séjour.

Deux policiers en uniforme restèrent debout près de la porte, attendant les ordres.

Miral sortit de sa chambre, déjà habillée.

— Me voilà, dit-elle en affichant une confiance en elle qui l'avait complètement abandonnée.

— Bien. Je vois que vous êtes prête, alors, allons-y, fit le policier en attrapant Miral par le bras.

Au contact de sa main froide, elle fut parcourue d'un frisson. En passant devant Jamal, elle essaya de le rassurer.

Encore en pyjama, le pauvre homme avait l'air effondré et vieilli.

— Tout va bien, papa. Je n'ai rien fait de mal. Je vais revenir bientôt, tu verras.

Après avoir vu sa fille se faire jeter sans ménagement dans un car de police avec quelques autres jeunes gens du quartier, Jamal fonça chercher ses chaussures à l'étage, avec l'idée de suivre à pied. Pendant ce temps, un groupe de parents furieux et inquiets s'était rassemblé dans la rue. Quelqu'un annonça que la police avait arrêté de nombreux suspects cette nuit-là. Jamal reconnut plusieurs de ses voisins qui s'embrassaient en pleurant. Alors que les soldats sortaient des maisons, chargés de livres, de documents et d'ordinateurs, Jamal se lança désespérément à la poursuite du car en courant.

Le véhicule dévala les rues de la vieille ville en direction du poste de police de Mascoubia, derrière la porte Neuve, où se trouvait le centre d'interrogatoire. Tant de jeunes Palestiniens avaient été brutalement torturés entre ces murs que chaque Arabe qui passait devant se sentait mal à l'aise. Les rues désertes donnaient à Jérusalem un aspect maussade. La ville nouvelle, avec ses bâtiments imposants, semblait faire le siège de son homologue, ancienne et tourmentée.

Le car s'arrêta dans la cour du commissariat, et les prisonniers furent escortés dans leurs cellules. À part une fille du quartier, tremblante et en larmes, Miral ne connaissait personne. On l'amena dans une grande pièce. Il y faisait sombre, à l'exception d'un rond de lumière que projetait l'ampoule pendue au plafond sur un bureau rouillé et un vieux combiné téléphonique noir. Le reste du mobilier se composait de trois chaises en bois et d'un casier métallique. Les murs étaient maculés de taches de couleurs et de dimensions variées, dont certaines étaient du sang séché. Il faisait très froid, mais l'angoisse de Miral l'empêchait de sentir la température extérieure. Elle avait les mains moites, son cœur battait à tout rompre, et elle se répétait sans cesse : *Je dois rester calme. Ils essaient de me faire peur, de me déstabiliser*. En dépit de ses efforts pour garder le moral, ses jambes étaient de plus en plus flageolantes. Elle entendait des sons lointains, le bruit sourd de portes qu'on claquait, des pas dans les couloirs. Bien qu'elle n'ait en fait pas duré plus d'une demi-heure, cette période d'attente lui parut interminable. Sa détresse s'intensifiait à chaque minute. Finalement, la porte métallique s'ouvrit en la faisant sursauter.

— Viens ici et assieds-toi ! lui ordonna un officier de police en désignant la chaise devant le bureau.

À part une mèche de cheveux qui pendait sur son front, il était presque chauve. Une fois installé, il alluma une cigarette d'un air suffisant et sortit un dossier d'un tiroir. Miral aperçut son nom et quelques documents en hébreu.

L'homme entreprit de tourner les pages de ses doigts boudinés, sa cigarette au bec.

— Ça fait pas mal de temps qu'on t'a à l'œil, Miral, gloussa-t-il d'un ton réprobateur. Tu as déçu ton père, et nous aussi.

Il avait un accent chantant.

— Je vous demande pardon ? demanda Miral en feignant l'ignorance.

Elle avait décidé de se limiter, si possible, à des réponses vagues et évasives.

Le policier écrasa avec soin sa cigarette, et ses lèvres se retroussèrent en un sourire méprisant.

— Très bien. Si tu réponds correctement, je te laisserai rentrer chez toi avant la nuit. Mais, sinon, tu me forceras à te garder plus longtemps. Qui donne ces ordres ?

Il désigna un tract en posant sa question. Miral haussa les épaules. Le papier venait du FPLP. C'était l'un de ceux qu'elle avait elle-même livrés deux jours plus tôt, les transportant d'un endroit à l'autre dans un sac en osier, cachés sous quelques bottes de menthe sauvage. Ils contenaient les ordres de la section de Bethléem. Jasmine, qui devait effectuer la livraison, avait demandé à Miral de la remplacer. Miral avait accepté malgré la désapprobation de Hani, qui s'était énervé en l'apprenant et l'avait accusée d'impulsivité et d'imprudence. Comme elle le prenait mal, il avait dû lui expliquer que le secteur grouillait de collaborateurs et la chapitrer de ne pas lui en avoir parlé avant.

— Regarde-le bien, dit l'officier. (Cette phrase, qui sonnait comme un ultimatum, l'arracha à ses pensées.) Et ne me fais pas perdre de temps en tournant autour du pot.

Après un moment d'hésitation, Miral répliqua :

– Vous voulez que je raconte ce que vous voulez entendre, ou bien que je dise la vérité ? Je ne sais pas ce que c'est que ce papier.

– Ne te fiche pas de moi ! Si tu veux jouer à la petite innocente naïve, garde ton numéro pour ton papa. Maintenant, observe cette photo et dis-moi lequel de ces individus donne les ordres.

Le cliché montrait presque tous les membres du FPLP, y compris Hani, à une manifestation. Miral trouva la force de nier une seconde fois.

– Je n'ai pas la moindre idée de qui sont ces gens, affirma-t-elle d'une voix aussi assurée que possible.

Se rencognant dans sa chaise, le policier alluma une autre cigarette.

– Ce serait dommage qu'une jolie fille comme toi passe les meilleures années de sa vie en prison. Vraiment dommage. (Sa voix reprit son intonation chantante.) Donne-moi des noms, et je te laisse rentrer chez toi tout de suite. (Il lui tendit un stylo.) Si tu n'as pas envie de les dire tout haut, écris-les. Qui sont ces gens ? Qui leur donne leurs ordres ? Qui est leur contact avec l'extérieur ?

La courtoisie factice de ce personnage répugnant raviva la colère de Miral.

– Pas la peine de prendre ce ton paternel. Je ne sais pas qui sont ces personnes, je ne sais pas qui a imprimé les tracts, je ne sais rien du tout. (Sur ce, elle poursuivit d'un ton bravache.) Allez-y, battez-moi si vous voulez, je ne sais rien.

L'homme éclata de rire et appuya sur un bouton.

– Alors, comme ça, tu veux jouer dans la cour des grands ! Continue à me provoquer et tu verras ce qui va arriver à ton joli minois. Tu ne te reconnaîtras pas dans la glace.

Miral le défia du regard.

– Si battre une fille vous donne davantage l'impression d'être un homme, alors, ne vous gênez pas.

– Tu te trompes. Je ne poserai pas la main sur toi, mais je connais quelqu'un qui a hâte de le faire, répondit l'officier.

– Je suis citoyenne israélienne, riposta Miral. Si on est vraiment en démocratie, j'ai les mêmes droits que vous.

L'homme rétorqua avec un rictus narquois :

— Pas quand c'est une affaire de sécurité nationale. Tu vas te décider à coopérer maintenant, ou j'appelle des renforts ?

Miral le toisa froidement.

— Je n'ai rien à dire.

Il se tut et continua à fumer en silence sans la regarder, comme s'il était seul dans la pièce. Soudain, Miral entendit les gonds de la lourde porte derrière elle grincer. En se retournant, elle découvrit une femme d'un peu plus de trente ans, blonde et bien bâtie. Elle portait un tee-shirt noir, un pantalon de camouflage couleur sable, et une paire de gros godillots.

Sans un mot, elle se précipita sur Miral, la saisit par les cheveux et la tira hors de la pièce. Brutalement traînée le long d'un couloir éclairé d'innombrables lampes fluorescentes, la malheureuse se mit à hurler. Ses cris se mêlèrent à ceux des autres jeunes gens battus. On aurait dit que ces rugissements de douleur secouaient le bâtiment tout entier. La femme envoya Miral valser à travers une porte ouverte dans une pièce presque complètement plongée dans l'obscurité, qui ressemblait à une salle de bains, carrelée de blanc et divisée par des rideaux transparents.

La tortionnaire attacha les mains de Miral avec des menottes en plastique et lui plaqua le visage contre le mur. Miral sentit le cordage plastifié lui mordre les poignets, et son cœur se mit à battre violemment tandis qu'elle attendait que la torture commence.

L'attente fut de courte durée. Des coups de cravache se mirent à pleuvoir sur son dos, ses jambes, son cou. La douleur devint vite insupportable, et Miral ne put s'empêcher de crier à chaque coup de fouet. Elle sentit son sweat-shirt se déchirer et, peu après, le sang lui couler dans le dos. Au bout de quelques minutes, elle s'évanouit et, quand elle revint à elle, son sweat et son pantalon avaient disparu. Honteuse, elle essaya de se couvrir, mais elle avait toujours les mains liées derrière le dos. Elle était si hébétée qu'elle avait perdu toute notion du temps. Deux femmes soldats lui ordonnèrent de s'agenouiller sur le sol froid et sale.

— Tu as interdiction de t'asseoir, sinon, la blonde va revenir. Elle n'en a pas encore fini avec toi, ricanèrent-elles.

Au bout d'une heure, à bout de forces, Miral s'évanouit à nouveau. Cette fois-ci, elle revint à elle dans une pièce minuscule. Derrière une grille, le policier du début répéta les mêmes questions, encore et encore, sans succès.

Je veux rentrer chez moi, je veux me réveiller de ce cauchemar, se répétait-elle. *Il faut juste que je tienne quelques heures de plus.*

Mais la femme blonde ne tarda pas à réapparaître dans sa cellule. Au fil des heures, les supplices se firent de plus en plus raffinés. À un moment, on lui mit une cagoule sur la tête, qu'on lui enleva une demi-heure plus tard. Ensuite, Miral fut exposée à une lumière aveuglante, conjuguée à une musique assourdissante entrecoupée des cris de douleur des autres détenus, qui l'empêchaient de s'assoupir. Pour s'évader mentalement, elle entreprit de se remémorer les moments les plus heureux de sa vie. Elle pensa à sa chambre d'enfant, si claire avec ses murs bleu vif, aux photos de ses amies, à sa sœur sur la plage, quand elles jouaient toutes deux dans l'eau. Elle ne se souvenait plus où elle avait caché les cadeaux de Hani, surtout *Palestinien sans patrie.* Se creusant la tête pour s'abstraire de cet endroit, elle se représenta les couleurs rouge et jaune du grand tapis accroché au mur du salon familial. « Ce tapis est bien plus vieux que toi, Miral. Il a au moins quatre-vingts ans », lui rappelait souvent fièrement son père.

Alors qu'elle voyageait en rêve pour échapper à la douleur qui palpitait dans ses blessures, un nouvel officier de police venait toutes les demi-heures la secouer et lui reposer les mêmes questions. Sa réponse ne variait pas : elle ne savait rien. Elle s'effondra plusieurs heures après, quand on lui refusa la permission d'aller aux toilettes. On ne l'y autoriserait que si elle divulguait une information. À ce stade, Miral éclata en sanglots incontrôlables, mortifiée à la vue de ses jambes mouillées et de la flaque d'urine qui s'était formée sous elle.

Submergée de lassitude, elle n'arrivait plus à calmer son angoisse. Pourtant, ce n'était pas encore fini. On la ramena dans la première pièce.

– C'est dégoûtant ! Et cette odeur ! persifla le policier. Tu veux te laver ? Tu veux tes vêtements ?

Quand Miral répondit que oui, il lui demanda :

– Alors, tu vas coopérer, ou on continue ?

– Mais je ne sais rien ! Vous vous êtes trompés de personne.

À ces mots, l'homme la frappa du revers de la main. Le coup la projeta à terre. Alors qu'elle essayait de se relever en essuyant le sang qui coulait de son nez, deux femmes soldats entrèrent, la remirent sur pied et lui tendirent une serviette humide pour se nettoyer le visage, avant de l'aider sans ménagement à enfiler un autre sweat-shirt et un pantalon.

Le moment était venu pour Miral de passer devant le juge, comme l'exigeait la loi pour les mineurs.

10.

Pendant ce temps-là, assis dans la salle d'attente du commissariat, Jamal demandait toutes les dix minutes des nouvelles de sa fille. Personne ne savait rien. Miral se trouvait dans un bâtiment différent, au centre d'interrogatoire, de l'autre côté de la rue. L'entrée du poste consistait en un long couloir, spartiate mais relativement confortable. Des haut-parleurs diffusaient de la musique juive, peut-être pour empêcher les cris les plus perçants des détenus de parvenir jusqu'aux oreilles de leurs familles. Jamal attendait avec d'autres parents, dont certains étaient encore en pyjama, qui essayaient de se consoler mutuellement. Quelqu'un annonça qu'un homme important porteur de documents compromettants avait été arrêté tandis qu'il essayait de fuir en Jordanie. Le père de Miral comprit alors qu'il ne pouvait pas se contenter d'attendre. En voyant poindre les premières lueurs de l'aube sur les collines de Galilée, il décida que sa meilleure option consistait à quitter le commissariat pour chercher un avocat. Rester dans ce couloir, impuissant, lui paraissait si vain.

Il trouva un praticien, qui, malgré sa relative jeunesse, avait accumulé de nombreuses expériences depuis le début de l'intifada et rencontré beaucoup de cas similaires d'arrestations de jeunes Palestiniens.

– Ne vous inquiétez pas, Jamal, lui avait-il dit au téléphone. Si votre fille est mineure, elle sera jugée aujourd'hui et, si son casier est vierge, ils la relâcheront avec un simple avertissement.

De fait, Miral fut amenée au tribunal le lendemain après-midi, escortée par deux officiers de police. Hormis quelques personnes et le juge, la pièce était presque vide. Le juge ne regarda jamais la jeune fille et resta les yeux rivés sur les documents qu'il passait en revue. Elle aperçut son père assis dans un coin avec deux autres messieurs. Dès que le juge eut levé la tête en direction du procureur pour demander : « Alors, de quoi s'agit-il ? », l'homme assis à côté de Jamal se présenta comme son avocat. Comprenant d'instinct qu'elle devait saisir sa chance, Miral décida d'abandonner toute défiance et de paraître innocente et soumise. Et quand le procureur commença à expliquer les charges au juge, elle enleva le sweat-shirt qui couvrait ses bleus. Lorsqu'ils s'aperçurent qu'elle essayait de montrer au magistrat les marques des mauvais traitements qu'elle avait subis, dont celles qui transparaissaient sous son débardeur blanc taché de sang, les policiers la fusillèrent du regard. Déjà passablement abattu, Jamal dut faire un effort surhumain pour ne pas pousser un cri en découvrant l'état de sa fille. L'avocat lui agrippa le bras en lui enjoignant de garder son calme. Le père de Miral voyait bien qu'elle avait été battue et sans doute torturée, mais son conseiller chuchota que c'était pratiquement devenu monnaie courante pour obtenir des informations, et que personne n'y échappait, pas même les plus jeunes.

Cherchant à éviter le regard de Jamal, Miral se rendit compte en l'observant du coin de l'œil qu'il tremblait comme une feuille.

Le juge demanda d'un ton très brusque au procureur si la prévenue avait fait une confession écrite, ou s'il disposait de quelconques preuves de son implication dans les désordres de l'intifada. L'accusation répondit qu'elle avait besoin de quarante-huit heures supplémentaires pour obtenir de telles preuves et sortit une photo représentant l'adolescente de profil à une manifestation. Le magistrat fixa Miral un moment avant de se concentrer sur le dialogue des deux parties adverses. L'avocat demandait au procureur s'il disposait d'autres preuves ou d'autres témoins à l'encontre de sa cliente. Ignorant cette intervention avec le plus grand mépris, le procureur continua à s'adresser uniquement au juge, qui lui ordonna malgré tout de répondre aux questions de son adversaire. Le matin même, le quotidien israélien *Ha'aretz* avait publié un long réquisitoire contre les abus commis au nom de la sécurité nationale par les officiers israéliens chargés des interrogatoires, notamment sur des victimes mineures. L'article s'intitulait : « Jusqu'où sommes-nous prêts à aller ? », et le juge avait un exemplaire du journal sur son bureau. Après avoir écouté les arguments des deux parties, il déclara qu'étant donné que l'accusée était mineure et qu'elle n'avait pas avoué ni commis de délit auparavant, il lui accordait le bénéfice des circonstances atténuantes. L'avocat de Jamal lui adressa un sourire satisfait.

— La jeune fille est libre dès aujourd'hui, annonça le juge, qui précisa qu'elle devrait payer une amende de trois mille shekels, soit environ deux cents dollars. (Avec un regard sévère, il poursuivit.) Je ne veux plus vous voir dans mon tribunal. La prochaine fois, la peine ne sera pas aussi légère. À partir de maintenant, vous feriez mieux d'avoir un comportement irréprochable.

*
* *

En attendant la libération de Miral, Jamal paya l'amende avec le sentiment qu'on venait de lui enlever un gigantesque poids. Quand la grille s'ouvrit sur sa fille, son cœur bondit dans sa poitrine. Les larmes roulèrent sur ses joues tandis qu'il la serrait dans ses bras de toutes ses forces. La tension accumulée durant ces interminables heures s'évapora enfin. Miral ne put réprimer un cri de douleur à cause des blessures qui lui lacéraient le dos. Son père l'emmena immédiatement en consultation dans une clinique où un médecin pansa ses plaies, après quoi elle put rentrer chez elle.

Conscient que le danger planait encore, Jamal élabora un plan pour éviter qu'une expérience pareille ne se reproduise. Aussitôt lavée, Miral alla se coucher. Dès qu'elle fut endormie, son père demanda à Rania de veiller sur elle pendant qu'il allait à Dar El-Tifel discuter avec Hind de la possibilité de la mettre un certain temps en sécurité loin de Jérusalem.

Après un cordial échange de salutations, Hind le reçut dans son bureau et lui demanda des nouvelles de sa fille.

Jamal lui rapporta les événements et décrivit l'état physique de Miral, les yeux embués de larmes. Au fur et à mesure qu'il ajoutait des détails, la détresse et l'angoisse se peignirent sur le visage de la directrice, qui s'accorda avec lui sur la nécessité de l'envoyer quelque temps à Haïfa. Jusqu'au début des examens, suggéra-t-elle. Jamal lui demanda si un mois suffirait et, quand elle acquiesça, il voulut s'assurer que cette absence ne compromettrait pas les notes de sa fille. Hind le rassura en lui expliquant que Miral connaissait le programme, et qu'elle s'en sortirait très bien en étudiant par elle-même chez sa tante. Jamal repartit donc avec un sac à dos rempli de livres et de cahiers.

Haïfa était un endroit idéal, une ville calme à l'atmosphère moins lourdement chargée de politique que Jérusalem. On considérait cette cité comme une sorte de laboratoire civique où Israéliens et Palestiniens parvenaient à coexister en paix.

*

* *

Le départ de Miral était prévu trois jours plus tard, durant lesquels elle resta au lit à laisser ses plaies se refermer… celles qui avaient marqué son corps, mais aussi sa dignité et son âme. On aurait dit un oiseau blessé : le moindre mouvement lui causait un gros effort, et elle parlait à peine. Elle demanda à Rania des nouvelles des jeunes arrêtés dans le quartier. Sa sœur lui apprit que beaucoup d'entre eux étaient encore en prison, et que certains, dont Hani, avaient échappé à la police cette nuit-là avant de prendre la fuite.

Miral reçut cette nouvelle comme une gifle. Après le récit de Rania, elle s'enfouit sous les couvertures et fondit en larmes. Pour la consoler, sa cadette lui massa les pieds en lui répétant qu'elle serait très bien à Haïfa.

Quelques heures avant le voyage, alors que son père dirigeait la prière du matin à la mosquée, Miral reçut la visite inattendue de deux camarades du FPLP, Jasmine et Ayman.

Pour la première fois depuis longtemps, elle sourit, mais, quand elle essaya d'embrasser ses amis, elle les trouva froids et distants. Lorsqu'ils entreprirent de la bombarder de questions, Miral comprit que, loin d'être amicale, leur visite était en fait un interrogatoire. Jasmine et Ayman exigèrent un récit détaillé des circonstances de son arrestation, des méthodes utilisées pour la faire parler et de son éventuelle confrontation avec un autre membre du groupe. Ils voulaient avant tout savoir quelles preuves et quels noms les agents israéliens avaient en leur possession. Le FPLP utilisait couramment cette procédure afin de comparer les informations pour déterminer si l'un de ses membres avait oui ou non avoué pendant les interrogatoires, ou, pire, s'il avait été forcé de collaborer. Attristée et déçue, Miral les mit au courant de tout, y compris de son prochain exil à Haïfa. Elle leur demanda ensuite des nouvelles de Hani, mais ils échangèrent des regards mystérieux et l'informèrent qu'il avait été relevé de ses fonctions en tant que secrétaire de la section. Ils enjoignirent aussi Miral de se méfier de lui sous prétexte que Hani aurait retourné sa veste avec ses discours en faveur des négociations avec les Israéliens, ce qui, pour la gauche palestinienne, relevait de la haute trahison. Avant de partir, ils insistèrent enfin pour qu'elle n'essaie pas de se mettre en rapport avec eux et qu'elle attende d'être contactée à l'avenir. Tout de suite après leur visite, Miral chargea Rania d'aller déposer un message pour Hani auprès du propriétaire d'un certain café du quartier arménien. Dans ce mot, elle le prévenait qu'elle partait à Haïfa pour un mois et qu'il pourrait la joindre par l'intermédiaire du patron. En rentrant chez lui après la prière, Jamal aperçut Jasmine qui sortait de la maison. Son visage s'assombrit et, sans rien dire à Miral, il avança l'heure du départ et décida de l'accompagner à Haïfa.

*
* *

Au moment où ils franchissaient les limites de Jérusalem, Miral eut l'horrible sensation d'abandonner tout ce qu'elle avait de plus cher. Alors que le bus traversait en crachotant les routes poussiéreuses de Samarie, elle sentit l'angoisse la prendre à la gorge. Pour empêcher son père de voir ses larmes, elle passa tout le voyage le visage collé à la vitre.

Miral sut que Haïfa approchait en apercevant les fleurs blanches et roses des buissons de laurier qui bordaient le dernier tronçon de route menant à la ville. C'était comme si ces plantes caressaient les fenêtres du véhicule. Les premières maisons apparurent alors, éparpillées au bord de la plage. L'espace d'un instant, Miral entrevit le cimetière musulman et ses pierres tombales battues par les sables. C'était là que sa mère était enterrée, à quelques pas de la mer et de la plage qu'elle avait tant aimées. La jeune fille y emmenait souvent ses amies faire de longues promenades le long de la grève, l'été.

La vue de ce cimetière ramena un semblant de paix dans l'esprit de Miral.

11.

Miral se sentait chez elle à Haïfa. Rania et elle passaient toujours la plus grande partie de l'été chez leur tante Tamam, savourant le rythme de vie plus lent qui remplaçait le strict emploi du temps en vigueur dans leur école. Les filles se montraient toujours curieuses de revoir la ville natale de leur mère et de découvrir à quel point elle avait changé par rapport à l'été précédent, combien leurs cousins avaient grandi et le nombre de nouveaux immeubles qui avaient poussé sur le mont Carmel. Mais leur endroit préféré restait la plage, où elles passaient des journées entières à nager et à jouer à chat.

L'atmosphère de Haïfa était complètement différente de celle de Jérusalem, tant le nouveau et l'ancien s'y mêlaient dans l'harmonie. Toujours en mouvement, la ville était à la recherche, tout comme ses habitants, d'une identité. À Haïfa, en dépit du fait que les quartiers arabes, avec leurs ruelles pittoresques, leurs rues semées d'ornières et leurs crépis lépreux, avaient été en partie rasés et remplacés par des immeubles résidentiels modernes, la vie était plus agréable qu'ailleurs. C'était une cité ensoleillée, conviviale et joyeuse, avec ses boutiques colorées ouvertes vingt-quatre heures sur vingt-quatre. La longue bande de verdure qui séparait la mer du mont Carmel ressemblait à un sapin de Noël, avec la succession de restaurants en tout genre bordant la route où l'on entendait chanter dans toutes les langues. Sur le papier, les citoyens arabes et israéliens avaient les mêmes droits, sauf qu'à Haïfa, la coexistence entre les deux communautés était une réalité et non une utopie, résultant de la décision d'intégrer les Arabes qui y étaient restés dans l'État d'Israël. Ici, les blessures laissées par la guerre et l'abandon forcé par les Arabes de leurs maisons – immédiatement réattribuées à des Juifs ayant immigré depuis l'Europe en ruines juste après la Seconde Guerre mondiale – avaient eu davantage de temps pour cicatriser.

Était-ce l'aspect cosmopolite que le port donnait à la ville, le fait que son annexion remontait à 1948, ou la chaleur douce-amère de l'air marin ? En tout cas, il régnait dans ce lieu un dynamisme culturel qui le rendait ouvert à la diversité sous toutes ses formes. Nombreux étaient les habitants qui parlaient aussi bien arabe qu'hébreu, et les gens s'y mêlaient facilement aux autres, au travail comme en amitié.

Cependant, pour Miral, Haïfa représentait cette fois l'exil, loin de son monde à elle. Elle ne savait pas combien d'heures elle avait passées à bord du bus, mais, quand elle vit sa tante à la gare routière, elle comprit que les dés étaient jetés. Jamal partit le lendemain. En le regardant faire des conciliabules avec Tamam, Miral lut sur son visage l'inquiétude et la tristesse.

L'adolescente tomba dans une sorte d'état catatonique. Elle passait ses journées allongée sur son lit, fenêtres fermées, mangeait très peu, et ne semblait avoir envie de voir personne, pas même son bien-aimé cousin Samer, qui la distrayait d'habitude avec ses chansons et ses potins. Tamam essayait de lui changer les idées en s'allongeant sur le lit voisin pour lui parler de sa mère, évoquant sa fascination pour les femmes israéliennes, leur style de vie, leur indépendance, leurs vêtements et leurs fêtes sur la plage. Elle lui raconta aussi à quel point Nadia était douée pour comprendre des mots et des nuances linguistiques qui échappaient au commun des mortels dans les chansons des orchestres du front de mer.

– Ta mère disait toujours : « Quand je regarde les gens danser, leurs corps qui se balancent me font l'effet d'autant de déclinaisons du mot paix. »

*
* *

Tamam avait remarqué à quel point Miral avait grandi depuis sa dernière visite. Dans les yeux de sa nièce, elle décelait la même curiosité aiguë que dans ceux de Nadia. Miral entrevoyait aussi parfois dans certaines attitudes de sa tante, dans le très léger geste de la main qu'elle faisait avant de dire quelque chose d'important ou dans sa manière de sourire, des bribes du peu qu'elle se rappelait de sa mère. Elle appréciait avant tout chez sa tante son ouverture d'esprit, qui la conduisait parfois à abandonner son personnage de façade de femme traditionnelle. Discutant un jour avec Tamam d'une voisine connue pour ses liaisons extra-conjugales, elle fut stupéfaite de l'entendre déclarer que ce genre de comportement était souvent le lot des femmes malheureuses et seules.

Tamam décrivit à sa nièce la vie de sa famille après 1948, et lui raconta des anecdotes amusantes à propos d'elle et de son mari, dans l'espoir de la tirer du lit et de la convaincre de sortir se promener ou faire les boutiques, mais sans succès. En désespoir de cause, elle appela son fils Samer à la rescousse. À vingt-deux ans, le jeune homme étudiait en première année à l'université. Il était mince et musclé, et ses longs cils mettaient en valeur des yeux noirs incroyables qui ne passaient pas inaperçus. Dans la famille, Samer était populaire à cause de son caractère accommodant et serviable et de son physique agréable. Mais c'était surtout sa maladresse qui le rendait irrésistible. Il cassait constamment des objets à la maison, au grand désespoir de sa mère et à l'amusement général du reste de la maisonnée.

Au-delà de leurs liens de parenté, Samer et Miral étaient avant tout deux amis unis par une profonde affection. Attristé de voir sa cousine dans un tel état, Samer accepta d'intervenir. Après avoir pénétré dans sa chambre, une tasse de café à la main, il ouvrit les fenêtres, arracha les couvertures et lança :

— Lève-toi, maintenant, ou je vais être forcé de te porter jusqu'à la salle de bains. Allez ! Je t'emmène dans un endroit que je connais.

— Laisse-moi tranquille, se plaignit Miral. S'il te plaît, arrête ! Je ne suis pas d'humeur. Je suis trop fatiguée et j'ai encore mal au dos.

— Arrête de faire cette tête d'enterrement ! l'exhorta Samer en la sortant de force du lit pour la porter sous la douche, où ils furent tous deux aspergés d'eau froide.

Miral éclata de rire.

— D'accord, laisse-moi me laver et je t'accompagne. Mais sors d'abord d'ici !

Dégoulinant, Samer quitta la salle de bains et cria en fermant la porte :

— Je te donne dix minutes ou je reviens sous la douche. Tu es prévenue !

Tamam était enchantée de les voir sortir tous les deux. Dans la voiture, Miral demanda :

— Alors, où on va ?

— À une fête sur la plage. Il faut que je te présente quelques amis.

— Ah non ! protesta Miral. Tout ça pour me faire rencontrer tes crétins de copains ?

— Miral, je veux que tu voies ma fiancée.

Cette déclaration coupa court aux protestations de Miral. Elle sourit en pensant à son amie Maha, qui avait eu une petite histoire avec Samer l'été précédent. Miral ne s'était pas rendu compte que c'était aussi sérieux. Maha venait de Dar El-Tifel : orpheline, sans aucune famille, elle passait tous ses étés à l'école. Mais l'année d'avant, elle avait obtenu une bourse après son bac pour étudier à l'université de Haïfa, où elle avait accompagné Miral et Rania. Miral se remémora ses longues promenades avec Maha dans les rues du quartier commerçant, derrière le port, où se trouvaient la plupart des boutiques de vêtements. Elle se souvint de la sensibilité et de la timidité de Maha, facilement choquée par les jeunes gens qui s'embrassaient en public ou par les tenues très courtes qu'affectionnaient les femmes de Haïfa, capables de se promener en ville en minijupe ou même en bikini. Au fil des jours, elle avait néanmoins semblé renaître. Sa pâleur et son habituel regard triste avaient disparu : grâce au soleil et à l'air marin, elle arborait un teint hâlé et un sourire quasi permanent. Miral comprenait pourquoi maintenant.

Comme à chacun de ses séjours, la curiosité de Miral était de nouveau éveillée par tout ce qui l'entourait. Elle remarquait le moindre petit changement survenu depuis l'année précédente : une maison dont on avait refait le crépi, un bar avec une nouvelle enseigne, un banc apparu sur le front de mer. Son corps aussi semblait répondre, non pas juste au soleil d'été, mais à toutes les facettes de sa ville natale, qui révélait sans cesse des merveilles chatoyantes, à la manière d'une prairie après une averse d'été.

Samer s'était garé en face de la plage de Carmel, si bien qu'ils durent marcher un bon moment le long du front de mer avant d'atteindre leur destination. La soirée était chaude. Le soleil n'avait pas encore complètement disparu derrière l'horizon, et une brise légère agitait les branches des hauts palmiers. Les deux jeunes gens se promenaient, parlant de tout et de rien, quand Miral s'immobilisa soudain et tendit l'oreille pour écouter une chanson venant d'un bar sur la plage.

Une fille aux traits délicats et aux cheveux blonds détachés coupés à hauteur d'épaule mettait la table en bougeant au rythme de la musique. Âgée de un ou deux ans de plus que Miral, elle paraissait transportée à mille lieues de là, suivant des accords qui ne paraissaient pas tant provenir de la radio que du plus profond d'elle-même. Abandonnant Samer, qui s'était arrêté pour saluer des amis, Miral s'approcha pour lui demander :

– C'est quoi, cette chanson ?

Levant les yeux, la fille sourit à Miral, et posa le dernier verre sur la table en disant : *Here Comes the Sun*, des Beatles.

– Elle est extra ! s'exclama Miral qui n'avait jamais rien entendu d'aussi enthousiasmant. Tu sais, la musique que j'écoute d'habitude est un peu différente, ajouta-t-elle avant de se mordre la lèvre.

Il ne fallait pas que son interlocutrice lui pose trop de questions. Ce soir-là, Miral voulait juste être une adolescente normale qui va à une fête, et oublier Jérusalem et les manifestations.

Sentant peut-être sa gêne, la blonde ne chercha pas à en savoir plus et se présenta avec simplicité :

– Je m'appelle Lisa, dit-elle en lui tendant une main pâle comme l'albâtre.

Surprise par cette familiarité inattendue, Miral serra avec un peu trop de vigueur la main tendue et déclina son identité de la même voix qu'elle prenait à l'école pour répondre à l'appel. Ensuite, elle s'excusa, puis rejoignit Samer et ses amis.

— Ou étais-tu passée ? demanda son cousin.

— Tu connais cette fille ? Je crois qu'elle est israélienne.

— Bien sûr que je la connais. Très bien, même. Je t'en parlerai plus tard.

— Désolée de m'être éloignée. J'ai juste entendu cette jolie chanson, et j'ai eu envie de m'en rapprocher.

— Eh bien, tu vois, il est grand temps que tu découvres qu'il n'y a pas que les hymnes patriotiques dans la vie ! s'écria Maha en étreignant affectueusement Miral.

Les deux jeunes filles s'entre-regardèrent quelques secondes avant d'éclater de rire. Samer les entoura de ses bras en annonçant :

— Le dîner est prêt ! Ron a fait des grillades !

*

*   *

Miral, qui avait remarqué que presque tous les invités de la fête étaient des Juifs israéliens, oublia vite son embarras initial et cessa d'y prêter attention. Tout le monde s'amusait. Maha lui raconta combien sa vie avait changé depuis son arrivée à Haïfa, mais la musique était si forte que Miral n'entendait pas grand-chose. Après le dîner, Samer leur proposa de danser. Malgré ses réticences, Maha et Lisa traînèrent Miral sur la piste. À la fin de la soirée, les jeunes gens s'assirent tous autour du feu pour bavarder, les voix de chacun se mêlant au brouhaha ambiant. Miral s'aperçut alors qu'intentionnellement ou non, les convives évitaient de faire une quelconque référence à la politique, jusqu'au moment où un garçon l'interrogea sur le pin's épinglé à sa robe.

— Qu'est-ce qu'il représente, ce symbole ? lui demanda-t-il en se penchant pour l'observer.

— C'est le drapeau palestinien, répondit-elle avec autant d'ingénuité que possible.

— Ah ! se contenta-t-il de lâcher.

Mais elle l'entendit marmonner en s'éloignant :

— Incroyable. On leur donne la citoyenneté, et ils ne l'apprécient pas à sa juste valeur.

Les filles pouffèrent de rire et, en dépit de ce petit incident, la soirée se passa très bien.

*
* *

La présence de Maha obligea Miral à bouleverser ses habitudes. Elle n'avait jamais passé autant de temps à parler à quiconque, pas même à sa sœur, et les après-midi paraissaient trop courts pour leurs conversations. Maha lui donnait un coup de main pour réviser ses examens. Elle connaissait toutes sortes de techniques de mémorisation et se souvenait des questions auxquelles elle avait dû répondre l'année précédente. Même si Miral n'arrivait pas trop à se concentrer, son aide l'obligeait à faire davantage d'efforts. D'ici quelque temps, Miral allait devoir décider quelles matières étudier à l'université. Maha lui avait suggéré de s'inscrire à celle de Haïfa, mais cela équivalait à s'éloigner de Hani pour toujours, et elle n'y était pas prête. En regardant les autres filles de son âge plaisanter avec insouciance, Miral songea qu'elles se créaient peut-être moins de problèmes et que cette douce ignorance leur évitait d'être confrontées à la cruauté de la vie en dehors de Haïfa. D'ailleurs, quelques semaines plus tôt, Miral ne présentait aucune trace de son actuelle légèreté, qui n'avait en fait pas grand-chose à voir avec sa vraie personnalité.

Miral se consola en pensant à la grande liberté intérieure qu'elle avait gagnée, alors que nombre de ces filles allaient sans doute épouser des hommes choisis par leur famille et accepter sans se plaindre ces mariages arrangés. Elles resteraient aux côtés de leur mari même si elles ne l'aimaient pas et lui seraient fidèles comme des chiens à leur maître, non par choix, mais par nécessité. Un soir, en rentrant chez Tamam tandis que le soleil illuminait tout un pan de mer à l'horizon d'une intense lueur rouge, elle se rendit compte que, comme sa mère, qui avait toujours été une femme indépendante, elle n'avait aucune intention de suivre une voie que quelqu'un d'autre tracerait pour elle.

Samer semblait de plus en plus fuyant et nerveux, surtout quand Maha était dans les parages. Miral voyait bien que quelque chose avait changé entre eux. Un soir, son cousin lui avoua enfin qu'il était tombé amoureux d'une Israélienne. Le choc la fit sursauter.

— Tu es sérieux ? Ta mère va avoir une crise cardiaque !

Samer rétorqua que Tamam était déjà au courant et que le moment était venu pour elle de surmonter ses préjugés, annonçant par la même occasion à Miral qu'il avait invité sa petite amie à déjeuner le lendemain.

Ce matin-là, Tamam était en proie à une agitation intense. Elle courait dans tous les sens, retapait les coussins du canapé, polissait l'argenterie. Levée très tôt pour lui donner un coup de main, Miral avait trouvé sa tante s'activant déjà aux fourneaux. Ses mouvements trahissaient une anxiété inhabituelle teintée d'hystérie tandis qu'elle s'agitait dans la cuisine pour préparer les plats arabes traditionnels : du couscous au poisson, suivi d'une soupe de pois chiches, de salades et de falafels, puis de dates fourrées aux noix, le tout arrosé de limonade et de thé à la menthe. En fin de compte, il fut presque impossible à sa nièce de l'aider en quoi que ce soit, tellement Tamam insistait pour tout superviser. Lorsque Miral mit le couvert, elle lui dicta ainsi au millimètre près la position de chaque objet. Tamam accrut encore la surprise de la jeune fille en revêtant sa tenue traditionnelle de fête, alors que, comme beaucoup de femmes de Haïfa, elle s'habillait toujours à l'occidentale.

En admirant la longue galabiah blanche, Miral se demanda ce que Tamam essayait de prouver, et quel message cachaient ces préparatifs si diligents. Avait-elle des préjugés à l'encontre de cette fille, ou bien voulait-elle juste souligner leurs différences ? Remarquant sa perplexité, sa tante lui confia qu'elle n'avait jamais rencontré la petite amie de son fils. Elle savait simplement que Samer avait l'air très amoureux et que la demoiselle était la fille d'un général de l'armée israélienne. L'espace d'un instant, elle regarda Miral avec une expression bizarre, comme pour dire : « Qu'est-ce qui nous arrive ? Ils tuent les nôtres en Cisjordanie, et mon fils veut se fiancer à une Juive ? Tu imagines comment les gens vont nous regarder ! »

Tamam occupait un appartement doté d'une grande terrasse avec vue sur la mer, au dernier étage d'un immeuble où cohabitaient Arabes et Juifs, en plein quartier de Hallissa. Elle avait des relations cordiales avec ses voisins juifs, dont quelques-uns étaient même des amis. Néanmoins, il n'aurait été facile pour aucune Arabe d'accepter sans broncher les fiançailles de son fils à une Juive, surtout s'il s'agissait de la fille d'un officier de l'armée.

L'annonce de la nouvelle avait mis Miral profondément mal à l'aise elle aussi. En attendant l'arrivée de l'invitée, elle comprit que le père de celle-ci pouvait fort bien avoir dirigé des opérations ayant conduit à la mort ou à la disparition de certains de ses amis. Peut-être emmènerait-il un jour ses hommes au camp de réfugiés de Kalandia, où ils tueraient les gamins les plus intrépides, dont ceux de son cours d'anglais…

Quand la sonnette retentit, Miral et sa tante, qui étaient toutes les deux perdues dans leurs pensées, se levèrent d'un bond. Après avoir échangé un bref regard, chacune arrangea distraitement la tenue de l'autre.

12.

Quelle ne fut pas la surprise de Miral quand elle découvrit sur le pas de la porte Lisa, ses cheveux blonds brillant au soleil, bouche bée elle aussi.

Les deux filles s'entendirent très bien d'emblée et bavardèrent comme de vieilles amies, tout en restant conscientes des profondes différences qui les séparaient. Lors de leur première rencontre, Lisa avait remarqué le pin's représentant le drapeau palestinien épinglé sur la poitrine de Miral, mais elle ne lui avait pas donné l'impression d'être l'une de ces fondamentalistes dont son père lui rebattait les oreilles. Lisa mangea son couscous avec délices, complimentant Tamam sur son repas entre deux bouchées. Mais au bout de plusieurs tentatives pour engager la conversation, qui semblèrent crisper son hôtesse, elle comprit que la mère de Samer se méfiait et que ce déjeuner avait dû représenter un gros effort. Par ailleurs, Miral devait reconnaître qu'elle ne pouvait pas s'empêcher d'apprécier cette fille. Quant à Lisa, elle se disait que Miral était peut-être simplement quelqu'un de très patriote, à la différence de Samer, qui, comme beaucoup de jeunes gens de Haïfa, se désintéressait totalement des questions politiques.

Il était difficile à Lisa d'ignorer la politique et ses implications. Elle adorait son père, un homme solide et courageux dont elle était très fière, enfant. Ces derniers temps, cette fierté s'accompagnait toutefois d'un malaise grandissant que déclenchaient en elle jour après jour les scènes de violence aux informations télévisées. Son père ne lui permettait jamais d'oublier qu'ils étaient en mission en Israël. Durant son enfance, il lui avait seriné qu'elle avait de la chance de vivre au moment le plus important de l'histoire de leur peuple, enfin autorisé à habiter la Terre promise. Ces deux dernières années, il avait été promu général, et leurs conversations s'étaient espacées. À chaque fois qu'elle le voyait, elle le trouvait plus dur et plus las, et il lui semblait davantage mû par la haine que par sa résolution d'antan.

Durant ces années-là, Lisa avait découvert en Rachel, sa mère, une femme beaucoup plus intéressante qu'elle ne le croyait, alors que les visites sporadiques de son pere étaient devenues plus un désagrément qu'un plaisir. Rachel lui racontait sa jeunesse dans différents kibboutz. Là-bas, l'idéal socialiste prédominait, les habitants croyaient en la justice et en l'égalité, et tout le monde travaillait la terre, vivait et mangeait ensemble. Peu après avoir commencé l'université, elle avait arrêté ses études pour se marier. Depuis qu'elle était toute petite, Lisa aimait regarder sa mère se maquiller devant le miroir. Ses yeux étaient d'un bleu intense, sa chevelure châtaine prenait des reflets dorés au soleil, elle avait un visage ovale et des lèvres pleines.

L'enfance de Lisa avait ressemblé à celle de Rachel sur bien des points. Malgré l'insatisfaction diffuse qu'elle avait commencé à ressentir avec le temps, elle menait une vie tranquille avant de rencontrer Samer. En dépit de leurs évidentes différences culturelles, ils étaient liés par une passion profonde et réciproque. Ils aimaient les mêmes activités et, comme elle s'était immédiatement sentie à l'aise avec lui, Lisa avait décidé de continuer à le voir quand même. Ils se retrouvaient souvent sans se cacher et les regards désapprobateurs de leur entourage les laissaient indifférents, et entretenaient même leur complicité.

Rachel avait beau avoir entendu des rumeurs, elle pensait que sa fille traversait une phase de rébellion adolescente. Après tout, c'était elle qui lui avait appris à rester ouverte à d'autres modes de vie. En tout cas, il était clair pour Rachel que son mari ne devait rien savoir. Il ne comprendrait jamais.

Lisa et Samer se retrouvaient donc dans les quartiers arabes, afin d'éviter l'éventualité qu'un proche du père de la jeune fille n'aille tout lui raconter. Si Lisa essayait de donner à Samer l'impression qu'elle n'avait pas honte de lui, il était encore trop tôt pour qu'elle remette en cause l'autorité et les préjugés de son père. La situation ne gênait pas le moins du monde Samer. Comme il l'avait expliqué à Lisa, leur idylle clandestine lui avait permis de découvrir une foule d'endroits délicieux qu'il n'aurait sûrement jamais dénichés dans d'autres circonstances, même s'ils étaient pour la plupart fréquentés aussi bien par les Arabes que par les Juifs.

Lisa avait envie de mieux connaître Miral. Elle sentait qu'elles pouvaient être amies. Curieuses toutes les deux, elles aimaient les défis, et leurs caractères contestataires leur permettraient sûrement de trouver des moyens de communiquer et de remettre en question leurs opinions.

Pendant le déjeuner, Tamam essaya d'être cordiale, mais Miral perçut au son de sa voix les énormes efforts qu'elle faisait pour paraître à l'aise.

Samer semblait pourtant satisfait du déroulement de l'après-midi. Peut-être était-il avant tout motivé par un désir puéril de tester sa mère, qui lui avait appris tout jeune à croire au respect mutuel entre Arabes et Juifs. À ce stade de son existence, lui montrer qu'elle ne suivait pas complètement ses propres préceptes avait plus d'importance que leur contenu. Il aimait Lisa tout en sachant parfaitement que les couples « mixtes » entretenaient souvent au début une sensation illusoire de bonheur et d'égalité avant que le plus faible des deux, voire même les deux, ne sombre dans un abîme d'incompréhension et de racisme. Il connaissait deux filles qui s'étaient fiancées à des Juifs. Au bout d'un moment, leurs prétendants avaient rompu avec elles et, depuis lors, ni leurs familles ni leurs amis ne les acceptaient plus vraiment. L'expérience de ces jeunes filles démontrait à leurs yeux que croire à ce genre d'utopies équivalait à prendre ses désirs pour des réalités.

Après le déjeuner chez Tamam, Miral et Lisa commencèrent à se voir fréquemment. Samer les emmenait faire de longues promenades en voiture, ou passer l'après-midi à la plage. Un jour, ils partirent sans destination précise en tête et aboutirent sur les bords du lac de Tibériade, dans le nord du pays. Le temps était très chaud, sans un souffle de vent, et les trois jeunes gens auraient volontiers fait trempette, à ceci près que personne n'avait apporté de maillot de bain. Constatant que cette partie de la rive était déserte, Lisa jeta un coup d'œil à la ronde et enleva tous ses vêtements avec le plus grand naturel avant de plonger dans l'eau tiède. D'abord choquée, Miral se borna à la regarder, puis s'esclaffa, fascinée par tant d'audace. Elle savait qu'elle ne serait jamais capable d'imiter son amie, car un tel comportement serait toujours impossible pour quelqu'un de sa culture.

Les conversations des deux jeunes femmes restaient toujours superficielles et n'abordaient jamais la politique. Lisa et Miral évitaient d'ailleurs de parler trop longtemps, comme si la différence entre leurs accents pouvait suffire à faire surgir le mur invisible qui les séparait avant même leur naissance.

Pendant les vacances forcées de Miral, elles devinrent, en un certain sens, amies. Miral ne pourrait jamais partager avec Lisa sa passion pour la politique ni lui parler des souffrances que les raids de l'armée israélienne avaient infligées à tous les Palestiniens. Lisa ressentait une grande affection envers cette fille si différente, sans pour autant s'imaginer capable de lui confier un jour ses tourments nocturnes où se mêlaient la peur des attaques terroristes et le malaise qui l'envahissait à chaque retour de son père. Leurs échanges se limitaient donc à quelques sujets : ce qu'elles attendaient de la vie au quotidien, leurs passe-temps favoris, leurs rêves d'avenir, la musique pop, le ping-pong, et les garçons.

Les histoires que Lisa lui racontait conduisirent également Miral à penser au sexe pour la première fois. Dès que Lisa abordait le sujet, elle se heurtait à tous les tabous de son amie, qui rougissait jusqu'aux oreilles, atrocement gênée… quand elle ne pouffait pas d'un rire nerveux. Jamais elle n'avait abordé la question avec personne. Visiblement beaucoup plus expérimentée et moins inhibée, Lisa lui donnait des conseils, que Miral écoutait, mi-scandalisée, mi-amusée. Ils lui laissaient deviner un monde qui lui était resté caché grâce à sa religion et aux murs de son école, mais dont elle avait entrevu l'existence durant sa brève et intense relation avec Hani.

Pour Miral, la frivolité de ces journées était comme un cadeau, un trésor inattendu qui la protégerait dans les années à venir en lui rappelant la possibilité d'une vie différente.

Un jour, Lisa lui demanda à brûle-pourpoint :

— Tu as déjà embrassé une fille ?

— Embrassé une fille comme un homme ? Non, ça ne m'est jamais arrivé, répondit Miral, qui trouva l'idée distrayante. J'ai embrassé mon petit ami, mais on est encore très timides.

Lisa lui expliqua en souriant :

— Les premiers baisers ne donnent pas grand-chose. Dès qu'on a appris la technique, ça devient nettement mieux.

— Vraiment ?

— Oui, oui. (Le visage de Lisa s'anima subitement.) Tu veux apprendre à embrasser un garçon dans les règles de l'art ?

Stupéfaite, Miral la regarda sans trop savoir à quoi s'attendre, avant de répondre d'une voix hésitante :

— Ou... oui ?

— Tu n'es pas censée répondre par une question, tu sais ! Alors, tu veux apprendre ou pas ?

— Oui.

Miral se sentait de plus en plus embarrassée, mais sa curiosité l'emporta.

Sans hésiter, Lisa s'approcha d'elle et lui prit avec délicatesse le menton entre le pouce et l'index avec un regard rassurant.

— Détends-toi, maintenant, ne pense à rien et fais comme moi.

Quand Lisa appuya ses lèvres sur celles de Miral, une sensation de chaleur l'envahit. Leurs langues se rencontrèrent, et Miral suivit spontanément les mouvements de sa partenaire.

Elles éclatèrent toutes les deux de rire.

— Tu vois ! Ce n'était pas si difficile.

— Non, c'est vrai, reconnut Miral en riant toujours, rouge comme une pivoine.

Durant le temps qu'elles passèrent ensemble, les filles discutèrent des deux mondes qui coexistaient au sein du même pays. Lisa ne franchit qu'une seule fois la ligne imaginaire qui préservait le terrain neutre où elles évoluaient en mentionnant sa probable convocation sous les drapeaux, l'année suivante. Miral, qui savait que les filles israéliennes devaient faire deux ans de service militaire et les garçons, trois, frissonna à l'idée de se retrouver nez à nez avec Lisa en uniforme pendant une manifestation à Ramallah.

Ce que Miral préférait chez elle, c'était son désir d'autonomie. Quant à Lisa, elle appréciait le courage instinctif de son amie.

Sans avoir besoin d'en parler, elles savaient parfaitement toutes les deux que cette situation surréaliste ne pouvait pas durer.

Miral se rendait aussi compte que Jérusalem n'était pas Haïfa et que, dans la Ville sainte, elle allait retrouver l'intifada, les manifestants qui fuyaient les soldats, et les petits réfugiés obligés de grandir dans quelques mètres carrés en marge de tout.

*

* *

Un jour où les deux amies faisaient les boutiques, elles tombèrent sur le père de Lisa. Miral se sentit prise de court : elle n'avait jamais envisagé la possibilité d'une telle rencontre, et la dernière chose qu'elle souhaitait était de se retrouver face à face avec cet homme, qu'elle avait jusqu'à présent réussi à ignorer. L'idée de se présenter et de lui serrer la main lui répugnait. Dans son esprit, sa main était tachée du sang de son peuple.

Très grand, le père de Lisa avait le visage ovale, des traits réguliers et un corps mince d'homme entraîné. Miral ne réussirait jamais à définir son expression : certes, il ne souriait pas – en fait, il avait l'air de quelqu'un qui n'avait jamais souri –, mais il ne lui parut pas non plus mauvais. En bref, il semblait normal et, sans son uniforme, il aurait fait partie de ces gens dont on ne devine jamais la profession.

Sentant peut-être son malaise, Lisa s'éloigna rapidement de Miral pour aller à la rencontre de son père. C'était finalement une bonne chose pour tout le monde, car si la famille de Samer était loin d'être ravie de ses projets de mariage, celle de Lisa était ouvertement hostile à leur union. Elle ignorait comment son père avait découvert le pot aux roses, mais un soir, en rentrant, il l'avait convoquée dans son bureau en lui demandant d'expliquer certaines rumeurs courant sur son compte.

Lisa n'avait rien nié et, quand son père l'avait sermonnée sur la cohérence et le type de comportement auxquels se devaient tous les membres de leur famille, elle s'était bornée à baisser les yeux sans répondre.

Quelques jours plus tard, quand il avait compris que sa fille n'avait pas rompu, il était allé jusqu'à menacer de la jeter dehors si les tourtereaux étaient revus ensemble. Lisa n'avait raconté cette histoire à personne, pas même à Samer, qui continuait à se bercer d'illusions en pensant que leur seul problème était d'éviter les lieux fréquentés par leurs familles.

*

* *

Avant que les vacances ne se terminent, les filles se promirent de rester amies même si Lisa ne sortait plus avec Samer.

À la fin du mois, comme la date des examens de Miral approchait, elle reçut un coup de téléphone de son père lui enjoignant de rentrer. Quelques jours après son retour à Jérusalem, elle apprit que Samer avait été arrêté sous un prétexte fallacieux et retenu au centre d'interrogatoire pendant trois jours. Enfin forcés de regarder la situation en face, Lisa et lui décidèrent peu après de rompre.

13.

À l'inverse, Lisa et Miral restèrent en contact, comme si leur amitié représentait plus un défi pour elles deux que pour leur entourage. Quelques semaines après son retour, Miral avait passé son dernier examen lorsqu'elle reçut un coup de téléphone de Lisa, qui avait des courses à faire à Jérusalem le lendemain et lui proposait de l'y retrouver. Ce serait leur première rencontre hors de la sphère protectrice de Haïfa, et Miral était un peu mal à l'aise à l'idée d'être vue en compagnie de son amie juive.

Miral arriva au rendez-vous vêtue d'un jean serré, d'un tee-shirt bleu et d'un sweat-shirt en coton blanc. Lisa était encore plus ravissante que d'habitude : sa robe jaune décolletée laissait entrevoir ses seins parfaits, et ses cheveux étaient détachés sur ses épaules, à part deux petites tresses qui lui encadraient le visage. Miral, qui n'imaginait pas qu'elle serait si heureuse de la revoir, l'emmena dans un petit restaurant calme où elles déjeunèrent en échangeant des nouvelles.

Tandis qu'elles bavardaient, Lisa annonça d'un air détaché une information capitale.

— Il se trouve que je suis finalement exemptée de service militaire à cause de mon asthme. Je ne vais pas être obligée de m'engager, c'est formidable ! dit-elle à voix basse.

Miral s'étouffa à moitié en l'entendant mentionner ce sujet. Sa seconde quinte de toux attira l'attention du propriétaire, qui fit mine d'approcher de leur table, mais Miral l'arrêta d'un geste. Lisa continua sans rien remarquer :

— Tu sais, j'ai beaucoup pensé à ce que tu m'as raconté sur les Territoires occupés pendant tes vacances.

Au moment du café, Miral voulut lire l'avenir dans le marc de la tasse de son amie. Elle lui demanda de la vider en une seule gorgée avant de la lui prendre des mains et de la renverser très vite sur la soucoupe. Après avoir remis la tasse à l'endroit, elle en scruta le contenu avec attention.

— Quelque chose va t'obliger à changer ta façon de vivre, lança-t-elle, interprétant l'épaisse trace de dépôt laissée par le café à la cardamome.

Elle retourna à nouveau la tasse et la fit rouler en appuyant doucement le bord sur la soucoupe. Quand elle eut fini sa seconde inspection du marc de café, elle prédit avec un grand sourire :

— Avant la fin de l'année prochaine, tu vas tomber amoureuse d'un homme plus âgé. Et cette fois-ci, ce sera le grand amour.

Le souvenir de Samer traversa immédiatement l'esprit de Lisa, qui se remémora leur histoire avortée pour des raisons aussi absurdes qu'inacceptables.

— Allez, ne pense pas à ça, dit Miral en souriant toujours, car elle avait deviné ses pensées. Vous n'étiez pas faits l'un pour l'autre, de toute façon. C'est un type super, mais aussi quelqu'un de narcissique et d'un peu immature. Il te faut un homme doux et sensible…

Lisa rit aux éclats… Cette conversation constituait une preuve supplémentaire que leur amitié avait dépassé ses origines et qu'elle devenait exclusivement une relation à deux. Désormais, elles étaient simplement amies.

L'addition payée, elles décidèrent de faire un tour dans le quartier arménien. L'air était agréablement frais.

— J'aimerais bien voir l'endroit auquel tu es le plus attachée, déclara Lisa, interrompant le cours de leur conversation.

Après une brève hésitation, Miral plongea son regard dans celui de la jeune Israélienne et héla un taxi.

— À Ramallah, s'il vous plaît.

Quand Lisa entendit Miral donner leur destination au chauffeur, sa première réaction fut de sortir de la voiture. Elle ouvrit la porte du taxi, qui roulait déjà, mais Miral la retint d'un geste à la fois délicat et impérieux, un regard doublé d'un léger signe de tête, par lequel elle lui indiqua que tout se passerait bien.

Pendant ce temps, la Mercedes marron remontait la rue Saleh el-Din, encombrée de promeneurs chargés d'emplettes. Lisa remarqua au passage les boutiques, qui envahissaient le trottoir jusqu'au bord de la chaussée, et les marchandises, exposées du sol au plafond. L'asphalte était criblé de nids-de-poule et le taxi dépassa en tressautant les dernières maisons de Jérusalem. Aucune des filles ne prononçait un seul mot.

Elles étaient à peine sorties du taxi que Lisa se mit à crier :

— Pourquoi m'as-tu emmenée ici ? Pour me tester ?

— Je veux juste que tu voies qu'il existe un autre monde à quelques kilomètres à peine des nouveaux immeubles israéliens. Un monde oublié, mais bien réel, rétorqua Miral.

Marchant quelques pas devant Lisa, elle essayait d'éviter les mares d'eau laissées un peu partout par les pluies des jours précédents.

— Est-ce que tu te rends compte qu'il pourrait m'arriver malheur ici ? Les Israéliens n'ont pas le droit d'entrer ! protesta Lisa, qui s'efforçait de suivre le rythme.

— Allez, Lisa, tu sais bien que je ne te ferais pas courir de risques inutiles. Reste près de moi, ne dis rien et, si tu dois vraiment parler, fais-le en anglais, jamais en hébreu. Je dirai que tu travailles pour une organisation non gouvernementale européenne. Tu ne cours aucun danger.

Lisa remarqua quelques enfants qui jouaient au foot avec une balle bizarre visiblement faite de chiffons. Dès qu'ils aperçurent leurs visiteuses, ils abandonnèrent leur terrain de jeu de fortune pour courir vers elles. En voyant ce groupe de petits garçons sales et hurlants s'approcher, Lisa pensa qu'ils devaient avoir des pierres plein les poches, et elle eut viscéralement envie de s'enfuir et de revenir sur ses pas jusqu'à la route de Ramallah pour y attendre le passage d'un taxi. Mais comme Miral, très calme, marchait vers eux, Lisa se contenta de ralentir le pas. Elle vit les gamins entourer son amie, qui commença à leur distribuer des bonbons en leur caressant les cheveux et en leur donnant de petites tapes affectueuses dans le dos ou sur le derrière.

Une main chaude attrape la mienne, écrivit Lisa ce soir-là dans son journal. *Moi qui m'attendais à de l'hostilité, je me suis retrouvée entourée de visages souriants. Ils me prennent par la main pour m'emmener faire le tour du camp. Les enfants sont mal habillés, avec des pantalons rapiécés et des trous dans leurs tee-shirts délavés. Ils me montrent leurs petites maisons sombres où leurs mères font la cuisine, penchées sur des foyers improvisés, ou cousent assises sur le pas de leur porte. Ils me parlent arabe – sauf les plus grands, qui conversent en anglais de cuisine –, mais je n'ai même pas besoin de mots pour comprendre ce qu'ils veulent que je sache, ce qu'ils me communiquent avec leurs yeux. Il y a juste un garçon qui m'a mise mal à l'aise. Il m'observait de loin. Ses cheveux noirs retombaient en masse sur son front, il avait une cigarette éteinte au coin de la bouche et me regardait comme s'il savait que j'étais juive. J'ai vu Miral lui parler. Leur conversation avait l'air sérieuse, mais elle ne m'a pas présentée. Pour la première fois, j'ai vu ce qu'est la ségrégation. En tout cas, c'est un monde que nous ne pouvons même pas imaginer. Et ces gens sont supposés être nos ennemis ?*

Miral ne quittait pas Lisa des yeux. Les petits la tenaient par la main et la conduisaient d'une cabane à l'autre. Ils voulaient lui montrer les photos de leurs frères ou de leurs pères morts, le peu de livres qu'ils possédaient, exposés comme un précieux héritage. Dans leur regard, Lisa percevait une émotion réprimée, mais intense. Elle se laissait guider en leur rendant leurs sourires. En quelques minutes, ils avaient réussi à effacer de son esprit tout ce qu'elle avait jamais entendu dire sur les camps de réfugiés.

Miral alla trouver Saïd, le copain de Khaldun, qui la gratifia d'un sourire en coin avant de lui donner un paquet caché sous son tee-shirt. Pendant qu'elle le rangeait dans son sac à dos, Saïd alluma une cigarette.

— Alors, tu fumes aussi maintenant ? Quand as-tu reçu ce paquet ? demanda-t-elle d'un ton sec en lui arrachant sa cigarette de la bouche avant de la jeter par terre et de la piétiner du bout de ses bottes.

Interloqué par tant de brusquerie, Saïd resta immobile quelques secondes d'un air interrogateur, soufflant lentement la fumée par le nez.

— Quelqu'un de sa famille qui revenait de Jordanie l'a apporté la semaine dernière. Il y avait une lettre pour moi aussi. On dirait qu'il s'en sort bien.

Miral lui posa une main sur l'épaule.

— Promets-moi d'arrêter de fumer !

— Tu crois que c'est ça qui va me tuer ? Quand je me lève, le matin, je sais que j'ai à peu près autant de chances de dormir dans mon lit le soir que de me faire avoir par un tireur israélien ou écraser par un tank et de finir entre quatre planches. Tu peux m'expliquer combien ça vaut, la vie d'un garçon dans un camp de réfugiés ?

Miral ne répondit pas.

— Je vais te le dire, Miral. Elle vaut rien, parce qu'on n'existe pas, parce qu'on est en dehors du monde. Les cigarettes, c'est pas aussi mauvais pour la santé que de grandir ici.

Il donna un coup de pied dans une canette.

De quel droit viens-je faire mes sermons sur l'hygiène de vie comme à Dar El-Tifel à un garçon que je connais à peine et qui vit dans des conditions aussi effroyables ? se demanda Miral en se mordant la langue pour se punir.

L'arrivée de Lisa la tira de ce mauvais pas, et elle quitta Saïd pour rejoindre son amie. Au bout de quelques mètres, Miral se retourna pour lui faire un signe d'adieu, mais il avait déjà disparu.

Pendant le trajet du retour, elle constata que Lisa était encore secouée, comme si des fantômes qui n'existaient quelques heures plus tôt que dans les articles de journaux ou les reportages télévisés s'étaient soudain matérialisés devant elle, avec de véritables noms et des visages bien réels.

À partir de maintenant, se félicita Miral, *elle aura les bouilles de ces gosses gravées dans le cerveau, elle sentira leurs mains dans la sienne, et elle reverra leurs yeux qui la regardent sans rien demander, qui lui montrent dignement leurs conditions de vie, alors que rien de ce qu'ils possèdent n'est digne.*

Pendant que le taxi négociait les virages sur la route qui les ramenait à Jérusalem, Lisa saisit la main de son amie. Bien qu'incapable de parler, elle devait lui faire comprendre que cette visite au camp avait beaucoup compté pour elle. Ce jour-là, elle avait vu que l'endroit le plus affreux au monde, où les égouts sont à ciel ouvert et les maisons construites avec de la boue, de la paille ou de la tôle ondulée, pouvait aussi être un lieu où la solidarité et le partage d'une infortune commune conduisaient à la naissance de relations très solides. Il suffisait de se présenter là-bas sans armes pour gagner dans l'instant la confiance de tous. Lisa était choquée de découvrir de telles zones d'ombre en Israël. Elle se répétait sans cesse : *Comment des endroits aussi dégradants peuvent-ils exister ? Ça ne peut pas être mon pays !*

14.

Dès son retour à Dar El-Tifel, Miral fila dans sa chambre, dont elle ferma la porte à clé, et s'assit sur son lit pour ouvrir le paquet. La première chose qu'elle aperçut fut une photo de Khaldun avec ses camarades, tous vêtus de noir, des keffiehs noir et blanc autour du cou. Au dos, Khaldun avait écrit : « Comme tu le vois, je n'ai pas arrêté de fumer, mais sinon, j'ai changé à peu près en tout. »

Effectivement, il paraissait différent. C'était un homme, maintenant : sans être vraiment beau, il irradiait le charme et la confiance en lui. Miral fut étonnée de voir que son expression s'était adoucie. Elle reflétait tellement moins de colère que quand c'était juste un ado ! Le paquet contenait aussi une lettre, dont elle déchira l'enveloppe avec impatience. Même son écriture était plus apaisée et plus mûre.

Chère Miral,

J'espère que tu recevras ce paquet. Je sais que tu es encore à Dar El-Tifel, mais ce n'est pas facile pour mes amis de venir à Jérusalem. Voici une photo de moi. Comment tu me trouves ? Je me sens déjà différent ! Je t'envoie aussi un livre que j'ai écrit… La vie est pleine de surprises. Quelquefois, en regardant ce manuscrit, je n'arrive pas à croire qu'il est bien là ! J'ai mis un an à l'écrire et ton opinion m'intéresse plus que toutes les autres.

Mon entraînement terminé, je me suis essayé au boulot de garde du corps d'un des chefs du Front populaire de libéra-

tion de la Palestine, un intellectuel et un écrivain. Il m'a donné beaucoup de livres à lire, il m'encourage à écrire et, comme toi, il me dit que je suis trop intelligent pour porter un fusil. Alors, il m'a fait cadeau d'une vieille machine à écrire et m'a obligé à rédiger mon histoire, tout ce que j'ai vécu, comment j'ai grandi dans un camp de réfugiés et réussi à quitter cet enfer. J'ai l'impression d'avoir déjà eu plusieurs vies en même temps, mais peut-être que je ne m'en suis pas trop mal sorti, après tout. Tu es dans le troisième chapitre. Il fallait que tu y apparaisses : je ne pouvais pas t'oublier. J'ai compris beaucoup de choses ces derniers temps, Miral, et surtout que tu avais raison quand tu disais qu'un stylo est souvent la plus efficace des armes.

Malheureusement, nous sommes de moins en moins à le penser. Nous avons des moments difficiles en perspective, et l'écho des explosions risque de couvrir le son des mots. J'ai peur que la démagogie n'ait un fort impact sur les masses. Mais plus que tout, je crains l'influence des fanatiques religieux. D'où viennent ces fous furieux ? Nous avons toujours été un peuple laïc. J'ai vu assez de ces types-là ici au Liban pour comprendre que le danger n'est pas dans les livres saints, mais dans la tête de ceux qui les interprètent. Ce sont eux les vrais méchants professeurs.

J'ai l'air pessimiste, n'est-ce pas ? Crois-moi, ce n'est pas le cas. Je suis juste… disons… bien informé. Fais attention à toi. Nous avons besoin de gens de ta trempe, désireux de dire la vérité, sans fioritures ni censure idéologique. En attendant, ce serait bien si tu m'écrivais ! Je suis curieux de savoir comment tu vas et ce que tu as fait depuis tout ce temps. Dans un mois, le garçon qui t'a donné le paquet aujourd'hui t'en apportera un autre à peu près à la même heure. Si tu veux m'envoyer une lettre, le mieux est de la confier à Saïd ou à ma mère.

Je suis sûr qu'un jour – dans pas trop longtemps, j'espère – on se reverra. Peut-être dans un pays arabe ou un autre.

Je t'embrasse,

Khaldun.

Cette fois, Miral pleura de joie. Khaldun était non seulement en vie, mais aussi en sécurité. Elle fila immédiatement dans le bureau de Hind, qui examinait des documents avec trois de ses collaboratrices.

— Maman Hind, il faut que je vous parle, s'écria l'adolescente en agitant la lettre. (Elles s'isolèrent toutes les deux sur le balcon.) Je dois vous lire une lettre fabuleuse, poursuivit Miral avec une excitation évidente.

— Tu ne peux pas attendre quelques minutes ? J'ai besoin de finir ce travail. Ces documents sont urgents.

— C'est vraiment très pressé. Il faut que je sache ce que vous en pensez.

Cédant à l'insistance de sa filleule, Hind s'assit sur un tabouret et se prépara à écouter le contenu de la missive de Khaldun. La lecture terminée, elle sourit, partagée entre l'amusement et l'admiration.

— Comme c'est beau et profond à la fois ! Ce garçon est un poète. Et Dieu sait si nous avons besoin de romantisme et de rêve. Miral, tu te rends compte qu'une vie a été sauvée ? J'ai de grands espoirs en ce qui concerne l'avenir de ce jeune homme maintenant. Il fait des remarques très intelligentes. Je crois que je dois aussi te complimenter à ce sujet.

Après avoir pris Hind dans ses bras, Miral l'embrassa sur la joue et repartit comme une flèche avec sa lettre.

*

* *

En dépit de la peur que lui avait causée son arrestation, Miral persista dans son engagement politique, mais d'une manière différente. Jamal avait remarqué que, quand elle passait le week-end à la maison, des jeunes gens, dont les chefs de la résistance de son quartier, lui rendaient visite. Ils se retrouvaient pour discuter de négociations de paix, de lois, mais aussi de l'éventuelle création du futur État et de son développement.

Jamal se sentait faible, incapable de protéger sa fille. Une nuit, à deux heures du matin, on frappa violemment à la porte. Tiré du lit, il jeta un coup d'œil dans la chambre des filles avant d'ouvrir. Miral était encore debout, une pile d'une dizaine de livres à la main.

— Je m'occupe de les cacher. Toi, tu vas ouvrir, lui proposa-t-il, livide de peur.

Miral s'habilla pendant que son père sortait dans la cour par la porte de derrière. Avec beaucoup d'efforts, il déverrouilla une bouche d'égout grâce à une longue perche et y dissimula les livres. Les soldats fouillèrent la maison, mais repartirent bredouilles.

Ils étaient à peine dehors que Jamal s'effondra dans un fauteuil, le front dégoulinant de sueur. Le lendemain, en allant rechercher les livres dans leur cachette, il remarqua que quelques feuilles de papier en dépassaient. Il reconnut l'écriture de Miral.

L'intifada a éclaté par une matinée calme et ensoleillée de décembre 1987, après la collision d'un camion israélien avec une voiture pleine d'ouvriers palestiniens en route pour leur travail, qui a tué quatre d'entre eux. Le conducteur du camion a continué son chemin sans s'arrêter pour les aider. Depuis ce jour, le mouvement ne semble pas donner de signes de faiblesse. Au début, les manifestations et les émeutes se sont étendues comme une insurrection populaire à travers les Territoires occupés, Jérusalem, Naplouse, Jénine, Hébron, Gaza, Ramallah, et partout où les gens se rassemblaient spontanément dans les rues pour protester. L'incident du camion a mis le feu aux poudres. Initialement, les manifestations étaient pacifiques, et le visage de leurs participants découvert, mais, au bout d'un moment, des jeunes se sont mis à jeter des pierres sur les chars, symboles de l'occupation et de leurs espoirs anéantis. La répression israélienne a été massive et féroce. Les Israéliens espéraient couper court à la révolte rapidement, mais l'amplification du phénomène les a forcés à changer de tactique. C'est alors que les agents infiltrés et les tireurs embusqués sont apparus, que les prisons se sont remplies, et que les soldats ont commencé à casser les bras et les jambes des gamins des Territoires occupés capturés pendant les affrontements. Au péril de leur vie, des garçons qui ne sont parfois quasiment encore que des enfants défient les tanks israéliens en leur lançant des pierres avec leurs frondes, voire même à mains nues. Lorsque leurs têtes émergent des nuages de gaz lacrymogène, ils ressemblent à de petits prédateurs désespérés, les yeux brillants d'excitation et de haine. De leur côté, les soldats, ces enfants des survivants de la Shoah, sont presque gênés de combattre un ennemi invisible, à l'abri derrière une épaisse couche d'acier. Les Arabes ont perdu trois guerres, et Israël a utilisé sa supériorité militaire pour anéantir le moindre rêve de vengeance de leur part. Le développement des mouvements de protestation en Palestine a cependant fait la une de la presse dans le monde entier. Il ne s'agit pas d'une guerre entre deux armées normales, ni même entre des fedayin *mal entraînés et insuffisamment équipés et la plus puissante armée de cette partie du globe, mais plutôt d'une forme de protestation instinctive, brute et désespérée, qui, selon l'un des paradoxes les plus grotesques de l'histoire, ressemble à l'insurrection juive dans le ghetto de Varsovie. L'intifada, la guerre des pierres, révolte improbable et impossible, représentation distordue et inversée de la lutte entre David et Goliath, frappera si profondément l'imagination de l'Occident qu'il finira par se réveiller de ses dix ans de léthargie face à la situation au Moyen-Orient. Si les cailloux jetés par les jeunes Palestiniens n'ont eu aucun effet du point de vue militaire, ils ont probablement réussi à ébranler quelque peu la bonne conscience du monde.*

Quoique impressionné par l'autorité émanant de la prose de Miral, qui s'exprimait comme une adulte, Jamal craignait aussi pour la sécurité de sa fille. Le jour même, il demanda à Tamam de venir à Jérusalem parler à ses nièces. Cela faisait trop longtemps qu'il dissimulait sa maladie. Il souhaitait que ce soit elle qui leur annonce la gravité de son état. Dès son arrivée, le lendemain, elle alla droit au but.

– Votre père est inquiet. Vous êtes grandes, et vous devez être capables de comprendre certaines choses… mais pour l'instant, je dois vous parler d'un sujet plus important encore. Jamal m'a demandé de vous annoncer qu'il a une leucémie – vous auriez dû être prévenues il y a un moment – et qu'il va devoir subir une opération sérieuse suivie d'une série de traitements.

Assises côte à côte, les deux filles se tenaient par la main, essayant de se soutenir mutuellement face à cette nouvelle qu'elles venaient de prendre en pleine figure. Depuis quelque temps, Miral avait remarqué que son père avait perdu beaucoup de poids, tout en pensant que c'était le contrecoup du souci qu'il se faisait pour elles.

— Il est très malade, continua Tamam. Vous ne devez pas le quitter, mais, surtout, il faut lui éviter de s'inquiéter pour quoi que ce soit. Miral, tu vas devoir renoncer à toute implication politique. L'idée que des soldats pourraient revenir chez lui le bouleverse.

Rania éclata soudain en sanglots en étreignant sa tante. Miral, elle, semblait changée en statue de sel. Leur père avait toujours été leur roc dans les moments pénibles, celui qui les avait aidées à affronter les petites et les grandes difficultés de la vie. Elle se précipita dans la salle de bains, où le reflet de son visage pétrifié dans le miroir disparut derrière un torrent de larmes. L'idée de perdre son père l'avait rendue invisible.

Les jours suivants, Rania décida de cesser de dormir sur le campus de l'école pour retourner vivre à la maison avec Jamal. Miral savait que cette décision aurait un effet négatif sur les études de sa sœur, mais elle comprenait parfaitement ses raisons et la laissa faire. Peu après, comme Miral l'avait pressenti, Rania cessa d'étudier. Elle passait ses journées au chevet de son père avec la femme qui venait tous les jours s'occuper de lui. La nuit, elle se levait pour aller dans la chambre de Jamal l'observer pendant son sommeil, s'inquiétant de sa maigreur croissante. Elle avait envie de lui demander de ne pas s'en aller, de ne pas les laisser seules, de lui dire qu'elles ne s'en sortiraient jamais sans lui.

Miral venait voir son père tous les après-midi, sans pour autant cesser de participer, quoique moins fréquemment, aux manifestations autorisées. Ces derniers temps, elle était devenue encore plus prudente, afin d'éviter à Jamal des contrariétés qui pourraient lui être funestes. En attendant, s'il déclinait rapidement, il gardait toute sa tête et ne se plaignait jamais des spasmes douloureux de sa maladie. Il aimait savoir ses filles tout près et prenait plaisir à les bombarder de conseils. Chaque fois qu'elles pénétraient ensemble dans sa chambre, il leur disait qu'elles avaient illuminé sa journée. Elles s'allongeaient avec lui sur le lit en le serrant dans leurs bras pendant des heures. Rania embrassait inlassablement les joues creusées de son papa, dont la peau paraissait extrêmement fine et transparente. Jamal implorait sans relâche ses filles de rester proches et de veiller l'une sur l'autre, quelle que soit la direction que prendrait leur vie. Bien que conscient que Rania négligeait son travail, il n'avait pas réussi à la convaincre d'y passer plus de temps. À un mois de la fin de l'année scolaire, Rania abandonna complètement le lycée. Miral essaya bien de l'en dissuader, mais sa cadette se montra inflexible.

— Je ne suis pas comme toi, Miral. La politique ne m'intéresse pas, je n'aime pas les études, et je n'ai pas beaucoup d'amis ici, à Jérusalem. L'an prochain, je veux aller vivre à Haïfa avec tante Tamam.

Comme ce petit discours semblait avoir été préparé de longue date, Miral ne pouvait pas ajouter grand-chose. Elle tenta de contre-attaquer :

— Rania, écoute-moi...

Mais sa sœur l'interrompit :

— Ce n'est pas la peine, Miral. Il y a longtemps que j'ai pris ma décision, et tu ne pourras pas me faire changer d'avis. Vraiment, c'est mieux comme ça.

Un après-midi, à Dar El-Tifel, avant de partir voir son père, Miral alla dans le bureau de Hind pour lui parler de sa sœur, mais n'y trouva que Miriam, occupée à préparer des documents à signer.

— Elle est partie il y a à peu près une demi-heure. Je ne sais pas où. Tu veux lui laisser un message ?

— Non, merci. Je la verrai un autre jour.

En prenant le chemin de la maison, Miral rumina sa déception. Hind devait bien savoir que Rania avait arrêté l'école, et elle n'avait rien fait pour l'en empêcher.

Chez elle, Miral trouva Hind assise au chevet de Jamal. Dans la cuisine, Rania préparait du thé à la sauge. Quand Miral entra, tout le monde se tut.

— Comment vas-tu, Miral ? Tout se passe bien ? s'enquit Hind avec bienveillance. Je suis venue discuter avec ton père de la situation de Rania, et nous avons décidé d'un commun accord de la laisser faire ce qu'elle préfère.

– Comment ça ?

Miral n'arrivait pas à croire que cette femme combative qui refusait de l'autoriser à participer à des manifestations capitulait si facilement devant sa sœur.

– Miral… (La voix de son père était à peine plus qu'un murmure.) Pour l'instant, c'est mieux comme ça.

Même diminué, il avait encore une poigne de fer.

Rania entra avec le thé.

– Si tu veux bien, Miral, j'aimerais que nous ayons une petite conversation en privé. Que dirais-tu de venir me voir demain après-midi ? demanda Hind, imperturbable.

Miral approuva de la tête.

– Très bien. Dans ce cas, je t'attendrai dans mon bureau en fin d'après-midi.

– D'accord, répondit la jeune fille d'un ton morne.

Par contraste, Rania paraissait sereine, comme libérée d'un poids immense, et s'affairait avec assurance à travers la pièce, retapant de temps en temps les couvertures de son père ou ses oreillers.

Hind partit après le thé, et ils s'adonnèrent tous les trois à leurs bavardages habituels. Le calme de Hind semblait les avoir gagnés. Ils plaisantèrent même au sujet des nouvelles chaussures de Rania, dont la couleur était tellement criarde qu'elle jurait avec toutes ses robes.

*
* *

Le lendemain, Miral se rendit comme convenu dans le bureau de la directrice.

– Tu sais, commença celle-ci sans préambule en lui laissant à peine le temps de s'asseoir, contrairement à ce que tu penses, Rania ne cède pas à une simple lubie.

Miral lui lança un regard interrogateur. Elle espérait pousser sa sœur à changer d'avis précisément parce qu'elle voyait le plan de Rania comme une idée bizarre et sans lendemain qu'elle avait concoctée pour se dispenser d'étudier.

— Rania fait un blocage psychologique très commun. Si on essaie de passer en force, on arrivera à une situation de rupture. Pour l'instant, rien d'autre ne compte plus pour elle que d'aider votre père. Si elle n'y consacre pas tout son temps, elle aura l'impression de ne pas avoir fait ce qu'elle pouvait, et se sentira toujours coupable de la mort de Jamal.

En entendant ce mot, Miral sursauta, et les larmes qui lui étaient montées aux yeux se mirent lentement à couler. Avant qu'elle ait eu le temps de se ressaisir, ses sanglots étaient devenus incoercibles. Hind la laissa continuer un moment, puis se leva et l'entoura de ses bras. Elles restèrent toutes les deux longtemps ainsi, jusqu'à ce que la crise de larmes de l'adolescente se soit calmée. Hind était la seule personne avec qui elle pouvait s'abandonner à ce point. Devant elle, Miral n'avait pas honte d'ôter le masque de jeune femme pleine d'assurance qu'elle s'était sentie obligée de porter avec son père ces derniers mois.

— Je ne dis pas que c'est facile, ajouta Hind en la prenant par les épaules et en la regardant dans les yeux. Mais en insistant pour que Rania change d'avis, on ne risque pas seulement qu'elle ne revienne jamais au lycée. Il y a aussi de grandes chances qu'elle nous considère, toi surtout, comme des ennemies désireuses de l'empêcher d'aider votre père.

15.

Vers la fin du mois de mai, Miral décida à son tour de revenir dormir à la maison, mais l'état de Jamal s'aggrava, et il dut être hospitalisé. En dépit de sa maladie, il continuait à donner des conseils à ses filles et à entretenir de longues conversations avec elles. Il tentait de se rappeler autant d'épisodes de leur enfance que possible et l'époque où leur mère était en vie pour leur transmettre ses souvenirs. Il pressait également Miral de continuer ses études – son rêve étant qu'elle devienne professeur d'université – et l'encourageait à contrôler son impulsivité.

Si l'esprit de Jamal était apaisé, son corps souffrait le martyre. Les médecins avaient annoncé que le seul espoir de le sauver était de pratiquer une greffe de moelle osseuse. *A priori* considérées comme les meilleures donneuses, les deux sœurs discutèrent de cette éventualité avec leur père, mais Jamal parut subitement soucieux et refusa tout net.

— Laisse-nous au moins faire les tests d'abord, pour voir si on est compatibles, suggéra Miral.

— Non, non, vraiment. Suivons la volonté de Dieu, répondit-il en souriant malgré l'arrêt de mort sans appel qu'il venait de prononcer pour lui-même.

Miral lui trouva malgré tout l'air préoccupé. Elle ne comprenait pas pourquoi un homme d'habitude si raisonnable devenait soudain aussi buté.

— Écoute, ce n'est même pas une opération compliquée, et ça marche. Le docteur nous a montré les taux de réussite. Ils sont excellents, insistèrent Rania et Miral à l'unisson.

— Oui, les enfants, je sais. Il me les a montrés à moi aussi. Mais il est trop tard pour ça maintenant. Je veux passer le temps qui me reste avec vous, pas au bloc.

Loin d'être convaincues, Miral et Rania allèrent se faire tester le lendemain. Quelques jours plus tard, elles retournèrent voir le médecin, qui les fit entrer avec un sourire affable. Assis derrière son bureau, il examina brièvement quelques papiers, puis les filles virent son visage s'assombrir. Il s'adressa d'abord à Rania et lui annonça qu'elle avait un certain degré de compatibilité avec son père, mais que, si Jamal choisissait de se faire opérer, les chances de succès de l'intervention étaient faibles. Il s'éclaircit ensuite la gorge et la pria gentiment d'aller s'asseoir dans la salle d'attente, pour qu'il puisse dire un mot à sa sœur. Rania et lui pourraient s'entretenir plus longuement un peu plus tard.

— Mais pourquoi ? interrogea Miral, surprise.

— Eh bien, parce que je veux vous parler en privé d'abord. Après quoi, si vous pensez que c'est approprié, votre sœur pourra revenir.

Miral ne comprenait rien, et le médecin paraissait au comble de l'embarras.

— Je n'ai pas de secrets pour ma sœur. Dites-moi ce que vous avez à dire.

Son cœur battait la chamade. Elle avait peur d'être gravement malade. Rania lui prit la main et la serra fort.

— Dans ce cas, j'irai droit au but. Les résultats montrent que votre compatibilité avec votre père est nulle.

— Alors, je ne peux pas donner de moelle osseuse ? Mais Rania est compatible, non ? Donc…

— Ce n'est pas la question. L'examen ADN a montré que Jamal n'était pas votre père biologique.

Le choc lui fit perdre conscience. Quand elle rouvrit les yeux, elle vit Rania, qui pleurait. Le médecin leur proposa à chacune un verre d'eau. En larmes, les deux sœurs tombèrent dans les bras l'une de l'autre, incapables de comprendre comment une telle situation était possible. Elles refusaient d'y croire, mais toutes leurs tentatives de demander des contre-analyses se heurtèrent à un mur.

— Miral, ce test est très précis, et nous avons fait toutes les vérifications nécessaires. Il n'y a aucune chance que ce soit une erreur, répliqua le docteur, clairement mortifié. Je suis désolé.

En sortant du bureau, Rania enlaça son aînée.

– Qu'est-ce qu'on doit faire ? lui demanda celle-ci.

– Je ne pense pas qu'il faille en parler à papa.

– Mais ça voudrait dire...

– Oui, Miral, je sais. Il ne pourra pas se faire opérer. Mais qu'est-ce qui se passerait s'il découvrait la vérité ?

– Ça lui briserait le cœur, soupira Miral.

– Exactement.

Elles approchaient de la sortie quand Miral demanda à Rania de la laisser seule un moment et de rentrer se reposer.

– Et qu'est-ce que tu vas faire ?

– Je ne sais pas... Il faut que je réfléchisse. Ne t'inquiète pas pour moi.

De nombreuses questions se bousculaient dans leur tête à toutes les deux. Qui était le vrai père de Miral ? Jamal était-il au courant ? Comment une chose pareille pouvait-elle être arrivée ? Et pourquoi ne leur avait-on jamais rien dit ? Avant de se séparer, elles s'étreignirent à nouveau en se promettant de se retrouver chez elles un peu plus tard.

Miral déambula au hasard dans les rues. Elle erra pendant des heures sans arriver à percer le mystère de la révélation qu'on venait de lui faire. Jamal savait forcément : sinon, il ne se serait pas montré aussi farouchement opposé à ce qu'elle se fasse tester. Mais comment trouver le courage de lui demander des explications ?

En fin de compte, elle décida de se tourner vers la seule personne qui pouvait connaître la vérité : sa tante Tamam.

*

* *

La tasse de café de Tamam tomba par terre et se brisa en mille morceaux. Elle n'arrivait pas à croire que Miral ait percé le secret. Tant d'années s'étaient écoulées qu'elle avait fini par cesser d'y penser. Au plus profond d'elle-même, elle s'était peu à peu convaincue que Jamal était le seul père de sa nièce.

– Tante Tamam, s'il te plaît, dis-moi la vérité, supplia Miral. J'ai besoin de savoir.

Tamam n'avait plus de raisons de se taire. Miral avait découvert le pot aux roses, et elle avait le droit de connaître l'histoire de sa mère dans son intégralité.

Tamam lui raconta donc tout depuis le début : la façon dont leur beau-père avait abusé d'elle et de sa sœur, la fuite de Nadia, sa vie dissolue, d'abord à Jaffa, puis à Tel-Aviv, son séjour en prison avec la tante Fatima. Et Hilmi, à qui Nadia n'avait pas fait confiance malgré son amour sincère à cause de tous les hommes qui l'avaient déçue avant lui.

– Mais crois-moi, ma fille, Jamal a été un vrai père pour toi. Il connaissait la vérité, et ça ne l'a pas empêché de t'aimer comme la chair de sa chair.

Miral pleura. C'était incroyable ! Elle avait du mal à accepter que la mère que Jamal lui avait dépeinte n'avait jamais existé, qu'elle n'avait été qu'un fragment de la vraie Nadia. Pour la première fois, Miral se dit qu'elle comprenait peut-être d'où venait le malaise qui la tourmentait de temps en temps. C'était la douleur de vivre qui avait tué sa mère.

16.

Un jour de juin, Rania et Miral se rendaient à l'hôpital. Sur le chemin, elles s'arrêtèrent chez un marchand d'épices du souk pour acheter l'encens préféré de leur père. Elles avaient décidé de s'efforcer de paraître aussi gaies et souriantes que possible en sa présence.

Allongé dans sa chambre, Jamal était éveillé. En les voyant arriver, il s'exclama que c'étaient de vraies adultes maintenant, et qu'il les trouvait toutes les deux très belles. Tandis qu'il les regardait évoluer dans la pièce, la souffrance qui ravageait son corps ne lui sembla plus, l'espace d'un instant, qu'un lointain écho. Bravant l'interdiction des infirmières, Miral alluma l'encens. Le père suivit ses filles des yeux jusqu'à ce que le parfum délicat emplisse ses narines, puis ferma brièvement les paupières. Rassemblant toutes ses forces, il leur dit avec douceur :

– Ça me réchauffe le cœur de vous voir passer cette porte. Vous avez été le soleil de ma vie dès le jour de votre naissance.

Les filles s'allongèrent à côté de Jamal et l'entourèrent de leurs bras. Sentant qu'il avait les pieds glacés, Miral tenta en vain de les masser pour les réchauffer. La circulation sanguine de son père était de plus en plus déplorable.

*
* *

L'après-midi, Jamal sombra dans le coma. C'était comme s'il avait attendu l'arrivée de ses filles pour s'enfoncer dans un sommeil irréversible. Rania appela Miral, rentrée à la maison dans l'intervalle. Assise à l'arrière d'un taxi, elle vit en pensée son père s'éloigner, les yeux fermés, la respiration de plus en plus saccadée, les mains de plus en plus froides. À l'hôpital, elle trouva Rania qui pleurait désespérément dans les bras de leur tante. Miral se retint, sachant qu'elle ne pouvait pas s'effondrer devant sa sœur. Mais sa peur de se retrouver seule sans la présence paternelle et son besoin de laisser libre cours à ses sentiments finirent par l'emporter. Elle courut s'enfermer dans les toilettes où elle s'abandonna à une longue crise de larmes libératrice, qui se prolongea jusqu'au moment où l'infirmière vint la chercher.

D'une voix un peu cassée par l'émotion, celle-ci murmura à Miral que le moment des adieux était arrivé. Prenant son courage à deux mains, la jeune fille utilisa les forces qui lui restaient pour s'arracher au carrelage vert d'eau, se remettre debout et jeter un coup d'œil à son reflet dans la glace. Mais combien d'énergie lui faudrait-il maintenant pour survivre à l'absence de Jamal ?

Serrant très fort la main de son père, elle refoula ses larmes.

— On va s'en sortir, papa, ne t'inquiète pas, lui assura-t-elle. Tu nous as beaucoup donné. Tu verras, on se débrouillera très bien. Je m'occuperai de Rania, et elle s'occupera de moi.

Une heure plus tard, Jamal rendait son dernier souffle.

Le chagrin de Miral était immense. Cette nuit-là, les deux sœurs et leur tante dormirent toutes les trois dans le lit de Jamal, pour garder en mémoire son odeur et son amour. Ce fut seulement en se réveillant le lendemain matin qu'elles comprirent pour de bon qu'il n'était plus là.

Hind apprit sa mort en lisant *Al-Quds*. Miral arriva peu de temps après. Elles restèrent longtemps enlacées. Au bout d'un moment, l'adolescente supplia Hind de l'aider à convaincre Rania de ne pas partir à Haïfa. Hind lui répondit avec toute la délicatesse qui la caractérisait :

— Miral, je comprends ton chagrin, mais c'est mon devoir de te signaler que le comportement de ta sœur n'a rien d'inhabituel. Elle demande simplement de l'aide à son entourage, ce qui est normal. Tu es quelqu'un de très fort :

tu ne laisses jamais transparaître tes sentiments. Ça te permettra de te protéger de tes ennemis, tout en te condamnant aussi à la solitude toute ta vie. Tu ne dois pas être trop exigeante vis-à-vis de toi-même.

*

* *

Avant les obsèques, les filles rendirent un dernier hommage à Jamal. Rania resta en retrait, mais Miral s'approcha du cercueil pour embrasser son front et ses joues glacées. Elle serra la main de son père, toujours si chaude et si douce de son vivant, désormais froide et raide. Sa peau était pâle, d'une couleur presque irréelle, mais ses traits paraissaient paisibles et détendus. Il avait enfin laissé derrière lui les souffrances de ce monde.

Quand leurs cousins soulevèrent le cercueil, les filles poussèrent des cris de désespoir. Toute la tension accumulée durant ces dernières heures tragiques semblait concentrée dans leurs lamentations.

Non loin d'un millier de personnes assistèrent aux funérailles. C'est seulement à ce moment-là que Miral comprit à quel point son père était aimé de la communauté. Après la cérémonie, un homme s'approcha d'elle et lui tendit une enveloppe blanche.

— Voici l'argent que votre père m'avait prêté, lui expliqua-t-il. C'était quelqu'un de bon et d'honnête. Je ne l'ai pas remboursé en temps voulu, mais j'ai pensé que je me devais de payer ma dette à ses filles, alors voici la somme. Si je peux faire quoi que ce soit pour vous, il suffit de demander.

L'enveloppe contenait mille deux cents dollars.

Quelques autres épisodes de la même espèce lui permirent de découvrir que Jamal était sans rien dire venu en aide à de nombreuses personnes, et pas uniquement dans leur quartier. Sa générosité était à l'image de son caractère, humble et discrète.

*

* *

Les jours qui suivirent la mort de son père, Miral s'attarda dans ses endroits favoris, assise sur le banc de pierre d'où l'on apercevait le dôme du Rocher ou encore sur le banc de bois sous le grenadier en face de leur maison, où Jamal lisait le Coran, quand il ne regardait pas les gosses des alentours jouer au foot.

Une voisine venait désormais tous les jours arroser les plantes. Le jasmin avait parfumé les nuits d'été de sa senteur enivrante et, en automne, le grenadier avait donné les fruits avec lesquels Jamal préparait de délicieuses tartes qu'il distribuait aux enfants du coin. Miral se souvint d'un après-midi ensoleillé où son père l'avait comparée au jasmin, qui était, comme elle, beau, digne, et capable de s'adapter aux circonstances et de surmonter les difficultés de la vie en grimpant partout pour trouver de la lumière. Quant au grenadier, il ressemblait selon Jamal à Rania, plus pratique, ancré plus solidement dans la terre et récompensant ceux qui s'en occupaient en donnant de savoureux fruits. *Maintenant que les deux plantes avaient poussé, elles se retrouvaient seules dans un océan de ciment glacé,* songea Miral.

Il lui fallut longtemps avant de trouver le courage de se rendre sur la tombe de son père. Jamal reposait au cimetière musulman de Jérusalem, au flanc du mont des Oliviers, d'où l'on pouvait contempler la vieille ville. Le cimetière juif, avec ses tombes blanches qui réfléchissaient les rayons du soleil, était situé un peu en contrebas. *Paradoxalement*, pensa Miral, *les Juifs et les Arabes, qui s'arrangeaient pour être le plus loin possible les uns des autres de leur vivant, se retrouvaient proches de quelques mètres dans la mort, séparés par un simple muret.*

Malgré le vide incommensurable que le décès de Jamal avait laissé dans son cœur, Rania réussit à trouver à Haïfa un équilibre qu'elle n'avait jamais atteint au pensionnat. Quelque temps après son installation, elle se fiança à un voisin. En dépit de son très jeune âge, elle ressentait désespérément le besoin de fonder une famille pour remplacer celle qu'elle avait perdue si tôt.

À l'inverse, Miral se lança à nouveau à corps perdu dans la politique. Durant la terrible période qui suivit la disparition de leur père, les deux sœurs virent leur vie prendre des directions inexorablement différentes, même si l'affection qui les avait toujours unies ne faiblirait jamais.

*
* *

Pour Miral, le baccalauréat signifiait la fin non seulement des études secondaires, mais aussi de sa vie à Dar El-Tifel. Même si elle continuait à vivre sur le campus, son départ n'était plus qu'une question de temps. Alors qu'elle devait rapidement décider que faire de son avenir, elle n'arrivait pas à penser à autre chose qu'à Hani. Les projets de mariage hâtifs de Rania l'avaient surprise. Miral avait espéré que sa sœur finirait le lycée avant de prendre une telle décision. Elles s'étaient même vivement disputées à ce sujet, jusqu'à ce que Miral se souvienne des remontrances de Hind, qui lui avait rappelé à plusieurs reprises qu'on ne pouvait guère forcer une personne à faire ce dont elle n'avait pas envie. Rania avait tellement souffert, d'abord à cause de la mort de leur mère, puis de celle de leur père… Qui pourrait la blâmer d'avoir pour seul désir de créer sa propre famille ?

Par ailleurs, Hind tentait de persuader Miral d'accepter une bourse d'études en Europe. Beaucoup de ses condisciples se préparaient à aller à l'université à Ramallah, d'autres devaient commencer à travailler. Pour la première fois de sa vie, Miral se complaisait dans l'incertitude, heureuse que rien ne l'empêche plus de décider quelle voie choisir.

Elle sortit dans la vieille ville faire quelques courses en vue de sa visite à Rania dans sa nouvelle demeure de Haïfa.

17.

Après avoir acheté un exemplaire d'*Al-Quds*, Miral s'installa dans un café près de la porte de Damas. Durant les dernières années, le nombre de Juifs orthodoxes déambulant dans les ruelles couvertes des souks avait régulièrement augmenté. De nombreuses maisons avaient été achetées ou saisies à leurs propriétaires arabes, et ornées aussi vite de drapeaux israéliens et de candélabres à sept branches. Parallèlement à la guerre meurtrière qui ravageait les Territoires occupés se déroulait à Jérusalem une lutte souterraine pour la possession de la vieille ville, où chaque mètre carré et chaque pierre avaient une valeur symbolique.

Après avoir parcouru les titres, Miral lut les pages intérieures, s'attardant sur un compte-rendu mentionnant l'exécution de collaborateurs par des militants du Fatah à Gaza et un attentat à la voiture piégée qui, la veille, avait coûté la vie à un membre du Front populaire de libération de la Palestine au Liban. Elle eut une pensée inquiète pour Hani et Khaldun. Selon le quotidien, le défunt n'était âgé que de dix-huit ans, et Miral supposa d'abord qu'il y avait une erreur. L'article précisait que la victime se trouvait en compagnie d'un des leaders de l'organisation, pour qui il travaillait en tant que garde du corps jusqu'à quelques semaines auparavant. Le leader du FPLP était présenté comme la véritable cible de l'attaque, mais le journal n'excluait pas non plus la possibilité que les instigateurs de l'attentat aient réellement voulu atteindre son ex-garde du corps, auteur d'un livre publié au Liban et dans des pays européens, dont l'Allemagne et la France, qui relatait son adolescence au camp de Kalandia, puis dans ceux de Sabra et Chatila, au sud de Beyrouth. À la fois concise et énergique, la prose du jeune écrivain palestinien avait conduit les critiques à l'acclamer comme le nouveau Ghassan Kanafani. Malheureusement, cette comparaison n'avait pas dû échapper aux meurtriers. Car c'était bien de Khaldun dont il s'agissait. Il avait souffert le même destin tragique que le célèbre auteur de *Des hommes dans le soleil* et *Retour à Haïfa*, qui avait lui aussi trouvé la mort prématurément avec sa nièce de seize ans le 8 juillet 1972 à Beyrouth, à cause d'une bombe placée dans sa voiture par le Mossad.

La douleur paralysa le corps de Miral. Désespérée et impuissante, elle ne pouvait plus ni penser ni bouger. Elle avait cru Khaldun hors de danger parce qu'il était loin, mais personne n'est jamais en sécurité. Le destin suit chacun d'entre nous partout où il va.

Ses larmes brouillèrent l'encre d'imprimerie du journal, et le soleil brûlant de Jérusalem lui parut soudain bien froid.

Le lendemain, Miral retourna dans le même café, espérant que Jasmine passerait par là et lui donnerait des nouvelles de Hani. Cet endroit était devenu le lieu de rendez-vous habituel de Miral et de ses copines. Le propriétaire, un homme chauve et robuste d'âge moyen, fredonnait en préparant les boissons fraîches de ses jeunes consommateurs. Il accueillait toujours Miral avec un large sourire affectueux et lui proposait la meilleure table.

Il y avait trop longtemps que Hani ne lui avait pas fait signe, et elle était de plus en plus angoissée. Ses amies du quartier donnaient à ses questions des réponses évasives et vagues, et les anciens camarades de Hani au FPLP rechignaient à lui fournir la moindre information. Personne ne savait où il était : peut-être avait-il quitté le pays. Miral supposait que s'il était encore à Jérusalem, il vivait très probablement comme un fugitif. Dès que les accords de paix seraient signés, Hani bénéficierait avec un peu de chance de l'amnistie générale, mais combien de temps faudrait-il encore attendre ? Des années, sans doute…

Miral décida de lui laisser un message chez sa mère. Dans ce mot, elle prévoyait de lui parler de son vrai père, Hilmi, dont elle avait fini par retrouver la trace. Il vivait en Europe, où il enseignait la littérature en faculté. Miral avait reçu une lettre très touchante dans laquelle il lui proposait de se rencontrer. Après avoir évoqué son amour pour Nadia et son respect pour Jamal, il avait invité la jeune fille à lui rendre visite en lui assurant qu'elle pouvait compter sur lui en toutes circonstances. Le pli contenait aussi un billet d'avion pour Berlin. Miral avait longuement soupesé l'idée d'aller faire sa connaissance, mais avait finalement conclu qu'elle n'était pas prête.

Elle était toujours assise dans le café, perdue dans ses pensées, quand un jeune homme portant une paire de lunettes noires s'approcha et lui demanda si elle s'appelait bien Miral. Surprise, elle acquiesça. L'inconnu regarda nerveusement autour de lui pendant quelques secondes, fouilla dans sa poche et en sortit une enveloppe qu'il posa sur la table.

— C'est pour vous. De la part d'un ami.

Il se retourna et se fondit dans la foule du marché, disparaissant comme s'il n'avait jamais existé. Miral n'avait même pas eu le temps de le remercier. Attrapant l'enveloppe, elle vit simplement qu'on y avait écrit : « Pour Miral ».

Les larmes lui montèrent aux yeux et elle eut la même fulgurante sensation de chaleur que lorsqu'elle fuyait les soldats dans les manifestations. L'enveloppe contenait un mot de Hani et, pour confirmer son authenticité, une photo de lui, assis dans un carré d'herbe verte entouré de fleurs jaunes. Il avait une barbe mal taillée et portait un keffieh rouge et blanc autour du cou. Il proposait à Miral de le retrouver l'après-midi même à seize heures à l'intérieur de l'église russe orthodoxe de Sainte-Marie-Madeleine, sur le mont des Oliviers. Le cœur de l'adolescente battait à tout rompre. Elle se leva brusquement et quitta le café sans dire au revoir au propriétaire, oubliant même de payer sa consommation.

*

* *

Malgré quelques petites difficultés rencontrées en route, Miral arriva en avance au rendez-vous. Elle avait dû ralentir le pas à cause des nombreux groupes de pèlerins orthodoxes qui emplissaient les rues et bloquaient toutes les sorties de la vieille ville. La traversée de la Via Dolorosa avait été particulièrement ardue, car tous les fidèles affluaient en même temps vers ce que les chrétiens considèrent comme la plus sacrée des pierres, le Saint-Sépulcre. Miral était frustrée de ne pas pouvoir courir, mais, une fois arrivée à destination, elle se détendit et observa avec fascination à quel point la foi attirait toujours les fidèles du monde entier à Jérusalem. Il était difficile de ne pas se laisser gagner par l'atmosphère méditative et par la sévérité séculaire qui régnaient aux alentours. À l'entrée de l'imposante basilique, le reflet de la lumière du soleil sur les dômes à bulbe dorés éblouit Miral, l'empêchant de distinguer l'intérieur. Dans l'église, elle fut instantanément enveloppée par l'atmosphère mystérieuse et froide créée par l'obscurité et le parfum puissant de l'encens, qui supplantait même l'odeur des épices. Guidée par la lueur vacillante des bougies allumées dans les chapelles, elle fut envahie d'un réel sentiment de mysticisme.

Absorbée par le spectacle de la file silencieuse de pèlerins qui la dépassaient, Miral ne remarqua pas Hani. Debout dans un renfoncement sombre à quelques pas d'elle, il la contemplait sans un mot. Quand elle l'aperçut, elle se jeta à son cou et le tint serré contre elle, submergée par l'émotion, les larmes aux yeux. Leurs visages étaient tout proches : elle sentait son souffle et pouvait lire toutes les nuances de ses expressions. Hani lui caressa les joues et les cheveux.

— Mon Dieu, comme tu m'as manqué, souffla-t-il.

Au bout d'un moment, ils s'écartèrent et, alors seulement, Miral constata à quel point il avait maigri depuis leur dernière rencontre. Il y avait des jours qu'il ne s'était pas rasé, et sa barbe lui donnait une allure à la fois tragique et fruste.

— Je n'arrive pas à croire que tu sois ici ! Je pensais que tu avais quitté le pays, et j'avais complètement perdu espoir de te revoir.

— Je suis un vrai épouvantail, ne me regarde pas, dit Hani d'une voix rauque en se couvrant le visage de ses mains.

— Ne sois pas ridicule, je n'ai rien fait d'autre que de penser à toi, jour et nuit. Je t'aime, Hani. Ça m'est égal que tu sois dans cet état. D'ailleurs, je trouve que ça te donne un charme mystérieux.

Dans ses yeux se lisaient à la fois son ardeur et le chagrin des semaines précédentes.

Il la prit dans ses bras, en lui murmurant :

— Ma chérie, moi aussi, je t'aime.

— Raconte-moi comment tu te débrouilles et ce que tu comptes faire maintenant.

— Ce n'est pas si mal de vivre comme un fugitif, répondit Hani d'un ton rassurant. Comme j'ai beaucoup d'amis dans les camps de réfugiés ou dans les villages, je change de maison tous les jours et je dors à droite et à gauche. J'essaie d'éviter Jérusalem autant que possible. On dirait que les gens sont plus soupçonneux dans les grandes villes, et j'ai plus de chances de me faire prendre ici qu'ailleurs. Mais je voulais te voir... Les gens qui m'offrent l'hospitalité sont pauvres, et je partage avec eux leur maigre pitance. Maintenant, je suis habitué à tout, et rien ne me fait peur. On ne peut plus reculer, tu sais. Nous avons une telle soif de vivre libres dans notre propre État que nous pouvons supporter tous les sacrifices. (Hani lui prit la main.) Mais parlons de toi, *habibti*. J'ai appris pour ton père : je suis vraiment désolé, Miral...

« Comment se sont passés tes examens ? Es-tu prête pour l'étape suivante ? J'espère que tu auras de très bonnes notes qui te donneront accès à une université prestigieuse... mais je ne doute pas une seconde que je pourrai être fier de toi.

— Ça s'est très bien passé, Hani. J'avais tellement révisé ! Évidemment, toutes mes amies ont déjà décidé ce qu'elles allaient faire après, alors que moi, je ne sais toujours pas. J'ai posé ma candidature pour obtenir une bourse d'études à l'étranger, mais je ne suis pas sûre d'avoir envie d'y aller. J'aimerais me spécialiser en sciences politiques.

Hani lui embrassa la main avant de répondre :

— Il faut juste que tu sois forte, Miral. Tu as tout ce qu'il faut pour réussir. D'ailleurs, j'ai l'impression que tu as déjà pris ta décision malgré toute cette confusion. Tu dois obtenir un diplôme universitaire, et je trouve que les sciences politiques te conviendront très bien. Et que tu étudies ici ou à l'étranger, je te retrouverai toujours.

Ils parlèrent longuement, oubliant le temps et l'humidité de l'église. Hani commençait toutefois à se montrer nerveux.

— Il est préférable que personne ne nous voie ensemble, expliqua-t-il. Malheureusement, les enquêtes qui ont conduit à des centaines d'arrestations sont toujours ouvertes.

Miral gardait sa main serrée dans la sienne.

Hani la fixa avec tendresse.

— Maintenant que les examens sont terminés, où habites-tu ?

— Toujours sur le campus... Maman Hind pense que c'est la meilleure solution pour le moment. Cette école, c'est comme ma maison. Sinon, je vais souvent à l'hôtel *American Colony* pour suivre l'avancement des négociations.

— Quelles chances as-tu d'obtenir ta bourse ?

— Eh bien, on est cinq à avoir posé notre candidature, et je ne suis pas la meilleure élève du groupe, fit-elle en baissant les yeux. On verra.

Hani sourit, et son visage s'anima d'une passion soudaine.

— Je crois que nous sommes proches de la paix, cette fois-ci. Tout le monde fait de sérieux efforts, nous, les Israéliens, et aussi les Américains. Pour la première fois, ils pensent que c'est possible.

— Et le FPLP ? Comment vont-ils réagir ? lui demanda Miral, étonnée par tant d'optimisme.

— Ils sont probablement en train de se séparer au moment où nous parlons, et ils vont enfin devoir décider entre de vrais projets concrets et les objectifs impossibles de leur idéologie aveugle. Notre peuple a déjà choisi, lui, et maintenant c'est aux partis de s'adapter ou de disparaître. (La voix de Hani s'amplifia.) Beaucoup ne sont pas d'accord avec moi. On m'a accusé d'être un collaborateur, mais, quand la paix viendra, tu verras, rien de tout ça n'aura plus d'importance. Il y a des réunions tous les jours, ici comme à Oslo, et on parle de partition. Cette fois, je sens que ça peut marcher.

— Comment peux-tu dire ça ?

— Miral, la voie de la lutte est trop sanglante, elle n'a pas d'issue. Nous accepterons 22 % des terres... C'est plus que ce que nous avons maintenant. On ne peut pas éternellement continuer à se battre.

– Vingt-deux pour cent ? Pourquoi pas un seul pays où tout le monde aurait les mêmes droits ? Une vraie démocratie comme à New York ?

Hani la regarda avec amour.

– C'est trop tôt. Il nous faut deux États : un israélien et un palestinien. La vérité, c'est que nos alliés ne sont pas les régimes arabes et les Nations unies, mais les Israéliens eux-mêmes. N'oublions pas qu'en 1982, quand Israël a envahi le Liban, quatre cent mille Israéliens sont descendus dans la rue pour manifester, ce qui a conduit à la chute du gouvernement de droite et au retrait du Liban. Ce sont eux que nous devons atteindre.

« Ils ne vont nulle part, et nous non plus. Un État, deux États, je m'en fiche, je veux juste un avenir pour nos enfants.

Miral s'arrêta pour le dévisager avec effroi.

– Ils t'ont menacé ? De quoi es-tu accusé exactement ?

– Ne t'inquiète pas. Le problème vient du fait que plusieurs camarades ont malheureusement été vendus au Shin Bet ces derniers temps, mais les accusations contre moi ne sont que des rumeurs. J'ai encore de nombreux amis au mouvement, et il y a beaucoup de gens qui m'estiment et qui ne m'abandonneront jamais. Bien sûr, mes positions sur les accords de paix rendent tout le monde un peu nerveux.

Au ton de Hani, Miral comprit que la discussion était terminée. Ils se trouvaient désormais au milieu d'une procession religieuse sur la Via Dolorosa. L'air y était plus frais, imprégné du parfum des pins et des oliviers, sans gaz lacrymogène. Miral ne put s'empêcher de verser quelques larmes tandis qu'ils échangeaient un tendre baiser, où la tension et les événements dramatiques des semaines passées se mêlaient à sa peur de se retrouver seule.

Hani, qui interpréta ses sanglots comme un signe de soulagement, la tint serrée contre lui sans parler.

– *Habibti*, vendredi, il y aura une grande manifestation de paix autour des murailles de Jérusalem, et cette fois-ci, nous y serons tous : les Arabes, les pacifistes israéliens et des partisans de la paix venus d'Europe, des États-Unis et du reste du monde. C'est la première fois que le gouvernement israélien autorise ce type de rassemblement. J'aimerais que tu y participes, si tu peux.

— Tu seras là aussi ? interrogea-t-elle, pleine d'espoir.

— Ça sera peut-être risqué pour moi, mais je ferai de mon mieux pour venir, je te le promets. Maintenant, il faut que j'y aille. Je dois retourner au camp avant le couvre-feu.

— Attends-moi ici une seconde, s'écria Miral.

Elle s'engagea dans une petite rue et revint rapidement avec un falafel, un kebab et une canette de jus de fruits, et lui tendit ses achats.

— Mange les deux, tu es trop maigre. Tu as besoin d'argent ?

— Non. Ce dont j'ai besoin, c'est de te voir. Je te recontacterai par le biais du garçon qui t'a apporté mon mot. Si tu veux me joindre pour n'importe quelle raison, laisse un message chez ma mère, elle me le transmettra.

Ils se séparèrent quelques minutes après. C'était la dernière fois qu'elle le voyait.

18.

Ce soir-là, Miral décida de demander à Hind l'autorisation de participer à la marche pour la paix. En frappant à la porte, elle s'inquiéta de ce qu'elle serait obligée de faire si la directrice refusait.

En regardant Miral entrer, Hind se sentit fière de ce qu'elle était devenue après toutes ces années passées dans son école. La jeune fille avait beaucoup changé depuis son retour de Haïfa. La rancœur et la rage que Hind lisait jadis dans ses yeux avaient fait place à la mélancolie et au mystère. L'objet de sa visite lui confirma que Miral avait atteint une maturité nouvelle.

— Je voudrais que vous me donniez la permission de sortir du campus vendredi prochain. Il va y avoir une importante manifestation en faveur de la paix, la première jamais organisée conjointement par les Palestiniens et les Israéliens. J'ai très envie d'y aller, sauf si vous me l'interdisez.

Hind attendit que Miral ait terminé sa phrase pour sourire.

— Bien sûr que oui ! Tu as fini ta scolarité maintenant, et ton dix-huitième anniversaire est passé. Ce n'est plus moi qui prends les décisions pour toi. Et franchement, cette fois, je trouve que la manifestation est une bonne idée. Mais je te demande de faire attention. As-tu pensé à emmener quelqu'un d'autre ? Je suis sûre qu'Aziza serait ravie de t'accompagner.

Leurs regards se croisèrent et elles se contemplèrent un bref instant, le sourire aux lèvres. Miral répondit simplement : « Merci », avant de quitter la pièce. Si Hind lui faisait confiance, alors, quelque chose avait vraiment changé.

*

* *

Le vendredi suivant, comme tous les jours, les pèlerins chrétiens, les fidèles musulmans et les Juifs d'Israël et d'ailleurs atteignirent la porte de Damas. Normalement, après avoir parcouru la moitié de la Via Dolorosa, ils arrivaient à un croisement où les chrétiens continuaient tout droit alors que les musulmans et les juifs prenaient la rue el-Wad, qui menait à leurs Lieux saints. Mais cette fois, une foule se massa sur les marches menant à la porte. Plus qu'un rassemblement, c'était un immense cordon humain, qui entourait les étincelants murs blancs de la vieille ville pour manifester en faveur de la paix.

Les participants étaient jeunes, euphoriques, pleins d'espoir, unis par le même rêve de vivre libres et en paix. Comme ils avaient enfin réussi à forcer les politiciens à les écouter, ils se sentaient invincibles. Les autorités furent surprises par la foule des manifestants, suffisamment nombreux pour paralyser un moment la ville avec leurs chants et leur enthousiasme.

Tout le monde parlait enfin la même langue : des gens différents, mais avec un objectif commun, qui regardaient pour la première fois ensemble dans la même direction. Et rien n'était plus doux que le langage de la paix, sans gaz lacrymogène, sans cocktails Molotov, sans cette haine qui rend aveugle et indifférent. Cette fois-ci, les soldats des brigades anti-émeutes, embarrassés de se voir distribuer des branches d'olivier par les jeunes gens, restèrent debout à regarder le spectacle, leur casque à la main. Miral et Aziza se joignirent au gigantesque cercle humain. Des hommes et des femmes accrochaient des drapeaux aux fenêtres des immeubles : le drapeau multicolore de la paix et les drapeaux de Palestine et d'Israël, côte à côte. D'autres applaudissaient le passage des manifestants. La ville était envahie et conquise par un sentiment d'amour fraternel.

*
* *

La marche envoya un signal important : l'humanité avait triomphé. Ce message clair et net était destiné aux politiciens palestiniens et israéliens. L'extraordinaire taux de participation à cet événement confirma les sondages indiquant qu'une écrasante majorité des deux côtés était favorable à la paix. Plus tard, au cours de la même semaine, le Premier ministre Rabin prononça devant le Parlement israélien, la Knesset, un discours préconisant l'ouverture au dialogue. Il déclara que les progrès des négociations de paix devaient se poursuivre en faisant abstraction de la violence, et que les efforts pour combattre la violence et le désordre devaient continuer indépendamment des négociations. Désormais, les généraux et les colonels ne dicteraient plus l'agenda politique, mais ce serait le peuple, qui criait à pleins poumons : « Assez de violence ! Place à la démocratie ! »

Au milieu de cette foule assiégeant paisiblement les remparts de la cité, Miral entendit une voix féminine appeler son nom :

— Miral, Miral ! Je suis là !

— Lisa ! Mon Dieu, toi aussi ?

— Je ne pouvais pas rater ça.

Les filles s'embrassèrent comme de vieilles amies, mais Miral se sentit soudain gênée. C'était tellement différent de rencontrer Lisa à Jérusalem, où subsistait une séparation si nette entre Israéliens et Palestiniens.

— Avec qui es-tu venue ? Qui t'a parlé de cette marche ? demanda-t-elle.

— Je suis avec mes amis socialistes de Haïfa. On a pris un des cinq bus qui sont arrivés du Nord. Tu veux te joindre à nous ? Tu peux amener ta copine.

Lançant un regard contraint en direction d'Aziza, Miral murmura :

— Oh, non ! Mais on se retrouvera peut-être demain. Je t'appellerai.

Après avoir embrassé Lisa sur la joue, elle se dépêcha de s'éloigner. La jeune Israélienne tenta de l'arrêter, mais Miral était déjà trop loin.

Miral fit le tour complet des remparts avec Aziza en cherchant Hani, et fut surprise d'apercevoir certains de ses ex-camarades du FPLP. Les deux filles restèrent jusqu'à la fin de la marche. C'était la manifestation la plus joyeuse et la plus impressionnante depuis longtemps. Les échos des chansons et des slogans invoquant la paix portèrent jusqu'au bâtiment du Parlement, dont la session fut suspendue. Le gouvernement organisa alors une réunion extraordinaire afin de prendre en compte la volonté populaire.

Comme le soir approchait, Aziza suggéra de retourner à l'école. Encore pleines d'enthousiasme, elles avançaient toutes les deux d'un pas sautillant et se mettaient même à courir par moments. Malgré l'absence de Hani, Miral était heureuse.

Il avait probablement décidé de ne pas se montrer par prudence. La police avait bloqué les accès à la ville.

— Hani a eu raison de ne pas venir, lança Aziza d'un ton qui se voulait rassurant. Ne t'inquiète pas pour lui. Il a sûrement cherché à éviter d'être arrêté à un moment aussi crucial.

Les deux filles se hâtèrent de rentrer à l'école. C'était l'heure du dîner : elles n'avaient pas vu le temps passer. Aziza ramassa machinalement un tract par terre. C'était un communiqué du FPLP. Remarquant que le nom de Hani y figurait en grosses lettres, Aziza lut la première ligne, et son expression changea immédiatement. Elle glissa avec maladresse le papier dans sa poche en essayant de dissimuler son geste à Miral.

— Pourquoi as-tu caché ce bout de papier comme ça ? De quoi parle-t-il ?

— Rien. On y va, Miral. Il est tard, et maman Hind va s'inquiéter, fit Aziza en se mettant à courir.

Miral la rejoignit.

— S'il te plaît, laisse-moi voir. Qu'est-ce qui se passe ?

— Je te le donnerai à Dar El-Tifel.

— S'il te plaît ! Je veux le voir tout de suite.

Aziza garda le silence un moment, puis proposa qu'elles s'arrêtent dans un café. Bien qu'elle ne veuille pas montrer le tract à Miral, elle n'avait guère le choix.

— Je suis désolée, ça va te faire très mal, s'excusa-t-elle en lui tendant la feuille.

Miral lit les quelques lignes en silence.

Plusieurs collaborateurs, dont Hani Bishara, l'ex-secrétaire de la section de Jérusalem, ont été exécutés hier matin par un commando du FPLP. Selon des preuves et des témoignages accablants, cet homme a joué un rôle d'informateur pour les services secrets israéliens à l'intérieur de notre parti et trahi une cellule clandestine opérant sous ses ordres à Jérusalem.

Dans la lutte pour la libération de notre terre, il n'y a de place ni pour les compromis ni pour les traîtres. En tant que peuple, nous devons rester unis, surtout quand nous prenons les décisions les plus difficiles…

Le poing serré appuyé sur la bouche, Miral essaya désespérément de se maîtriser et de s'empêcher de hurler. Incapable de bouger, elle était sans voix. Le chagrin qui l'envahissait s'ajoutait aux nombreuses tragédies subies par sa famille et par son peuple pendant des années. Il était si intense qu'elle arrivait à peine à respirer.

La nuit tomba tout d'un coup. Comme toujours dans les pays du Moyen-Orient, le soleil s'embrasa d'une intense lueur rouge avant de disparaître brutalement à l'horizon. Submergée par une vague de nausées, Miral eut la sensation que tout était perdu. Elle chiffonna le tract et le laissa tomber sur le sol. Tout avait été inutile. Sous le choc, elle suivait mécaniquement la foule en liesse. Sa lutte n'avait plus de sens, son sentiment de paix s'était envolé. Aziza, qui l'avait rattrapée à un coin de rue, la prit dans ses bras. Miral tenta de se retenir de vomir, sans succès.

— Mon Dieu, mais qu'est-ce qu'on est en train de faire aux nôtres ? se lamenta Aziza.

La pénombre envahit les murailles de la vieille ville. Miral n'en croyait pas ses yeux. Une simple suspicion pouvait ainsi conduire au meurtre. La haine pouvait prendre le pas et tout détruire, même les causes les plus justes. Son espoir tout neuf avait été balayé aussi vite qu'il était apparu.

19.

Une nuit d'août, Miral attendit l'extinction des feux avant d'ouvrir tout doucement la porte de sa chambre. Le couloir vide était sombre, à peine éclairé par la lueur pâle de la lune. Elle descendit les escaliers sur la pointe des pieds, prenant garde de ne pas trébucher sur les pots de fleurs, et poussa avec précaution la porte derrière elle. En traversant le jardin, elle respira l'humidité nocturne et courut jusqu'au point le plus bas du mur bordant le parking de l'*American Colony*. Un silence absolu régnait dans le parc, troublé seulement par le bruissement des feuilles et par le son de sa respiration haletante. Elle regarda autour d'elle une dernière fois pour s'assurer que personne ne l'avait vue avant de sauter par-dessus le mur.

L'émotion et la hâte lui avaient coupé le souffle, et elle sentait ses jambes trembler. Enfreignant les règles de l'école, elle craignait plus que tout d'être surprise par Hind en personne, qui l'avait autorisée à continuer à habiter sur le campus après son bac. Pourtant, elle n'avait pas pu résister à la tentation. Toute la journée, elle avait impatiemment fait les cent pas dans sa chambre, sans parler à ses amies ni descendre dans la cour. Le soir, elle n'avait pas touché son dîner, tant son excitation au sujet de ce qui se passait juste à côté de l'école était immense.

Après avoir traversé le parking, elle se retrouva devant l'entrée de l'hôtel, et dépassa en les ignorant quelques soldats qui bavardaient devant la porte coulissante. L'un d'eux, un moustachu, la remarqua et lui demanda qui elle était. Un silence gêné s'ensuivit, que Miral brisa finalement en répondant la première chose qui lui passait par la tête, les tempes battantes :

— Je suis interprète.

Le soldat tira une bouffée de sa cigarette, la jeta par terre et l'écrasa du bout de son godillot. Il se rapprocha de Miral, pour la regarder longuement dans les yeux.

— Vous n'avez pas de laissez-passer, et je ne crois pas me rappeler vous avoir déjà vue.

Miral retint sa respiration, mais ne détourna pas le regard une minute.

Elle fut soudain assaillie par un flash-back détaillé d'une manifestation : l'odeur âcre du gaz lacrymogène, la foule qui l'écrase, la voix de sa sœur qui s'éloigne, les bruits sourds des grenades de gaz et des balles. Une tache verte au milieu de la fumée, un soldat qui court dans sa direction, le fusil à la main, la visière de son casque relevée. Sa moustache lui donne un aspect menaçant, et Miral se couvre le visage de ses mains.

— Vous pouvez passer, mademoiselle, mais la prochaine fois, n'oubliez pas votre badge.

Revenant brutalement à la réalité, Miral sourit et s'engagea dans le hall de l'hôtel en faisant mine de savoir exactement où elle allait.

Elle se retrouva en face du long comptoir de marbre blanc de la réception, derrière lequel elle reconnut sa copine Sara, qui lui fit signe d'approcher avec un sourire de bon augure. D'après Sara, la rumeur disait qu'un accord entre la délégation israélienne et les représentants de l'Organisation de libération de la Palestine était imminent. Ils discutaient de la naissance de l'État palestinien. Miral sentit les battements de son cœur s'accélérer : pour elle, rien n'était aussi mélodieux que le mot « accord ». Suffisamment abstrait pour laisser place à l'imagination, ce terme englobait tous les espoirs qu'elle nourrissait depuis des années. Trop excitée pour parler calmement, Miral fit quelques pas en direction d'un petit canapé installé de l'autre côté du hall, en face du comptoir de la réception.

— Pourriez-vous m'apporter une tasse de café, s'il vous plaît ?

Une voix féminine venait d'arracher Miral à ses rêves éveillés de paix. Elle se retourna pour découvrir une femme entre deux âges habillée à l'occidentale, qui la regardait d'un air interrogateur.

— Je suis désolée, mais je ne travaille pas ici.

— Oh ! je vous demande pardon. Je vous ai vue parler à la fille de la réception et j'en ai tiré des conclusions hâtives. Vous êtes si jeune... Vous êtes journaliste, vous aussi ?

La femme sourit à Miral, révélant des dents bien rangées et excessivement blanches.

Miral se rendit compte que la très grande bouche de son interlocutrice lui rappelait celle d'une chanteuse dont le nom lui échappait. Un peu gênée, elle répondit à sa question :

— Pas vraiment. Mais j'aimerais bien.

— Dans ce cas, je pourrais vous raconter une ou deux choses... dès qu'on aura commandé des cafés. On finit par s'ennuyer à ne parler qu'à ses collègues à longueur de journée. Surtout quand ce sont des hommes, ce qui les rend d'autant plus barbants.

Elle ponctua sa déclaration d'un éclat de rire sonore.

— Je serais ravie de vous écouter. Je m'appelle Miral, annonça-t-elle en lui tendant la main.

— Et moi, Samar Hilal. J'écris dans *Al-Quds*.

La journaliste fit signe à un serveur qui passait dans le hall, chargé d'un plateau garni de boissons. D'un geste, l'homme lui indiqua qu'il avait compris sa requête avant de continuer son chemin.

— Ce plateau est pour la chambre 16. C'est là que les délégations sont enfermées depuis des heures à discuter, expliqua Samar à Miral.

Sa nouvelle amie lui raconta qu'il y avait une trentaine d'années qu'elle était journaliste, et vingt ans qu'elle travaillait pour le même titre.

— Ce sera mon cinquième café de la journée, et j'ai l'impression qu'on va devoir rester debout toute la nuit. Ils ne daigneront rien nous dire avant quelques heures, mais, cette fois, je pense que ça aura valu le coup d'attendre.

Les deux femmes s'étaient instantanément appréciées. La journaliste n'avait pas l'habitude de divulguer de secrets à des étrangers. Son regard était pénétrant, son visage mince, et elle agitait ses mains fines aux longs doigts en parlant. La jeune fille admirait son style. Samar portait un pantalon de lin clair et un chemisier bleu agrémenté d'un de ces très beaux colliers en argent filigrané façonnés par les mains habiles des femmes nomades du désert du Yémen. Il était difficile de lui donner un âge exact, mais, vu sa longue expérience, Miral estima qu'elle devait avoir au moins cinquante ans.

— Nous sommes tellement habitués à la mort, à force, continua Samar après avoir bu une longue gorgée de café, qu'on dirait parfois que c'est devenu quelque chose de banal et de quotidien.

Elle avala une autre gorgée et s'interrompit un instant, perdue dans la contemplation d'un point indéterminé derrière Miral. Au bout d'un moment, elle cligna plusieurs fois très vite des yeux comme si elle se réveillait brusquement, et regarda à nouveau sa jeune compagne, qu'elle jugea âgée de vingt ans tout au plus. *La petite devait être dotée d'une bonne dose de culot pour avoir osé s'approcher de l'*American Colony *un soir pareil.*

— Vous savez, poursuivit Samar, quand la guerre du Liban a commencé, je travaillais au bureau de Damas. Avec un collègue du *Herald Tribune,* on avait loué un taxi qui devait nous emmener jusqu'à Beyrouth. Pendant le voyage, le flot de véhicules roulait dans le sens inverse. En voyant les voitures brûlées et les corps allongés le long de la route, j'ai dit à mon ami : « Tu te rends compte de ce que nous sommes obligés de faire, dans ce boulot ! Quand tout le monde s'enfuit, nous, les journalistes, on se précipite sur les lieux du désastre, comme les soldats. » Au bout d'un moment, notre chauffeur syrien a refusé d'aller plus loin. Il était tellement terrifié qu'il ne voulait pas accepter la rallonge qu'on lui proposait. Il a fini par nous laisser à Sidon pour rentrer à Damas. (Samar remarqua que Miral avait tourné la tête un instant.) Excusez-moi, je vous assomme. Quand je commence, je suis difficile à arrêter.

— Non, vous ne m'ennuyez pas du tout. Au contraire ! Tout ça est si nouveau pour moi. Mais j'ai vu le serveur revenir et murmurer quelque chose à mon amie de la réception. Je suis désolée... J'espérais qu'il y avait du nouveau.

— Je crois qu'il est encore trop tôt, dit Samar en souriant. Vous verrez. Quand il se passera quelque chose, ce sera impossible de ne pas l'entendre.

Elle fit signe au serveur de lui apporter un autre café. Hypnotisée par son large sourire, Miral se demanda comment elle arrivait à garder des dents aussi éclatantes en buvant autant de café, puis se fustigea pour s'être fait une réflexion si triviale un soir comme celui-là.

— S'il vous plaît, continuez.

— Comme je le disais, on s'est arrêtés à Sidon. On entendait assez distinctement des tirs de mortier, et des avions israéliens volaient au-dessus de nos têtes. Ce n'est qu'à ce moment-là que j'ai réalisé que je me trouvais au beau milieu d'une bataille. Je suis une journaliste de terrain, comme on dit. Mais c'est une chose de lire tout ça dans les manuels et tout à fait une autre de se retrouver dans le feu de l'action. On a tous les deux paniqué jusqu'à ce que je repère le drapeau du Qatar qui flottait au balcon du consulat, et j'ai couru dans sa direction en brandissant ma carte de presse. À travers une fenêtre, j'ai aperçu un homme vêtu d'une longue galabiah, un keffieh sur la tête. Je lui ai fait de grands signes en criant : « Journalistes ! On est journalistes ! Laissez-nous entrer ! » Les employés du consulat nous ont autorisés à nous réfugier à l'intérieur. Je voyais l'immeuble en face de nous, qui abritait le dispositif palestinien antiaérien. Les bombardements israéliens l'ont réduit à un tas de gravats.

Samar fit une pause, contemplant pensivement le liquide noir qui stagnait au fond de sa tasse avant de continuer :

— Au bout de deux heures, les combats se sont calmés. Les Qatariens du consulat nous ont prêté une voiture, une petite Fiat rouge, et on est arrivés jusqu'à Beyrouth. Là-bas, les habitants étaient attablés dans les bars du front de mer à siroter des cafés et des apéritifs comme si de rien n'était. Ils montraient du doigt les avions, en disant : « Celui-ci va bombarder Chatila, celui-là se dirige vers Tripoli, à l'endroit des positions syriennes. » Ensuite, ils se remettaient tranquillement à boire, comme si, pour eux, la vie et la mort coexistaient en parfaite harmonie. On entendait le bruit étouffé des explosions à quelques kilomètres de là, et on apercevait la fumée des incendies. Je ne veux pas paraître trop… trop je ne sais pas quoi… Mais j'avais l'impression de sentir aussi l'odeur tenace de la mort. Personne d'autre ne paraissait y prêter attention. Bon, allez. Cette fois, vous avez le droit de me dire que je vous ennuie avec tout ce blabla de journaliste.

– Vous faites exactement le contraire, s'empressa de répondre Miral. Je suis d'accord avec vous : apparemment, la frontière entre la vie et la mort n'est pas perçue de la même façon ici et ailleurs. Parfois, je vais dans le camp de réfugiés où j'enseigne l'anglais aux enfants. Là-bas, tout a l'air si terriblement fragile que chaque heure qui s'écoule est à la fois un cadeau et une malédiction.

– Je vois ce que vous voulez dire. Les camps de réfugiés sont les endroits le plus irréels de la surface de la Terre, en tout cas sur cette face-ci. La notion de temps n'y existe pas, et il n'y a pas suffisamment d'espace vital pour y faire quoi que ce soit. Le droit des habitants à mener une vie décente y est piétiné. Et pourtant, ils se plaignent surtout d'être marginalisés. Ils ne veulent pas devenir des assistés, juste qu'on leur donne les moyens de revenir à la normale.

Samar ramassa son sac en cuir noir et y fouilla longuement à la recherche d'un paquet de cigarettes américaines. Elle en sortit une et la tendit à Miral, qui refusa d'un signe de tête. Samar approcha la cigarette de ses lèvres pour l'allumer d'un geste lent, presque las. Tandis qu'elle inhalait profondément la fumée, un silence morose s'installa. La femme et la jeune fille pensaient toutes les deux qu'un nouveau chapitre de la vie de leur peuple commençait, et chacune se considérait à la fois comme un élément extérieur et comme un protagoniste du drame en cours. Quand leurs regards se croisèrent, Miral sentit que tout ce qu'elle avait fait jusque-là – les cours au camp de réfugiés, les manifestations, ses escapades hors de l'école et ses courses-poursuites avec la police – n'avait finalement pas été complètement inutile.

De son côté, Samar était assaillie par une foule de doutes au sujet des articles qu'elle avait écrits et de ceux qu'elle écrirait le lendemain. Bien que réfractaire à la prose sentimentale, elle craignait de perdre son objectivité.

C'est donc ainsi que Miral apprit avant ses condisciples, avant les citoyens de Jérusalem et même avant que les journalistes aient eu le temps de communiquer la nouvelle au monde entier, que les négociations s'étaient conclues positivement. Palestiniens et Israéliens étaient arrivés à un accord, même s'il n'était pas finalisé. Les rencontres entre le chef de la délégation israélienne, Yossi Beilin, et le cousin de Hind, Fayçal Husseini, qui dirigeait l'équipe de négociateurs palestiniens, allaient conduire à la célèbre poignée de main entre Rabin et Arafat dans la roseraie de la Maison-Blanche.

Cette nuit-là, les yeux de Miral étaient remplis d'espoir et embués d'émotion alors qu'elle se dépêchait de retraverser le jardin de Dar El-Tifel en sifflotant *Here Comes the Sun* des Beatles. Avant de se glisser dans le bâtiment des dortoirs, elle se retourna vers la ville, qui semblait reposer sous un voile de brume. La mosquée Al-Aqsa, le dôme du Rocher, le mur des Lamentations et l'église du Saint-Sépulcre étaient tous rassemblés entre ses murs, si proches les uns des autres, et en même temps si loin.

En arrivant devant sa chambre, elle ouvrit la porte sans hésiter, sûre que personne ne l'avait vue rentrer. À sa grande surprise, elle sentit une présence dans la pénombre, et sa surprise s'accentua en découvrant qu'il s'agissait de Hind. Son étonnement fut à son comble quand la directrice, si stricte d'habitude, lui demanda tout de suite des nouvelles des négociations au lieu de la réprimander.

Après lui avoir raconté sa soirée en détail, y compris sa rencontre avec Samar, dont Hind admirait beaucoup les talents de journaliste, Miral raccompagna la vieille dame jusqu'à ses appartements, certaine que Hind ne lui reparlerait jamais de ce qu'elle lui avait raconté.

De retour dans sa chambre, Miral s'étendit sur son lit sans se déshabiller et resta allongée à regarder le plafond. Incapable de trouver le sommeil, elle essaya de s'imaginer à quel point sa mère aurait été heureuse d'apprendre cette information formidable qui passait sûrement à ce moment même sur les rotatives, et qui se répandrait dans tout le pays le lendemain.

*

* *

Alors que le monde entier se joignait aux Palestiniens et aux Israéliens pour regarder à la télévision la poignée de main historique entre Arafat et Rabin, qui mettait un terme à des décennies de violence et de méfiance, Miral discutait de son avenir avec Hind. Les résultats des examens étaient arrivés, et elle avait obtenu d'excellentes notes. Hind, que les prouesses de sa filleule faisaient rayonner de fierté, l'avait convoquée dans son bureau. Miral avait à peine mis un pied à l'intérieur que Hind l'étreignit en s'exclamant :

— Félicitations, ma chère fille.

Miral n'oublierait jamais ce que son aînée lui avait dit ce jour-là avant de la quitter :

— Aujourd'hui a été un grand jour pour notre peuple, un nouveau départ, mais ne nous faisons pas d'illusions : la route est encore longue. J'avais perdu tout espoir de vivre ce moment historique, mais toi qui es jeune, tu auras la chance d'être témoin de la naissance de l'État démocratique de Palestine. On aura besoin de la contribution de tous, en particulier de la tienne et de celle des autres jeunes gens instruits. Je t'ai appelée pour t'annoncer que tu avais obtenu la bourse. Tu vas aller étudier à l'étranger, ma chérie, et le moment est venu de travailler d'arrache-pied et de donner le meilleur de toi-même. Je sais que tu as traversé une période difficile, mais, à mon avis, de toutes les filles qui ont demandé la bourse, tu étais celle qui la méritait le plus. Pars faire tes études, et reviens. Arrange-toi pour nous rendre fiers de toi encore une fois. Je t'aime beaucoup, tu sais, tu es comme une fille pour moi. Tu vas étudier dans une des meilleures universités d'Europe. Crois-moi, Miral, parfois, on sert mieux son pays à distance.

Miral éclata en sanglots. Son chagrin était incommensurable, englobant le décès de son père, emporté par la maladie, et la soudaine et violente mort de Hani. Hind avait raison, se dit-elle. Il fallait qu'elle s'éloigne au moins pour un temps de Jérusalem et de tous ces deuils.

Miral aurait aimé parler longuement avec elle et lui raconter toute la vérité : son histoire d'amour avec Hani, sa participation à toutes les manifestations, y compris les plus violentes, durant lesquelles elle avait jeté des pierres et des cocktails Molotov sur les tanks israéliens, et son passé de militante au FPLP. Mais le regard que Hind posait sur elle était empreint d'une telle compréhension que les paroles lui semblaient inutiles. Hind avait tout compris depuis le jour où Miral lui avait avoué son engagement politique. Elles s'embrassèrent, et cette étreinte était plus forte que les mots.

20.

Le départ de Miral était prévu pour le lendemain matin. Après avoir fait ses adieux à Rania et à Tamam à Haïfa, elle achevait de rassembler ses affaires pour préparer sa nouvelle vie loin de Jérusalem.

Pendant le trajet qu'elle avait si souvent parcouru entre Haïfa et la Ville sainte, elle avait essayé de mémoriser les endroits les plus chers à son cœur : le mont des Oliviers, qui semblait porter un manteau d'eucalyptus, de pins et d'oliviers enveloppant toute la colline jusqu'au pied des remparts de Jérusalem, et le dôme doré, qui paraissait diffuser une lumière chaude sur toute la ville. Elle ne voulait pas non plus voir s'effacer le souvenir des odeurs puissantes des marchés.

Jamais elle n'oublierait sa ville, si lumineuse et intense. Si elle ignorait ce qui l'attendait en Europe, elle savait que ce départ était le seul choix susceptible de lui assurer le moindre avenir. Ce serait plus facile que de continuer à vivre dans son propre pays, où chaque lieu lui rappelait tout ce qu'elle avait aimé et perdu. En faisant sa valise avec l'aide d'Aziza, elle y rangea tous ses CD, ses photos, et les quelques vêtements qui constituaient sa maigre garde-robe. Hind vint lui apporter un manteau qui la protégerait des froids hivers européens.

— Si tu as des problèmes, si tu n'y arrives pas, reviens ! N'aie pas peur d'être jugée. On est sœurs, lui rappela Aziza.

Miral aurait voulu imprimer à jamais dans sa mémoire le spectacle des murs blancs de Jérusalem et de ses portes, de

Dar El-Tifel. Si elle oubliait tout cela – bien qu'il lui serait sans doute pénible de se souvenir de son ancienne vie –, un jour, très lointain peut-être, elle serait submergée de remords. Il lui faudrait alors enlever la couche de poussière déposée par le temps sur les photos, les images, les voix et les échos de son passé, et même sur les silences, les lourds silences si nombreux qui avaient ponctué sa vie. Elle voulait se souvenir de tout.

Cette chambre, cette fenêtre et même ce lit l'avaient vue grandir et mûrir. Cet oreiller, sur lequel elle avait appuyé sa tête, avait absorbé les larmes de chagrin qu'elle avait versées sur la mort de ses êtres chers : Nadia, Jamal, Hani.

Demain, elle dormirait ailleurs, sur un autre oreiller, très loin, et peut-être rirait-elle aussi, car sa vie allait radicalement changer dès qu'elle aurait quitté Jérusalem. Miral avait peur de perdre son identité, tout en sachant que si elle restait, c'était elle qui se perdrait.

Avant de s'endormir, une image lui vint à l'esprit, claire et nette comme une photo. Elle se trouvait sur le bout de terrain plat menant au camp de réfugiés de Kalandia. Une bande de fleurs d'un jaune intense au cœur presque rouge, nourries par les fréquentes pluies, avait poussé sur le sentier au milieu des gravats et de la ferraille. Elle se hâtait sur ce chemin, comme s'il devait la conduire à un avenir heureux. La route fleurie n'était cependant qu'un mirage, un rêve : tout ce qui restait aux habitants des camps de réfugiés. Quand Miral rouvrit les yeux, elle comprit que ce songe était à la fois une illusion et une prédiction.

C'était une représentation, un symbole de son prénom, qui désigne en arabe une jolie tulipe jaune. *Miral* évoque les racines qui rattachent à la terre. Même si les murs de Jérusalem, tous les Lieux saints, les musées et les immeubles officiels s'effondraient, les fleurs, qui sont les véritables enfants de la terre, continueraient à éclore dans un sol fertilisé par le sang.

Le jour du départ de Miral, Jérusalem était encore en liesse. Des drapeaux palestiniens ou israéliens s'échappaient de toutes parts des voitures roulant en convois. C'était la première fois depuis la signature des accords que les habitants fêtaient en même temps l'événement à l'est et à l'ouest. À la fin de l'après-midi, Miral attendit son taxi devant l'école au milieu de toutes ses amies, le visage figé. Elle avait essayé de ne pas pleurer, mais, en voyant Hind accrocher le drapeau palestinien à son balcon pour participer aux célébrations, elle ne parvint pas à retenir ses larmes. Hind descendit l'embrasser, l'encourageant à continuer à lui faire honneur. Avant que Miral ne monte dans le taxi, elle s'arrêta un instant et posa la main sur son bras.

– Ma chère fille, tu n'abandonnes rien, parce que l'essentiel restera toujours au fond de toi. Tu n'oublieras jamais qui tu es ni d'où tu viens. Tout ce que tu as vécu ici t'aidera à réussir n'importe où, quelle que soit la voie que tu choisiras. Rien n'est décidé à l'avance, Miral, mais rien n'arrive non plus par hasard. Toi seule es maîtresse de ton destin.

Alors que le taxi s'éloignait, Miral jeta un dernier coup d'œil en arrière, juste à temps pour entrevoir confusément Aziza et les autres filles courant après la voiture, et sa vieille directrice, qui agitait la main en signe d'adieu, debout près de la grille. Miral était loin de se douter qu'elle ne la reverrait jamais.

Le chauffeur interrompit ses pensées :

– On va où ?

– À l'aéroport Ben Gourion.

– Vous partez où, mademoiselle ?

– En Europe, répondit Miral tandis qu'ils passaient devant le dôme du Rocher, scintillant au soleil.

En traversant le quartier juif orthodoxe, elle aperçut des colons religieux qui protestaient, armes à la main, contre la signature imminente des accords. Certains portaient des bannières à l'effigie du Premier ministre israélien Yithzak Rabin, disant : « Tu nous as trahis. » Une fois de plus, Jérusalem, sa ville, était suspendue entre la guerre et la paix.

Remerciements

Merci à ma famille, qui m'a donné la force d'affronter le côté sombre de notre héritage. Tous mes remerciements à Julian d'être retourné là-bas avec moi et de m'avoir aidée à relier mon passé et mon avenir. J'aimerais aussi remercier Sophie et Jérôme Seydoux de leur si grande implication tout au long de ce voyage, Bianca Turetsky, pour m'avoir toujours prêté une oreille attentive et pour sa gentillesse, ainsi que Thomas et Elaine Colchie, mes agents et amis.

Je souhaite enfin manifester ma gratitude à Hind Husseini et à mon père Othman Jebreal, dont l'humanité et l'amour de l'enseignement m'ont sauvé la vie en me permettant de prendre un bon départ dans l'existence.

Composé par Nord Compo Multimédia
7, rue de Fives, 59650 Villeneuve-d'Ascq

Cet ouvrage
a été achevé d'imprimer
sur Roto-Page
par l'Imprimerie Floch
à Mayenne en avril 2010.

N° d'édition : 1140/01. – N° d'impression : 76519.
Dépôt légal : avril 2010.

Imprimé en France